LE DÉTECTIVE DE FREUD

DU MÊME AUTEUR

LES ADIEUX À L'EMPIRE, France-Empire, 2006 ; Babel n° 1323.
LE DÉTECTIVE DE FREUD, éditions De Borée, 2010.

Dans la série des enquêtes du commissaire aux morts étranges
CASANOVA ET LA FEMME SANS VISAGE (grand prix Sang d'encre de
la ville de Vienne), Actes Sud, 2012 ; Babel noir n° 82.
MESSE NOIRE (prix *Historia* du roman policier), Actes Sud, 2013 ;
Babel noir n° 105.
TUEZ QUI VOUS VOULEZ, Actes Sud, 2014 ; Babel noir n° 150.
HUMEUR NOIRE À VENISE, Actes Sud, 2015 ; Babel noir n° 171.
ENTRETIEN AVEC LE DIABLE, Actes Sud, 2016.
LE MOINE ET LE SINGE-ROI, Actes Sud, 2017.

Première édition :
© Éditions De Borée, 2010

© ACTES SUD, 2017
ISBN 978-2-330-08154-6

OLIVIER BARDE-CABUÇON

LE DÉTECTIVE DE FREUD

roman

BABEL NOIR

*À Christine, Thibault, maman et à Jung
qui m'a ouvert des espaces infinis.*

Faisons quelque chose pour que le monde dise de nous que nous étions fous.

ANTÓNIO LOBO ANTUNES

On naît tous fous, seuls quelques-uns le demeurent.

SAMUEL BECKETT

PROLOGUE

— Si Dieu existait, récita pieusement Jung, pourquoi laisserait-il souffrir les petits enfants?

Il y eut un silence gêné dans la grande salle du restaurant où trônaient les reliefs du copieux repas allemand que venaient de déguster les congressistes de l'Association psychanalytique internationale. Était-ce prière, incantation ou provocation? La question flotta un instant dans l'air, s'insinuant dans les esprits comme un vent glacé.

Le jeune du Barrail concentra son attention sur Jung. Une espèce de grâce semblait auréoler le psychanalyste suisse dont le regard brillant d'intelligence s'attardait plus que nécessaire sur chaque membre de l'auditoire, évitant soigneusement la personne quasi sacrée de Freud. Chacun savait que celui-ci plaçait Dieu au registre des illusions.

Autour de la table, les hommes tirèrent nerveusement sur leur cigare en prenant un air grave et préoccupé. Comme le silence devenait inconfortable, les regards convergèrent discrètement en direction de Freud. Il était de notoriété publique que Freud voyait en Jung son successeur à la tête du mouvement psychanalytique mais on savait également qu'il n'était pas le disciple préféré du maître : *trop de culture, pas assez de raison...*

Du Barrail se demanda si le maître viennois avait compris toute la portée de cette phrase de Dostoïevski dans *L'Idiot*. Les yeux sombres et lumineux de Freud, toujours attentifs aux êtres et aux choses autour de lui, se posèrent alors sur cette assemblée de psychanalystes qui avait fait le succès de ce congrès à Weimar malgré la dissidence récente d'Alfred Adler. C'était le repas d'adieu. On trouvait là le grave et austère Ernest Jones aux côtés de Karl Abraham, Rank et de Sandor Ferenczi. Les femmes étaient représentées par Margarete Hilferding, la première femme psychanalyse, et Lou Andreas-Salomé à la lourde chevelure blonde nouée en chignon que son ancien amant Rilke avait surnommé "le buisson ardent". Après avoir déclaré à Freud : *ma vie était en attente de la psychanalyse depuis que j'ai quitté l'enfance*, elle avait été acceptée cette année dans le cercle des pionniers de la psychanalyse avant de devenir l'amie intime d'Anna, la fille préférée de Freud.

Chacun retint son souffle mais Freud ne dit rien et resta hermétique derrière ses petites lunettes cerclées. Du Barrail comprit alors que la rupture était courue d'avance entre lui et Jung même si aucun d'eux ne le savait encore. Il suffirait d'un rien, d'une analyse contraire sur un fait mineur pour consommer le divorce. Du Barrail balaya du regard les congressistes autour de la table. Manifestement, personne n'avait envie que cela se produise. La nouvelle science de la psychanalyse était encore trop jeune et controversée pour se permettre un premier schisme.

Le silence persista. Tout le monde regardait Freud et Freud regardait tout le monde. Personne cependant n'aurait pu deviner vers quoi les pensées de l'éminent psychanalyste viennois s'étaient tournées.

Une goutte de sueur!

Du Barrail se pinça pour y croire. Aucun muscle du visage de Freud n'avait bougé et, derrière ses lunettes, le regard demeurait insondable. Seule, bouleversant l'ordre des choses établies et trahissant son maître, une goutte de sueur venait tout remettre en question.

Que se passe-t-il? se demanda du Barrail bouleversé. *Qu'est-il arrivé?*

I

LE MYSTÈRE DE LA DAME EN VERT

Le regard de Freud n'avait plus quitté du Barrail pendant que le maître viennois saluait un par un les membres de l'assistance et ce regard disait : *Ne partez pas, il faut que je vous parle en tête à tête.*

Du Barrail s'arrangea donc pour rester le dernier. C'était un jeune homme aux cheveux châtain clair coupés court. Dans son visage aux traits réguliers, deux yeux bleus flamboyaient, comme éclairés de l'intérieur. Son teint était pâle, des cernes violets soulignaient son regard. Il émanait de lui une espèce d'élégance épuisée comme quelqu'un qui serait parti trop tôt dans la course de la vie et aurait du mal à boucler son parcours.

Après le départ de tous les congressistes, du Barrail accompagna Freud à travers les rues pavées de Weimar jusqu'à son hôtel, près de l'ancien Palais. L'éminent psychanalyste avait un nez fort, presque saillant, et portait à la viennoise une moustache et une barbe étroite. Le front était haut mais ce qui fascinait le plus ses interlocuteurs demeurait l'acuité de son regard. Freud l'invita à le suivre dans sa chambre, et ce que du Barrail redoutait arriva.

— Nous avons un problème, dit Freud en allumant son cigare et en dardant un regard pénétrant sur lui. Vous connaissez bien le jeune Victor Gernereau ?

Du Barrail ne répondit pas directement à la question. Quelque chose dans le ton du maître l'avait mis en alerte et, inconsciemment, il tenait à peser ses mots.

— Nous avons passé une nuit à parler du complexe de castration en buvant de la vodka, fit-il d'une voix basse et douce. Je me suis couché ensuite avec un fort mal de crâne avant même d'avoir atteint la période de puberté !

Freud n'avait guère le sens de l'humour et, de fait, les lignes du rire de son visage, si peu marquées qu'on pouvait douter de leur existence, ne s'accentuèrent que très faiblement.

— Le docteur Gernereau est mort, fit-il laconiquement. On l'a retrouvé ce matin, étranglé, couché sur son divan d'analyste.

— Assassiné ?!

Du Barrail était aussi stupéfait qu'atterré, du moins c'est ce qu'il montra à son hôte.

— Je voudrais que vous vous rendiez sur place, continua Freud imperturbable, pour mener à bien une enquête…

Voir la lune à la place du soleil n'aurait pas plus surpris du Barrail.

— *Herr Doktor*, pourquoi n'engagez-vous pas un détective ?

Freud demeura un instant silencieux. Du Barrail sentait le regard du maître passer à travers lui, le sonder et le jauger.

— Qu'est-ce qu'un détective peut comprendre à l'exercice de la psychanalyse?

Ce genre de remarque n'amenait pas forcément de réponse mais du Barrail n'était pas décidé à subir.

— Je ne suis pas compétent pour enquêter sur un meurtre!

Freud se renversa dans son fauteuil et tira pensivement une bouffée de son cigare. En quelques secondes se confondirent dans sa mémoire les litanies de ses premiers patients lorsqu'il avait ouvert son cabinet: une villageoise qui courait nue au milieu des bois en criant qu'elle voyait des cadavres pendus dans le grenier de ses parents, une Viennoise qui rencontrait le diable chaque nuit, une autre qui attendait que le Saint-Esprit vînt lui faire l'amour, une ouvrière qui croyait entendre des coups et voir sa fille découpée en morceaux par son mari… Soigneusement, il choisit ses mots.

— Lorsque nos patients content leur histoire, il nous faut interpréter le contenu de leurs propos, en saisir les associations et mener une véritable enquête à travers leur récit pour en comprendre la signification. C'est seulement lorsque nous parvenons à percer leur défense psychique que nous arrivons à la source du trouble. Pour soigner le présent, il nous faut comprendre le passé. Voilà ce qu'est la psychanalyse! Qui sommes-nous donc sinon des détectives de l'âme?

Le regard de Freud courut le long des murs, regrettant de ne pas y trouver les statuettes mythologiques qu'il affectionnait particulièrement et qui décoraient sa maison et son cabinet de Vienne.

— Du reste, reprit-il plus doucement, je ne vous demande pas de procéder à une enquête mais de faire le point sur la situation. Après, et seulement après, nous aviserons. Si vous trouvez des indices, vous les communiquerez à la police ou irez plus loin en engageant un détective, quelqu'un de discret…

— Pourquoi moi ?

— Et qui voulez-vous donc que j'envoie ? s'emporta pour la première fois Freud. La psychanalyse ne se développe pas en France. L'an dernier, j'ai reçu une adhésion. Une seule ! Et j'en étais fort content ! Vous êtes le premier Français à assister à l'un de nos congrès internationaux, alors pourquoi pas vous ? Vous êtes de nous tous le seul à avoir connu quelque peu Gernereau.

Il porta la main à la poche de son gilet dans un geste qui lui était familier et s'immobilisa, son cigare en l'air.

— Vous êtes jeune, reprit-il d'un ton las, c'est un avantage. Moi j'ai cinquante-cinq ans et je porte seul le poids de trop de choses depuis des années. Vous avez le sens de l'observation, l'esprit logique… Vous exercez à Paris et entreteniez des rapports avec Gernereau, vous pourrez prendre contact sous ce prétexte auprès de ses patients.

Voyant que son interlocuteur n'était pas convaincu, Freud se pencha vers lui pour continuer, sur le ton de la confidence.

— Comprenez ce que l'assassinat d'un de nos membres, peut-être par un de ses patients, peut impliquer pour notre jeune science, attaquée de tous côtés par les esprits bien-pensants! Lisez-vous les journaux? Les médecins nous traitent de charlatans. Tous mes confrères se sont détournés de moi. Les plus polis disent que j'essaie de mettre le feu au monde à l'aide d'un bec à gaz éteint, les autres que je suis une bête lubrique! On orchestre une campagne de presse pour nous accuser d'amoralité. Pour l'Église, nous sommes une émanation de Satan en personne. Nous avons besoin de vous!

Du Barrail médita un instant la situation et finit par lâcher dans un murmure :

— Je ne pense pas que tout ceci soit très réaliste…

Il avait peine à le dire car, pour un jeune et nouveau membre comme lui dans le mouvement, c'était un honneur d'être choisi par leur maître à tous. Peut-être était-ce d'ailleurs la vraie raison du choix de Freud, pensant que du Barrail n'oserait refuser.

— Après Copernic et Darwin, dit lentement Freud, je suis celui qui a infligé à l'amour-propre de l'homme sa troisième humiliation. Copernic a démontré que l'homme n'était pas le centre du monde, Darwin le résultat d'une évolution hasardeuse. Moi, je lui ai fait prendre conscience qu'un autre univers existait et lui échappait : son Inconscient. *L'homme n'est pas maître dans sa propre maison!* C'est là une vérité difficile à entendre, ne croyez-vous pas?

Du Barrail ne put qu'opiner du chef.

— Vous non plus, du Barrail, vous n'êtes pas seul au monde.

Freud s'arrêta et le fixa sans ciller de ses yeux sombres et concentrés puis brusquement, comme s'il avait lu une muette approbation dans le regard du jeune homme, il sortit d'un tiroir de son bureau une épaisse enveloppe.

— Je vous donne les premiers éléments : Gerne- reau m'avait envoyé ses notes concernant un certain nombre de ses patients afin de solliciter mon avis. Lisez-les puis tentez de voir ces personnes. Je vous le demande comme un service.

Longtemps seul contre tous, Freud avait développé un instinct de survie, une espèce de volonté agressive qui, au fil du temps, était devenue tranchante comme un couperet. Devant cette volonté de fer, le jeune psy- chanalyste plia. Ses mains se posèrent sur l'enveloppe avec appréhension.

— Du Barrail ?

— Oui ?

Pour la première fois depuis le début de leur entre- tien, le regard de Freud avait fui le sien.

— Il y a autre chose que je voudrais que vous fas- siez pour moi. Figurez-vous qu'il m'arrive une mésa- venture. J'ai répondu à Gernereau. Je souhaiterais que vous récupériez ces lettres…

*

Le congrès de psychanalyse de Weimar s'était achevé en cette année 1911 sur une note d'espoir. À l'approche du printemps, dans la vieille ville médiévale aux ruelles étroites et aux maisons à hauts pignons, l'atmosphère était demeurée bon enfant. Après un exposé de Otto Rank intitulé *Représentation de la nudité dans la poésie et les légendes*, les congressistes hurlèrent de rire en lisant dans le journal local du lendemain matin que *d'intéressantes communications avaient été apportées sur la nudité et autres sujets d'actualité!*

Dans le train qui le ramenait à Paris, du Barrail tenta de rassembler ses impressions éparses. Malgré la concurrence entre Suisses, autour de Jung, et Viennois, autour de Freud, les psychanalystes faisaient taire leurs dissensions internes. Le Hongrois Ferenczi avait apporté une lumière pertinente sur l'homosexualité, et Karl Abraham avait été ovationné pour son étude sur la démence maniaco-dépressive. Freud avait présenté un exposé important sur l'autisme et Jung, quant à lui, avait affirmé sa singularité en parlant du symbolisme dans les psychoses et les névroses.

Du Barrail se rendait toutefois compte avec malaise que son souvenir le plus fort restait celui de la séance de photo en fin de congrès. Il contempla le cliché avec attention. Comme de bien entendu, Freud et Jung en étaient le point central mais, assise au premier rang, neuvième en partant de la gauche, une jeune femme brune au regard farouche fixait l'objectif avec une intensité particulière. Il l'avait remarquée au congrès sans oser l'aborder, comme bien souvent avec les femmes. Ce regard poursuivait désormais du

Barrail dans ses rêves, leur donnant une tournure érotique inédite et troublante.

Perdu dans ses pensées, du Barrail ne remarqua pas tout de suite qu'une femme tout de vert vêtue, un collier de perles fines au cou, s'était glissée sur la banquette d'en face dans un de ces frous-frous soyeux qui aiguisent si bien les nerfs des hommes. Ce faisant, la pointe de sa bottine de cuir effleura sa cheville. Elle s'en excusa avec ce qu'il crut être un sourire sous la voilette qui masquait son visage. Un parfum de rêve accompagnait chacun de ses mouvements. Un instant, du Barrail se laissa aller à deviner les charmes de ce visage dissimulé. Bercé par cette idée et par le rythme régulier du train, une douce torpeur l'envahit insidieusement et il s'abandonna bientôt à une rêverie dans laquelle la Dame en vert soulevait sa voilette pour découvrir le visage de la troublante congressiste, premier rang, neuvième place en partant de la gauche…

Un brusque déclic le sortit de sa torpeur. La Dame en vert avait descendu la valise du jeune psychanalyste et l'avait ouverte. D'un bond, du Barrail fut sur ses pieds.

— Madame! Que faites-vous avec ma valise?

Elle sursauta.

— Votre valise! Mon Dieu, suis-je bête! J'ai confondu. Voulez-vous m'aider à la remettre en place?

Elle avait un léger accent étranger, indéfinissable, qui se mariait bien avec le timbre très sensuel de sa voix.

— Laissez, je vous en prie, dit du Barrail d'un ton courroucé.

Mais ce ton était celui de la déception. Une voleuse, c'était donc ça la Dame en vert? Ils étaient debout, face à face, le regard fixe et le corps tendu comme avant une confrontation, lorsqu'un cahot soudain du train les attira l'un vers l'autre comme deux aimants. Du Barrail reçut dans ses bras l'offrande de son corps mince et, dans un pur réflexe animal, resserra ses mains autour d'une taille élancée. D'un coup, les arômes d'un parfum floral, sur fond d'ambre et d'épice, le submergèrent.

Il ne sut ensuite analyser ce qui s'était réellement passé. Était-ce lui ou elle qui avait basculé le premier son visage vers l'autre? Il sentit ses lèvres effleurer le tissu de la voilette, aspira l'haleine brûlante de la jeune femme à travers celle-ci et perçut l'humidité de la bouche qui se détourna au dernier moment.

— Je vous en prie, monsieur!

Elle s'était reculée d'un pas pour esquisser un geste de défense. Il remarqua qu'elle portait un gant de soie brodée moulant sa main jusqu'à l'avant-bras.

— Comment vous appelez-vous, monsieur, s'il vous plaît?

— Du Barrail, balbutia le jeune psychanalyste.

— Ma valise, monsieur du Barrail, je vous prie!

Le ton était sec et du Barrail s'exécuta immédiatement, avec le sentiment de culpabilité de celui qui a profité de manière honteuse de la situation.

— Madame, je vous demande de me pardonner…

— Laissez-moi passer!

Docilement, il lui ouvrit la porte du compartiment. Elle le frôla au passage, incendiant tous ses sens : senteur, regard de feu sous la voilette, froissement des habits, fluidité du corps, chair palpitante sous la soie…

Hébété, il fit un pas dans le couloir comme pour imprimer dans sa rétine la silhouette charmante qui s'éloignait, laissant derrière elle un sillage parfumé. Machinalement, il nota que la valise qu'elle portait ne ressemblait en rien à la sienne. Comment avait-elle pu la confondre ?

— Pardon…

Du Barrail dut s'effacer pour laisser le passage à un homme trapu, une tête énorme posée sur un cou de taureau et les yeux enfouis sous de lourdes paupières. Ce fut alors que le psychanalyste remarqua un mouchoir en dentelle à terre. Saisi d'un brusque pressentiment, il le ramassa et le porta à son visage. C'était le parfum de la mystérieuse inconnue.

— Une bien jolie demoiselle, fit une voix un peu aiguë derrière lui, encore que je doute qu'elle en soit vraiment une, mon jeune confrère !

Du Barrail se retourna d'un bond. Adossé à la porte de son compartiment, un sourire narquois aux lèvres, se dressait Carl Gustav Jung. Celui-ci suivait des yeux la silhouette de la Dame en vert qui disparaissait par la porte du wagon.

— Où commence le mal, où finit le bien ? Elle m'a joué la même saynète il y a un quart d'heure, dans mon compartiment. Cela a commencé par une valise à poser dans le filet à bagage, elle fait tomber la mienne par gaucherie puis le numéro habituel de séduction… Pour ma part, je n'ai pas réagi : je n'aime pas me faire manipuler.

Sous le poids de la honte, du Barrail sembla se tasser sur lui-même et se hâta de dissimuler le mouchoir ramassé dans une poche.

— Une nymphomane ? Pauvre créature…

— Non.

Savourant son effet, Jung sortit de son étui une cigarette qu'il alluma sans se presser.

— Pas une nymphomane, une frôleuse d'enfer. C'est le terme que j'emploie pour tous ceux qui se risquent à des jeux qui les dépassent.

Il eut un rire gai.

— Je les comprends bien, je suis comme eux : seul ce qui est défendu m'attire !

Il tira une bouffée de sa cigarette et le halo de fumée le nimba d'une couleur grise. Du Barrail le considéra avec respect et admiration. Grand et large d'épaules, les yeux bleus et les cheveux courts, Jung dégageait une impression de puissance et d'extrême vitalité. Il avait le front haut du penseur et les grosses mains noueuses d'un travailleur du bois ou de la pierre, alliant à une grande force physique une puissante intelligence. À trente-six ans, dans la pleine force de l'âge, il irradiait de sa personne une chaleur et une humanité qui ne pouvaient que saisir et grandir l'interlocuteur. C'était, après Freud, le psychanalyste le plus renommé du moment et le successeur adoubé de celui-ci. Pour cette raison, ce dernier lui avait confié, lors du congrès de Nuremberg de l'année précédente, la présidence de l'Association psychanalytique inter-nationale au grand dam des disciples viennois de la première heure.

— Ce train est chargé de mystère, remarqua Jung dont les yeux brillaient de curiosité. Un nouveau membre de notre société est retenu une heure en tête à tête par Freud à l'issue du congrès. Je le retrouve ensuite dans les bras d'une belle inconnue qui s'en-fuit, poursuivie par un mystérieux homme qui ne la lâche pas d'une semelle.

— Quoi?

Le regard de Jung le jaugea un instant puis, à nou-veau, un sourire inonda le visage du Suisse, un sou-rire exempt de moquerie.

— Vous observez mais vous ne voyez pas…

Il désigna du menton la porte du wagon qui se refermait derrière un homme trapu.

— Il vient de vous bousculer mais il était déjà dans le couloir tout à l'heure, faisant semblant de lire son journal. Ma mère m'a légué ce don de voir les gens et les choses tels qu'ils sont. Un policier sans doute ou sim-plement son complice. De toute manière ceci ne nous regarde en rien. Que pourrait bien avoir à faire avec des gens comme eux des psychanalystes comme nous?

Et disant cela, Jung lança un regard incisif qui fit baisser les yeux à du Barrail.

— Rien, bien sûr, finit par murmurer le jeune homme.

Jung resta un instant silencieux, dans l'attente d'une confidence qui ne vint jamais. Alors, il invita son jeune collègue à l'accompagner au wagon-restaurant. Prenant son manteau, du Barrail rangea dans la poche de celui-ci le livre qu'il n'avait pas encore eu l'occasion de lire pendant le voyage.

— Voyons cela, s'intéressa Jung, vous lisez *Le Chevalier qui terrasse le dragon* !

Le Suisse le considéra d'un œil nouveau.

— Êtes-vous un paisible psychanalyste comme vous le laissez naturellement penser ou bien vous transformez-vous à l'occasion en un guerrier impitoyable ?

Devant sa mine déconfite, Jung lui donna une tape amicale sur l'épaule. Sur le visage du Suisse, il y avait un air de malice et de gaieté presque enfantine.

— Allons prendre un verre, nous referons le monde ! Moi aussi, j'ai mes lectures ! J'ai toujours été impressionné par la quête du Graal et les chevaliers du roi Arthur. Je lus ces histoires à quinze ans et cela me marqua à jamais. Tout en moi cherchait cette part d'inconnu qui seule peut donner un sens à la banalité de la vie.

Le reste du voyage fut passionnant pour du Barrail qui écouta avec émerveillement le Suisse, incapable de rester immobile plus de quelques minutes, parler en marchant de long en large dans le compartiment. La culture de Carl Jung était impressionnante. Il parlait latin et grec sans effort, discourait avec une passion qui enflammait son auditoire de sujets aussi variés que la paléontologie, l'archéologie ou la géologie tout en les reliant aux représentations mythiques de l'humanité et aux grands symboles à travers les temps. Bien vite, Jung avoua son penchant pour les sciences occultes.

— Savez-vous ce qui m'a orienté vers la psycha-nalyse? J'étais étudiant en médecine à l'université de Bâle. La chirurgie m'attirait mais mon père, qui était pasteur, n'avait pas les moyens de financer ces études coûteuses. Un jour, on m'invita à une séance de spi-ritisme au cours de laquelle une jeune fille de quinze ans entra en transe. Elle se mit alors à parler comme une femme plus âgée, dans un allemand littéraire dont elle n'avait pas l'habitude. Cela n'intrigua personne mais moi cela me passionna. Malgré l'avis contraire de mes professeurs, j'en fis mon sujet de thèse : *Psy-chologie et pathologie des phénomènes dits occultes.* Cela sonne bien, vous ne trouvez pas?

Du Barrail sourit. Carl Jung avait de l'humour et le sens de l'autodérision.

— Ainsi, poursuivit le Suisse, je fus progressive-ment convaincu que la psychiatrie seule pourrait répondre aux questions de plus en plus nombreuses que je me posais.

Marquant un temps d'arrêt, Jung secoua grave-ment la tête.

— La psychiatrie ne m'apporta pas tout ce que j'at-tendais. Lorsque je commençai ma carrière de psy-chiatre, j'étais très mal à l'aise face à l'assurance de mon patron et de mes collègues. Je considérais pour ma part que la tâche du psychiatre était de compren-dre ce qui se passait à l'intérieur de la tête du malade, ce qui était loin d'être le cas.

Il s'interrompit pour allumer une cigarette.

— J'observais une vieille femme, enfermée depuis

cinquante ans, et qui faisait toujours le même mouvement rythmé avec les mains et les bras. *Elle est folle*, disait-on sans chercher plus à comprendre le sens de ce mouvement répétitif. En interrogeant une ancienne infirmière, j'appris qu'elle avait été capable autrefois de faire un soulier. Peu de temps après, cette femme mourut. À son enterrement je rencontrai son frère qui me révéla que sa sœur avait été amoureuse d'un savetier dans sa jeunesse. Cet homme la rejeta et elle perdit la tête.

Le regard de Jung s'échappa par la fenêtre du train comme si défilaient sous ses yeux, à la place des paysages, les images d'un passé toujours tenace.

— Je compris que les mouvements qu'elle répétait à longueur de journée reproduisaient les gestes du savetier et traduisaient ainsi son identification avec celui qu'elle avait aimé. Je sus dès lors avec certitude que l'important ne résidait pas dans les symptômes de la maladie mais bien dans l'histoire du malade. Seule celle-ci révèle les causes de la souffrance humaine. Et c'est à partir du moment où cette histoire est connue que peut commencer la thérapie.

Le Suisse souffla lentement la fumée de ses poumons et, à travers les volutes de la cigarette, il y avait tous les espoirs d'un monde immense à découvrir.

— L'homme ne peut expliquer son présent qu'en évoquant son passé! conclut-il sobrement.

En descendant du train à la gare Montparnasse, du Barrail, encore sous le charme, proposa à Jung de partager un taxi. De nombreuses lignes de tramway et d'omnibus desservaient la gare, malgré cela il y avait affluence devant la station. Sur le trottoir, le jeune psychanalyste posa sa valise à côté de celle de son compagnon. Relevant la tête, il distingua une silhouette verte coiffée d'un chapeau de la même couleur qui s'engouffrait dans une voiture. Inexplicablement, son cœur battit plus vite. À côté de lui, Jung imperturbable allumait une autre cigarette.

— Tiens, un taxi arrive.

Tiré de ses pensées, du Barrail chercha à tâtons sa valise sans quitter des yeux la voiture qui démarrait, emportant la mystérieuse Dame en vert.

— Manqué ! fit Jung.

Un couple de retraités venait de héler le taxi.

Du Barrail reposa sa valise à terre.

— Tiens, remarqua Jung, nous avons la même…

À cet instant, il reçut une brusque poussée dans le dos et faillit s'étaler à terre. L'agresseur bouscula à son tour du Barrail et s'enfuit avec la valise de celui-ci. Le jeune psychanalyste réagit le premier et, avec une vivacité insoupçonnée, se lança à la poursuite de l'homme qui disparaissait déjà dans la foule. Quelques minutes plus tard, un du Barrail essoufflé et dépité rejoignit Jung.

— Je n'ai pas pu le rattraper ! Il court et saute comme un Basque ! Quel malheur, il a fallu que l'on s'en prenne à moi dans toute cette foule…

— Ce n'était pas un hasard, fit froidement Jung. La Dame en vert s'est intéressée à votre valise dans le train mais elle n'a pas eu le temps d'y trouver ce qu'elle cherchait. Le complice que j'ai remarqué et qui la suivait a alors pris le relais à la gare avec une méthode plus expéditive. Mais que diable contenait votre valise de si intéressant ?!

Du Barrail pensa immédiatement aux notes de Victor Gernereau mais sa fidélité à Freud l'amena à mentir, ce qui n'était pas dans sa nature.

— Franchement, je ne sais pas. Je devais avoir l'air d'une proie facile. J'ai développé une thèse selon laquelle un comportement de victime génère souvent l'agression...

Jung lui lança un drôle de regard.

— Admettons que votre thèse soit juste, il reste curieux que cette dame ait également voulu fouiller ma valise. Mais peut-être ne savait-elle pas qui de nous deux était du Barrail à ce moment ?

Du Barrail pâlit. Avec une infaillibilité quasi divinatoire, Jung devinait les événements tels qu'ils s'étaient déroulés. La Dame en vert lui avait en effet demandé son nom dans le wagon.

— Je ne vois pas pourquoi elle en aurait après moi, répondit-il néanmoins d'un ton gêné.

Il sut tout de suite que Jung n'en croyait pas un mot mais ne comprit pas les raisons du regard profondément bienveillant que celui-ci posa sur lui. Lorsque le taxi déposa le Suisse le premier à son hôtel, ils se saluèrent cordialement.

— Un dernier mot avant de vous quitter, dit Jung. Prenez garde à la Dame en vert.

— Pourquoi donc ?

Carl Gustav Jung eut un large sourire et pour toute réponse se mit à fredonner un air connu :

Pourquoi si longtemps tu tardes
Que veux-tu donc que je garde ?
Ta voilette, ta voilette
Surtout garde ta voilette…

*

Elle était tout de vert vêtue… Cela commençait comme un conte de fées mais sans en être un. Encore abasourdi par sa rencontre avec la Dame en vert, du Barrail cherchait à reprendre pied pour recomposer les pièces d'un puzzle dont il ignorait la disposition finale.

Après être rentré chez lui, il décida de prendre l'air afin de ramener de l'ordre dans ses pensées. Le ciel d'un bleu très pur, seulement griffé par les rayons d'un soleil, incitait une foule dense et joyeuse à se glisser dans les rues. Les femmes en promenade portaient d'immenses chapeaux, certains chargés de plumes, de faux fruits ou de fleurs, et tenaient à la main des ombrelles. La mode leur avait dessiné une silhouette en S, enserrant leur corps dans un long corset, la poitrine basse pigeonnée, les hanches larges et les fesses projetées en arrière. Les femmes qui travaillaient étaient beaucoup moins bien vêtues.

Les pas du jeune du Barrail l'entraînèrent dans le VIIᵉ arrondissement. Autour de lui, l'usage du métal et du verre s'était répandu ces dernières années. À la dentelle de fer de la tour Eiffel enjambant le Champ-de-Mars, entre l'École militaire et la Seine, se rajou-taient désormais d'autres ossatures d'acier dans les gares, les grands magasins et les bâtiments officiels. Le printemps était là mais avec la fraîcheur d'un mois d'octobre. Comme souvent entre six et sept heures du soir, les effluves parfumés de l'absinthe planaient sur les terrasses des cafés. Dans l'un d'eux appelé *Le Manche du Fouet*, une serveuse au tablier fleuri lui servit ce breuvage odorant que certains appelaient *la fée verte*.

L'esprit ailleurs, du Barrail céda machinalement aux rites de la préparation : verser deux doigts de la liqueur anisée, poser en travers du verre la cuillère trouée et y placer deux morceaux de sucre avant de laisser couler dessus le filet d'eau. La boisson verte se troubla immédiatement pour prendre une couleur d'opale. Ce changement ne lui permit pas d'évacuer la Dame en vert de ses pensées. À une autre table, un couple de buveurs d'absinthe se livrait au même jeu. La femme masquait son ennui en se mirant dans son verre, sa tête appuyée contre sa main. Elle portait une robe en corolle et des bottines fermées par de petits boutons. Son regard croisa un instant le sien, et du Barrail détourna pudiquement les yeux. Son intérêt pour les femmes n'avait d'égal que sa timidité envers elles. En face de lui, les grilles du métro prenaient la forme d'une plante avec des lampes tulipes. Mélange éclectique de baroque, de classicisme et de rococo, l'Art nouveau touchait à sa fin. Pour du Barrail, toutes ces combinaisons de lignes et de courbes fatiguaient le regard. C'était un homme sobre qui appréciait peu l'apparat et ne parlait pas lorsqu'il jugeait qu'il n'avait rien d'intéressant à dire. Cette dernière qualité le distinguait de beaucoup de personnes mais contribuait à l'isoler du monde…

Du Barrail avait trente ans mais il en paraissait moins. Comme il était extrêmement discret sur lui, ses collègues le savaient seulement fils de notables de province, dirigé plus par humanisme que par goût vers la médecine. Très tôt intéressé par les travaux de Freud, il avait été véritablement conquis deux ans plus tôt, en apprenant que celui-ci avait dit à Jung en débarquant en Amérique devant la foule de leurs admirateurs :

— Ils ne savent pas que nous leur apportons la peste !

Devant ces paroles de pionnier, du Barrail avait senti battre son cœur comme à la lecture d'un fait d'armes. Le caractère de bâtisseur et de découvreur de Freud avec sa jeune science avait définitivement séduit son âme romantique. Il existait un Nouveau Monde à conquérir, une *Terra incognita* : l'Inconscient. Il en serait un des explorateurs. Cette quête des profondeurs lui avait paru être la seule alternative héroïque pour un intellectuel comme lui.

En deux ans, il s'était énormément impliqué dans le mouvement psychanalytique. Sa première patiente lui avait amené un cas ardu. Son photographe de mari, un farfelu, se levait en pleine nuit pour partir à l'improviste faire un reportage en Asie ou en Afrique. Du Barrail n'avait pas guéri l'homme de cette manie mais suggéré à son épouse d'attacher leurs chemises de nuit avec une épingle à nourrice.

Outre la psychanalyse et un nombre d'aventures féminines somme toute assez restreintes du fait de son travail prenant et de son caractère plutôt casanier, du Barrail nourrissait deux passions. L'une d'elles lui venait de sa mère et se portait sur le Premier Empire. Sa mère lui avait toujours répété qu'elle descendait d'un général napoléonien. Celui-ci semblait inconnu des registres de la Grande Armée mais, à force de recherche, le jeune homme était tombé sur un homonyme, officier de cavalerie, qui avait déserté en pleine bataille de Waterloo pour prévenir les Anglais de l'imminence de l'assaut des derniers bataillons de la garde impériale, dernier espoir de Napoléon. Dès lors, un vague sentiment de culpabilité l'avait habité, tant vis-à-vis de sa mère que de l'Empereur.

Sa seconde passion était plus incongrue puisque du Barrail s'amusait à chercher l'origine des mots. Ainsi, il savait expliquer que l'expression *pour des prunes* remontait à une lointaine croisade qui s'était arrêtée devant la ville de Damas sans jamais parvenir à s'en emparer. Les soldats chrétiens pendant le siège s'étaient en revanche gavés de succulentes prunes des vergers alentour. Les croisés avaient plié bagage en résumant qu'ils avaient fait tout ça *pour des prunes*.

Pour l'heure, du Barrail songeait sombrement à la manière dont il allait apprendre à Freud comment il venait de perdre tous les indices dont ils disposaient. Il finit tristement son absinthe, jeta un dernier regard à la femme attablée à côté et prit la direction de son cabinet, s'arrêtant un instant pour contempler la tour Eiffel car au fond il n'était pas pressé d'aller avouer sa faute au Maître.

La tour était un monstre de 7 300 tonnes, haut de 312 mètres, au squelette composé de 2,5 millions de rivets. Paris pouvait s'enorgueillir d'abriter en son sein le plus grand édifice du monde. Depuis la nuit des temps, outre ses vertus défensives, les tours représentaient le mythe ascensionnel. Déjà, la tour de Babel elle-même, où Dieu avait mélangé les langages de tous les hommes, voulait toucher au ciel. Certains poètes de ce siècle naissant prétendaient qu'au départ les constructeurs de la tour Eiffel avaient pour secret objectif de monter bien plus haut encore, voire de ne jamais arrêter de l'élever dans les airs. Pour ce faire, ils auraient projeté d'environner le troisième étage de la tour de brouillards artificiels afin que nul ne se doute de leurs ambitieux desseins. En réalité, construite pour l'Exposition universelle en 1889, sa survie n'était que provisoire. Deux ans auparavant, une commission s'était réunie pour décider de sa destruction. *La Dame de fer* avait été sauvée d'une seule voix.

Du Barrail sourit en pensant à toutes les excentricités que la *Bergère des nuages* provoquait. Des pilotes d'avion avaient en effet tenté de passer entre ses piliers et l'on avait même fait gravir ses marches par un éléphant. C'était un côté touchant de l'humanité que celui de vouloir toujours relever des défis sans intérêt.

À peine arrivé à son cabinet de la rue Maître-Albert, anciennement dénommée rue Perdue, sa servante vint lui annoncer la visite d'un M. Jung dont le nom se prononçait "Yung" et non "Jung" car le monsieur était étranger bien que parlant parfaitement le français ! Du Barrail sauta sur ses pieds.

— Vous ici !

Jung leva la main en signe d'excuse.

— Nous nous sommes quittés il y a deux heures à peine mais je viens vous ôter un souci. Nous avions chacun une valise identique. En sortant de la gare, nous avons dû l'échanger. Vous étiez en effet perdu dans vos pensées. Acte manqué ? Allez donc savoir… Bref, c'est la mienne qu'on a volée. C'est bien dommage pour moi mais pas pour vous…

— Dieu du ciel !

Un soulagement extrême qu'il ne songea même pas à masquer s'était peint sur le visage de du Barrail.

— Dieu n'est certainement pour rien là-dedans, ironisa Jung. Acte manqué, je vous le répète : un compromis entre l'intention consciente et le désir inconscient. Freud m'a raconté l'histoire de cette épouse qui, au lieu de placer à côté du rôti la moutarde réclamée par son mari, y déposa un médicament pour soigner les maux d'estomac ! Vous étiez tellement préoccupé au sujet de votre valise qu'inconsciemment vous avez voulu la protéger en l'échangeant avec la mienne.

Soudain gêné, Jung ajouta :

— Ceci dit, je dois vous avouer que je ne m'en suis rendu compte qu'après l'avoir ouverte…

Du Barrail se rembrunit. Jung poursuivit :

— J'ai malheureusement aperçu une enveloppe avec l'écriture de notre cher Maître à tous, Sigmund Freud, et je n'ai pu faire autrement que lire cette inscription : *Notes de Victor Gernereau sur ses patients*. Voilà, vous voyez que je suis franc avec vous. Comme je vous l'ai dit dans le train, je suis ici pour quelques conférences. Je reste deux semaines. Peut-être pourrais-je vous apporter mon aide.

— Votre aide ?

Jung eut un fin sourire.

— Pour faire toute la lumière sur le meurtre de notre jeune collègue, le docteur Gernereau. Car c'est bien cette mission que Freud vous a confiée ?

Du Barrail ouvrit stupidement la bouche puis la referma, subitement conscient qu'il venait par là même d'acquiescer.

— Comment avez-vous su ?

— Après notre réunion, Freud vous a retenu un long moment. Lorsque vous êtes sorti de son hôtel, vous aviez l'air abattu, inquiet et désemparé. Vous êtes rentré immédiatement à Paris alors que vous aviez prévu de rester pour visiter l'Allemagne. Enfin, vous conserviez dans votre valise les notes que Gernereau avaient certainement envoyées à Freud pour lui demander son avis. Je ne hasarderai pas d'hypothèse sur le vol à la gare et la Dame en vert !

Le Suisse lui jeta un regard satisfait.

— Comme vous le voyez, je m'en suis tenu aux faits ! ·

Il se saisit de son étui à cigarettes et son regard parcourut la pièce, notant au passage un nombre impressionnant de soldats de plomb de l'armée napoléonienne trônant sur une table basse. Il y avait là des tirailleurs au collet passepoilés de bleu dont les ornements de retroussis sont des aigles blancs, des chasseurs de la Garde portant en sautoir le manteau roulé pour la charge, des hussards en pelisse bleu foncé, bordée de mouton blanc et, bien sûr, les célèbres lanciers rouges, la flamme fixée à leur lance pour la charge.

Jung remarqua que les soldats de plomb avaient été rangés en ordre de bataille et que certains gisaient déjà face contre terre. Son regard perplexe s'éclaira lorsqu'il vit du Barrail rougir jusqu'à la racine de ses cheveux.

Il joue à la bataille! Quel grand enfant, pensa le Suisse. *Si jeune et si mûr à la fois.*

— Voulez-vous m'en dire plus ? reprit Jung en reportant toute son attention sur son collègue.

— Je suis désolé mais je suis tenu à la plus grande discrétion.

— Je comprends.

Jung se leva. Il ne cachait plus sa contrariété.

— Freud me confie la présidence de l'Association psychanalytique internationale mais il ne me dit pas un mot sur un événement à même de ruiner le développement de notre mouvement. Que suis-je donc ?!

Il arpentait maintenant la pièce à grands pas, labourant l'air de ses bras puissants. Encore enfant, il avait corrigé à lui seul toute une bande de garnements qui le tourmentait.

— Calmez-vous, dit simplement du Barrail, vous savez bien que Freud a fait de vous son dauphin.

— Freud s'est tourné vers moi parce que je ne suis pas juif, rétorqua l'autre avec amertume. Il voulait faire sortir le mouvement viennois de son isolement. Vienne est une ville antisémite, savez-vous ? Et Freud est entouré de disciples juifs. Suisse, fils de pasteur, travaillant avec un psychiatre de renom, je lui ouvrais un horizon international, une crédibilité. Je suis le fruit d'une démarche de raison…

— Voyons, les raisons ne sont pas uniquement politiques.

— Êtes-vous naïf ? En gardant le cœur de son mouvement psychanalytique à Vienne, Freud en freinait l'expansion. En le déplaçant à Zurich, il lui assurait un développement certain.

— Vous êtes le meilleur président que l'on aurait pu souhaiter, soupira du Barrail. Freud a vu en vous un chef énergique avec déjà à son actif des contributions de premier ordre à la psychanalyse.

— Mais l'affection de Freud le porte plus vers Ferenczi ou Otto Rank…

— Tout le monde sait que Freud vous est très attaché et qu'il vous regarde comme son fils.

Jung bougonna quelque chose mais sembla se calmer.

— Puisque vous avez décidé de garder le secret, fit-il avec résignation, je ne peux que vous laisser seul mener à bien votre enquête. Comme je vous l'ai déjà dit, prenez garde à la Dame en vert : il n'y a pas de belle rose qui ne devienne gratte-cul !

Et il se dirigea tranquillement vers la porte lorsque soudain, semblant se souvenir de quelque chose, il fit tranquillement demi-tour.

— À ce propos, j'ai eu à utiliser une fois les services d'un détective privé pour une affaire de famille. Il est quelque peu singulier mais il m'a donné toute satisfaction. Comme il réside à Paris, pourquoi ne pas utiliser ses services ? Il a de nombreux contacts à l'intérieur de la police. C'est un homme habitué à toutes les situations, il est doué de ressources inépuisables. Vous l'apprécierez, j'en suis certain. Je vais vous noter son adresse.

Du Barrail prit le carton que lui tendit Jung après avoir rapidement inscrit le nom et l'adresse du détective. Il le lut machinalement et leva vers le Suisse un regard étonné.

— Max Engel, ce n'est pas son vrai nom, n'est-ce pas ?!

II

MAX ENGEL, DÉTECTIVE MARXISTE

Un fiacre tiré par un cheval dont on pouvait compter les côtes avait déposé Max Engel quai Saint-Bernard où se trouvait installée la Halle aux Vins, plus connue des honnêtes gens sous le sobriquet de *Catacombes de la soif*. C'était un immense quadrilatère planté de platanes et de maisons basses. Des rues à gros pavés aux noms évocateurs l'irriguaient : rue de Bordeaux, Bourgogne, Champagne ou Touraine… Le détective remonta la rue des Fossés-Saint-Bernard où les bistrots se touchaient presque les uns les autres. On y mangeait d'honnêtes ragoûts de mouton et autres plats résistants, sur des tables sans nappe, et surtout on y buvait pour pas très cher, dans des verres sans pied, des vins qui ne piquaient pas. Max Engel s'arrêta devant un établissement peu reluisant mais réputé pour son museau de cochon et la façon d'apprêter de mille manières ce noble animal. Là, d'honnêtes travailleurs s'affalaient devant la mousse de leur bière, la fumée de leur pipe montant jusqu'au plafond. Des saucissons pendaient aux poutres, leur peau s'ajoutait parfois à la sciure sur le parquet.

Le détective entra avec la désinvolture d'un habitué des lieux, saluant tout le monde comme s'il venait de retrouver les membres de sa famille. Il parlait haut tout en se déplaçant sans cesse et son visage anguleux semblait creusé par une vie d'agitation intense.

— Tiens te voilà, lança-t-il au patron du café. Où étais-tu donc passé ces derniers jours, mauvais citoyen ? Tes employés se lamentaient.

— Dame ! je donnais un coup de main pour la préparation du banquet de l'Union auvergnate. Mille couverts au son des musettes et des vielles ! Excuse du peu ! Et puis, mes employés pouvaient se débrouiller, on sort à peine de la morte-saison…

— Tu sais comment on appelle la morte-saison chez les ouvriers ? La saison où l'on meurt !

— Tu n'es pas ouvrier, fit tranquillement remarquer le cafetier.

— C'est juste, c'est juste… Qu'est-ce que tu me sers ?

— Du bon. Celui-là n'est pas mouillé comme un vin de Brindas et il a bien travaillé son bouchon.

Il lui versa un verre d'un liquide rouge riant et léger.

— Alors, les affaires ?

— J'ai pincé un indélicat qui détournait les fonds d'un patron indigne pour des fins personnelles indignes, dit gaiement Max Engel. Il médite aujourd'hui entre quatre murs sur la relativité des choses…

— Tel croit péter qui caque, conclut doctement l'autre.

— Oui. La justice sociale ne s'en trouve ni améliorée ni dégradée mais mon portefeuille mieux rempli. Bon, j'ai deux heures à tuer avant de voir mon prochain client. On s'en fait une?

— J'allais manger. On graille rapidement puis on se la fait…

Ils passèrent à la cuisine où une table couverte de mets canailles rendait un vibrant hommage à Messire Cochon avec un beau saucisson, un jésus emmailloté selon la tradition, du gras-double avec des pommes de terre et du boudin noir à la crème.

— Voilà une table qui n'a rien d'un cul de pauvre, commenta sobrement Max Engel.

— Et ce vin-là n'est pas pour les bois-sans-soif! ajouta le patron en lui servant un liquide à la robe de brique sombre et au nez de cassis et de poivron.

— Un vin à faire danser les chèvres! proclama le détective en vidant son verre.

Ils mangèrent avec appétit avant de se rendre dans une petite cour attenante à laquelle on accédait directement. Le cafetier alla chercher ce dont ils avaient besoin : deux quinets. C'étaient des bâtons courts, taillés en pointe aux deux bouts. Le but du jeu était de les frapper à leur extrémité avec un manche pour les envoyer au plus près de leur cible. Les deux hommes s'appliquèrent pendant une heure à les faire tournoyer en l'air sur eux-mêmes en manifestant tous les signes de la plus grande satisfaction.

Avec fébrilité, du Barrail sortit les notes de l'enveloppe et les parcourut rapidement. Le titre de l'une d'elles attira son attention car elle éveillait en lui par analogie le souvenir d'un autre cas traité par Freud, celui de l'homme aux loups. À l'âge de quatre ans, ce dernier avait fait un rêve angoissant dans lequel la fenêtre de sa chambre s'ouvrait, révélant des loups blancs assis sur les branches d'un noyer. Freud avait alors analysé chaque élément de ce rêve pour retrouver chez son patient sa cause originaire, à savoir l'observation plus jeune, alors cloué au lit par une maladie, d'un *coïtus a tergo*, ou accouplement par-derrière, de ses parents. Cette scène, liée à d'autres éléments, avait développé chez l'homme qu'il était devenu une névrose infantile.

Ce fut pourquoi les notes de Victor Gernereau sur la Dame aux Loups furent les premières qu'il lut.

Tenir le loup entre les oreilles. Ce proverbe, je l'ai fait mien face à la Dame aux Loups. A-t-il une connotation sexuelle ? Bien entendu. Vous avez encore une fois raison, docteur Freud : le sexe, toujours le sexe !

Cette dame ne peut supporter une présence masculine dans son lit. Je gage pourtant qu'elle en a terriblement besoin car sa nature est des plus sensuelles. À notre second rendez-vous, je l'ai plongée dans un état d'hypnose en l'invitant à formuler toutes ses pensées mais elle s'est cantonnée à des contes de fées et autres histoires écoutées pendant l'enfance. J'ai toutefois noté ce qui m'a paru être

des mots-clés que je lui ai répétés lors d'une autre séance :
fenêtre, nuit, lune, chemin…

La Dame aux Loups se mit alors à conter son histoire.
Dans sa plus tendre enfance, des loups envahissaient sa
chambre la nuit venue. L'un d'eux, en particulier, le plus
gros, la forçait. Cette peur enfantine a généré un pro-
cessus qui s'est manifesté lorsque, devenue jeune femme,
son premier amoureux l'a prise dans ses bras pour l'em-
brasser. Elle s'est sentie mal à l'aise et, lorsqu'il a tenté de
la déshabiller, les traits de son visage se sont transformés
jusqu'à devenir ceux d'un loup.

J'ai pu établir que l'histoire du Petit Chaperon Rouge
l'a littéralement terrifiée. Il est évident que les recom-
mandations de ses parents étaient les mêmes que celles
sous-entendues dans le conte de Perrault : petite fille, si
tu t'écartes de la route, c'est-à-dire du droit chemin tracé
par la société, les loups vont se jeter sur toi et te souil-
ler. N'oublions pas que le loup, après avoir mangé la
grand-mère, prend son bonnet et se couche dans son lit.
Il invite le Petit Chaperon Rouge à l'y rejoindre. Elle
s'étonne de l'y trouver nu, de lui voir de longs poils et de
si longs bras. Réponse du loup : "C'est pour mieux t'em-
brasser, mon enfant !"

Le sexe, mon cher docteur Freud, le sexe !

Ce n'est plus un conte de fées mais une véritable menace
qui plane sur la tête des pauvres enfants à qui on lit cette
histoire de Perrault : "Les jeunes filles, belles, bien faites
et gentilles, font très mal d'écouter toute sorte de gens."

Les parents ne se rendent pas toujours compte de la
portée des tabous et des interdits qu'ils imposent à leurs

enfants. Je leur conseille de ne pas oublier d'introduire l'histoire par "il était une fois" et de la terminer en les ramenant à la réalité par "et maintenant que l'histoire est terminée, il est temps de dormir". On ne laisse pas impunément ouvertes les portes de l'Inconscient. Il faut savoir les fermer avant d'éteindre la lumière.

Quant à la Dame aux Loups, je lui ai donné comme clé les paroles d'une poésie de son enfance. Je ne sais pas si cela l'aide car aucun homme n'est venu à ce jour pour nous permettre de le savoir.

*

Jung l'avait prévenu que le détective était singulier, non qu'il s'agissait d'un socialiste révolutionnaire. Assis en face de lui dans son cabinet de la rue Maître-Albert, Max Engel débitait son rapport en l'agrémentant de réflexions sur l'exploitation de l'homme par l'homme et les méfaits d'une société dont les moyens de production demeuraient entre les mains d'une poignée de capitalistes avides.

Il devait avoir entre trente-cinq et quarante ans et arborait un visage émacié, marqué de nombreuses rides au coin de ses yeux gris. Du Barrail jugea l'expression passionnée de ses traits et son agitation continue tout aussi originales que son engagement politique.

— J'ai mené mon enquête auprès d'un de mes indicateurs, continua le détective, un individu fort méprisable qui s'est incrusté comme un parasite dans le système capitalistique. J'ai dû lui graisser la patte, vous me devez beaucoup plus que prévu mais laissons cela pour l'instant. L'argent n'est pas tout pour moi, je ne suis pas un suppôt du grand capital. J'aime travailler pour des causes qui me paraissent justes. Pourquoi me regardez-vous avec cet air étonné ?

— Excusez-moi, répondit du Barrail avec candeur, vous êtes le premier détective marxiste que je rencontre.

Max Engel demeura un instant interloqué puis se fendit d'un grand sourire, un rien canaille.

— Chaque homme a son histoire, peut-être un jour vous raconterai-je la mienne. Pour en revenir à notre affaire, le docteur Gernereau n'avait qu'une vingtaine de patients. J'ai appris que trois seulement ont été interrogés au Quai des Orfèvres. Ce sont certainement ceux qui n'avaient aucun alibi. Je sais également qu'on recherchait une quatrième patiente mais la police ne dispose pas de son adresse. Seul figure en effet son prénom, Marie-Madeleine, sur le registre de Gernereau. Les autres sont Marie Adendorff, Hugo Lucca et Paul Poirier.

Automatiquement, l'esprit du jeune du Barrail les associa à trois dossiers : la Dame aux Loups, l'Amnésique et le Fétichiste.

— Savez-vous où je pourrais trouver ceux-ci ?

Le détective n'hésita pas.

— Laissez-moi jusqu'à demain.

Il se leva mais du Barrail le retint encore.

— Max Engel, ce n'est pas votre vrai nom, n'est-ce pas ?

Une lueur amusée brilla un instant dans les prunelles du détective. C'était un petit homme qui débordait littéralement d'énergie. Il avait tellement de mal à rester en place que ses membres ne semblaient jamais en repos. Pour l'instant, il s'amusait à passer son chapeau d'un genou à l'autre, d'un geste faussement nonchalant, rappelant à du Barrail cette phrase célèbre de Gustave Flaubert décrivant la reine de Judée et son ministre portant la tête de Jean-Baptiste qu'ils avaient fait décapiter :

Et ils portaient sa tête, alternativement…

— Effectivement, non. Max n'est pas mon prénom d'origine.

Du Barrail qui attendait la suite resta sur sa faim. Le détective le salua avec un sourire narquois puis se dirigea vers la porte. Une pensée soudaine traversa l'esprit du psychanalyste.

— Dites-moi, savez-vous ce que pense la police des notes du docteur Gernereau sur ces trois patients ?

Max Engel s'immobilisa, l'air attentif.

— Elle n'en pense rien, dit-il lentement, puisqu'elle n'a rien retrouvé, ni à son cabinet ni à son domicile. Savez-vous par hasard quelque chose que tout le monde ignore ?

III

LA DAME AUX LOUPS

Le salon était gaiement éclairé et les odeurs chaudes de thé et de café venaient agréablement se marier avec celles, plus suaves, des pâtisseries que Max Engel reluqua sans y paraître. Il y avait là des langues-de-chat couleur de miel, des macarons multicolores, des babas gorgés de rhum, des fruits déguisés et d'appétissantes tartelettes, autant de tentations auxquelles du Barrail resta aveugle.

Le détective secoua la tête d'un air réprobateur devant le spectacle de toutes ces femmes parées d'étoffes précieuses dégustant leur thé, le petit doigt en l'air.

— J'ai horreur de ces endroits où les classes nanties gaspillent en une heure ce que d'autres mettent des semaines à gagner!

Pour une fois peu à l'écoute, du Barrail observait la jeune femme assise quelques tables plus loin, admirant ses longs cheveux d'un brun très doux. Le front était haut et pur, les sourcils bien dessinés et suffisamment marqués. Le nez, fin, savait se faire oublier. Elle avait de grands yeux avides de tout voir et graves en même temps. Il jugea sa physionomie douce et sensible. Un voile de tristesse relevait singulièrement sa beauté.

— Euh… c'est elle la Dame aux Loups?

— Oui, elle prend le thé ici deux fois par semaine, en début d'après-midi, avec une amie d'enfance, répondit le détective qui dégustait avec plaisir une tasse brûlante de moka à la crème fouettée, parsemée de copeaux de chocolat.

— Je ne l'imaginais pas comme ça, avoua du Barrail.

— C'est son regard, n'est-ce pas? Une telle assurance ne correspond pas à l'image qu'on se fait d'une femme qui a peur des hommes.

— Elle n'a pas peur des hommes, le corrigea doucement l'autre. Elle a peur de ce qu'ils peuvent devenir. Elle craint qu'ils ne se changent en loups.

— Elle est folle.

— Non!

Du Barrail baissa subitement le ton.

— Ou alors nous sommes tous fous.

Un rictus sardonique barra le visage de Max Engel.

— Disons alors qu'elle a la cafetière qui chauffe!

Du Barrail le fixa avec attention. Il estimait à sa juste valeur toutes les rencontres qu'il faisait. Aussi tenta-t-il, sinon de convaincre, au moins d'expliquer.

— Il y a trois couches dans un individu. Prenons un oignon, voulez-vous bien?

Sous le regard ébahi du détective, il serra les doigts sur un oignon imaginaire.

— J'enlève la pelure, c'est la première couche. Vous remarquerez comme elle est superficielle et pourtant on ne voit qu'elle. Jung l'appelle *la persona*. C'est la couche externe de l'individu, sa façade sociale. Chez vous, c'est le masque du détective marxiste! Il s'agit simplement de l'image que vous renvoyez aux autres et ce qu'ils pensent que vous êtes. Attention toutefois de ne pas sacrifier l'être au paraître! Vous pourriez bien devenir pour de bon cette image ridicule!

Il entreprit d'enlever une nouvelle couche de l'oignon imaginaire.

— J'arrive à la deuxième couche : le Moi. C'est vous, c'est moi, c'est notre personnalité consciente : ce que nous croyons être. Je l'enlève et nous arrivons enfin à la troisième couche, la plus profonde : l'Inconscient.

— C'est la théorie de l'oignon ? plaisanta le détective.

— Nous avons parfois des comportements étonnants, continua imperturbablement du Barrail, des mouvements d'humeur qui ne nous ressemblent pas, des mots que nous utilisons à la place d'un autre, c'est-à-dire des lapsus, des rêves étranges… Tout cela parce que nous avons deux personnalités : une personnalité consciente et une personnalité inconsciente. Cette dernière se manifeste directement à nous par l'intermédiaire des rêves lorsque notre personnalité consciente est endormie.

— Et qu'y a-t-il dans ce grenier que vous appelez l'Inconscient ?

— Un fatras incroyable, comme dans un grenier! On y trouve tout ce que notre Conscient a refoulé : peurs, fantasmes, désirs, complexes… Notre personnalité consciente est soumise aux influences de cet Inconscient dont elle ressent confusément la présence. Elle le recherche tout en le rejetant en même temps. Bref, nous sommes ces trois couches d'oignon superposées !

— Tous les psychanalystes iront au ciel, le diable lui-même ne comprendra rien à ce qu'ils disent !

— La peur des hommes transformés en loups, continua du Barrail sans se laisser démonter, n'est que le signe d'une altération du fonctionnement de la personnalité. C'est pour cela que l'analyste s'intéresse à l'individu plus qu'aux symptômes, contrairement à un médecin. En explorant cet Inconscient, en nous penchant sur le passé du malade, on comprend que sa souffrance est le résultat d'un drame de la vie ou d'un grand désespoir.

— C'est ce que vous appelez l'analyse ?

— Oui. Elle permet de découvrir le secret qui a brisé le malade et de rétablir le dialogue entre le Conscient et l'Inconscient.

— Votre oignon me fait pleurer !

Du Barrail ne releva pas le sarcasme.

— Corps et âme ne font qu'un ! fit-il. Et c'est là notre premier apport, à nous psychanalystes ! Quand l'âme est blessée, le corps peut l'être aussi.

Il fixait la Dame aux Loups qui parlait avec vivacité à sa compagne. Elle portait une jupe entravée, resserrée aux chevilles. Le regard de du Barrail remonta pour se poser sur ses lèvres en mouvement. Elles avaient une délicatesse de forme exquise. La bouche était quant à elle ferme et décidée. Un petit pli moqueur ou inter-rogatif se dessinait parfois au coin de celle-ci, creusant un léger sillon sur la joue lisse et arrondie. Il chercha un instant à lire sur ces lèvres puis, remarquant l'attente du détective, arracha à regret son regard de sa contemplation.

— À mon avis, tout le monde n'a pas les moyens de se payer un Inconscient, maugréa Max Engel.

Du Barrail fut déçu mais non blessé par cette remarque. Les maladies mentales étaient un domaine qui intéressait fort peu de monde dans le milieu de la médecine. Il avait de plus embrassé une science jeune guère reconnue et dès lors pris l'habitude de ces réactions hostiles.

— Je ne fais payer à mes patients que ce qu'ils sont capables d'avancer, dit-il d'un ton très doux, presque humble. Vous l'avez remarqué, je suis un pionnier. Ce qui m'intéresse est de défricher un domaine inexploré.

Une lueur éclaira un instant les prunelles du détective et il faillit ajouter quelque chose. Finalement, il se retourna vers la Dame aux Loups et murmura :

— Croyez-en mon expérience, vous feriez mieux de déchiffrer la nature féminine. Il y a en cette femme plus de sensualité que vous ne le croyez…

*

L'après-midi touchait à sa fin lorsque le dernier patient entra d'un pas hésitant. L'homme était de taille moyenne, maigre et sec comme un cep de vigne. Il portait une barbe fournie et d'épais sourcils qui formaient presque une barre au-dessus de ses yeux.

— Bonjour docteur, je suis fonctionnaire des Postes et Télégraphes, dit-il comme si cela devait entraîner en retour chez son interlocuteur une marque de respect particulière.

S'apercevant qu'il n'avait pas ôté son chapeau, il se découvrit.

— Pardon docteur, il faut que je le refasse.

L'homme recula d'un pas en arrière, remit son chapeau sur la tête, se redécouvrit, recula, se recouvrit, l'enleva à nouveau.

— Je suis fonctionnaire des Postes et Télégraphes… Pardon…

Il recula de nouveau.

— Bonjour docteur, je suis fonctionnaire des Postes et Télégraphes… Pardon, mon chapeau… Il faut que je le refasse… Bonjour docteur… Non, je recommence… Bonjour docteur…

Le manège dura ainsi cinq minutes. À chaque fois, du Barrail répondit poliment à ses bonjours. Puis tout à coup, il haussa le ton en se levant et lui intima l'ordre de s'asseoir.

L'homme hésita et leva vers lui un regard égaré.

— Excusez-moi, c'était une crise.

— Un trouble obsessionnel compulsif, venez vous allonger sur ce divan.

L'autre hésita.

— Est-ce bien nécessaire ?

— Cela fait partie de la thérapie et vous facilitera la parole, expliqua patiemment du Barrail. Ne pas me voir quand vous parlez, cela signifie ne pas être jugé.

L'homme s'allongea avec méfiance et porta la main à ses tempes. Il paraissait souffrant.

— Puis-je avoir un peu d'eau, s'il vous plaît?

— Je vais vous en apporter.

Du Barrail sortit de la pièce mais lorsqu'il revint, un verre à la main, il surprit son patient en train de fourrager dans les tiroirs de son bureau. Calmement, le psychanalyste posa le verre sur un guéridon.

— Que faites-vous?

Inexplicablement, l'homme ne répondit pas et s'activa fébrilement, jetant le contenu des tiroirs sur le bureau.

— Arrêtez immédiatement, cria du Barrail en se précipitant sur lui.

L'homme évita aisément sa charge et lui jeta un bras en travers du cou, le tirant brutalement en arrière. L'air commença à se raréfier dans les poumons du psychanalyste.

— Tiens-toi tranquille et il ne t'arrivera rien! grogna l'autre.

Plus par réflexe que par bravoure, du Barrail lui lança son coude dans les côtes. Il eut la chance de frapper un point sensible car l'autre se plia en deux. Le psychanalyste profita de son avantage pour lui lancer au visage, non sans une petite hésitation du fait de la valeur de l'objet, une très jolie statuette de terre cuite représentant Don Quichotte. L'homme émit un borborygme étouffé puis, le visage ensanglanté, se redressa et se rua vers la porte, frappant au passage le psychanalyste à la poitrine. Tombé à terre, du Barrail se releva rapidement et tenta de poursuivre l'homme dans l'escalier. Il arriva dans la rue pour le voir se glisser entre les fiacres paresseux.

L'homme courait trop vite et son avance était trop importante pour qu'il le poursuive. Du Barrail massa sa poitrine douloureuse et, comme des passants s'arrêtaient pour le regarder avec curiosité, il tourna les talons, passa devant la loge de la concierge qui n'en perdait pas une miette et, pensif, remonta lentement les escaliers jusqu'à son cabinet. Par deux fois déjà, on avait tenté de lui dérober les notes du docteur Gernereau. Du Barrail décida de les porter à sa banque dès le lendemain et de se barricader chez lui jusque-là.

*

L'aube pointait à peine. Max Engel s'étira dans son fauteuil, enregistrant nonchalamment les détails de l'ameublement environnant. L'appartement était de dimension modeste, une pièce servait à la fois de salon et de bureau. Les lumières du dehors perçaient le rempart épais des tentures pourpres, jetant sur le parquet ciré des reflets rougeoyants. Sans être confinée, l'atmosphère était feutrée, jalousement intime, comme si l'occupant des lieux prenait garde à ne pas laisser les choses de l'extérieur l'envahir. Une petite lampe brûlait dans le coin salon, dessinant des ombres extravagantes aux meubles ornés de jolies compositions florales et animales. Des coussins aux couleurs éclatantes inattendues recouvraient un divan de cuir. Le coin bureau était constitué d'un simple secrétaire en bois de ronce, jonché de papiers et entouré d'étagères à livres et de bibelots qui le transformait en un *cosy-corner*, comme on disait outre-Atlantique.

Avec quelques objets dont un magnifique vase en cuivre à incrustations d'argent représentant une plante montante, l'Art nouveau semblait tenter de franchir le seuil de la demeure du docteur du Barrail. Son appartement se trouvait à la jonction de deux mondes, entre géométrie rationnelle et styles du passé, un carrefour, deux voies à prendre…

Le regard attentif du détective parcourut la bibliothèque, s'arrêtant surpris en découvrant, entre deux livres au titre très sérieux, les *Voyages excentriques*. Dans ceux-ci, Lavarède, accompagné du sergent Simplet, doit gagner l'héritage de son cousin en accomplissant un tour du monde en 365 jours, sans dépenser plus de cinq sous. Ceci l'amène à voyager avec les moyens les plus abracadabrants comme une boîte à savon. Un étonnant choix de lecture pour un adulte ! pensa Max Engel.

— Je suis venu aussi vite que j'ai pu, dit ce dernier en détachant son regard de la tranche des livres. Il est encore très tôt mais cela n'a guère d'importance : quelle que soit l'heure à laquelle je me couche, je suis debout à l'aube. Que vous arrive-t-il ? Vous avez une mine horrible.

Du Barrail leva son visage pâle vers le détective.

— Je n'ai pas dormi de la nuit. On m'a agressé hier pour me voler des papiers.

— Qui?

Le détective n'avait pas bougé un cil.

— Un soi-disant patient, il portait une barbe fournie et des sourcils très épais…

— Aucun intérêt, ce sont probablement des postiches.

Continuez…

— J'ai décidé de porter ces papiers à ma banque mais il était trop tard. Je ne voulais pas sortir, n'importe qui aurait pu me voler sur le chemin. Qu'aurais-je fait face à des gens si décidés? Je suis resté à mon cabinet, une arme à la main.

— Une arme?!

Du Barrail désigna l'objet incongrûment posé au bord de son bureau.

— Le sabre de mon aïeul…

Le détective rit silencieusement. Il n'avait guère l'habitude de client qui veillait, un sabre d'Empire au côté.

— J'ai peur que son fil soit plutôt émoussé, hoqueta Max Engel. Excusez-moi…

Il porta la main à sa bouche.

— Désolé docteur, dit-il en réprimant un fou rire, c'est de vous imaginer un sabre à la main…

Il pouffa de nouveau et, pour garder sa contenance, entreprit d'allumer une cigarette.

— Vous permettez?

Lorsqu'il releva la tête, ce fut pour constater que du Barrail s'était emparé du sabre et esquissait un adroit moulinet.

— Nom de Dieu!

D'un seul coup, le psychanalyste venait de couper en deux sa cigarette. Le détective resta un moment interdit avant que la fureur ne l'emporte.

— Espèce de malade! Vous avez failli me tuer!

Sans le quitter du regard, du Barrail baissa lentement sa garde.

— Ne craignez rien, je tire tous les vendredis soir dans un club d'escrime avec les plus fines lames de la capitale.

— Ça, je m'en fiche pas mal, murmura Max Engel le souffle coupé. Ne me refaites jamais ça!

L'air penaud, le psychanalyste reposa son sabre avec précaution.

— Je vous prie d'accepter mes excuses, j'ai eu tort. Mes plus plates excuses, sincèrement…

Max Engel se rassit et le considéra avec un certain respect.

— Bon sang, je ne connais pas grand monde qui soit capable de ce genre d'escrime! Quelle sorte de psychanalyste êtes-vous donc? Bon, n'en parlons plus. Qu'attendez-vous de moi?

— J'ai simplement besoin de vous pour m'escorter à la banque. Je suppose que vous êtes armé?

Max Engel s'agita nerveusement. L'étui en cuir de son revolver était cousu à l'intérieur de sa veste dont il épousait parfaitement la ligne.

— Oui, je le suis mais je ne désire pas trop que cela se sache. Quels sont ces papiers ?

— Cela ne vous regarde pas, rétorqua sèchement du Barrail.

Une lueur d'impatience passa dans le regard du détective.

— Ce sont les notes du docteur Gernereau que la police n'a pas retrouvées à son domicile ?

— Je ne peux pas vous répondre.

— Eh bien, tant pis pour vous !

Le petit détective s'était levé et masquait son mécontentement à grands coups de chapeau dans les airs.

— Si vous ne me jugez pas digne de votre confiance, je n'ai plus rien à faire avec vous.

Du Barrail était stupéfait et atterré. Il se sentait seul et dépassé par la situation. Perdre en cet instant l'aide du détective l'effrayait plus encore.

— Ce sont les notes du docteur Gernereau, dit-il précipitamment. Il les avait adressées à un confrère pour lui demander conseil. Leurs doubles ont probablement dû être volés au cabinet de Victor Gernereau par son assassin puisque la police n'a rien retrouvé.

— Intéressant…

Le petit détective revint sur ses pas et se rassit, attentif.

— On a essayé de me dérober ces documents dans le train qui me ramenait de mon congrès en Allemagne, continua du Barrail.

— Qui ?

— Une femme entièrement habillée de vert, le visage masqué par une voilette. Elle était suivie par un homme trapu à la tête énorme.

— C'est tout ? demanda sèchement le détective.

— Oui.

— Comment était cette femme ?

Du Barrail hésita un instant et une légère rougeur envahit ses pommettes.

— Très belle me semble-t-il…

L'air concentré, Max Engel réfléchit un instant.

— Je vais vous donner un conseil bien que vous ne m'en demandiez pas : trouvez ces gens ! Démasquez-les vite car eux vous connaissent et sont sur vos talons sans que vous le sachiez ! Ils ne doivent pas vouloir que le double de ces notes se balade dans la nature. Si l'un des patients est l'assassin, elles contiennent sans doute des éléments permettant de le démasquer…

— Mais comment comptez-vous donc vous y prendre ?

Le détective sourit, un éclat malicieux dans les yeux.

— Ravi d'apprendre que je suis chargé de l'enquête ! Comment m'y prendre ? J'ai deux signalements assez caractéristiques pour la Dame en vert. Donnez-moi maintenant les renseignements concernant l'heure du train que vous aviez pris ainsi qu'une provision suffisante pour couvrir mes premiers frais.

Ceci dit, le détective se leva. Une lumière amusée brillait dans son regard.

— Un dernier conseil, docteur. Prenez garde à la *très belle* Dame en vert.

— Pourquoi?

Max Engel le regarda ironiquement et se mit à fredonner :

Voici que tu me regardes
Que veux-tu donc que je garde?
Ta voilette, ta voilette
Surtout garde ta voilette…

*

Surplombant la porte de Bagnolet, un village inattendu en plein Paris offrait aux rayons du soleil de midi de pimpants pavillons en brique ou en pierre meulière, précédés de charmantes courettes et agrémentés d'un jardin à l'arrière. Du Barrail se frotta les yeux avant de fixer de nouveau la plaque portant le nom de la rue. Il ne rêvait pas. La Dame aux Loups habitait rue Dessus mais elle officiait dans son atelier de sculpture, un hangar transformé en école d'application, dont l'entrée était curieusement située rue Dessous.

Il se retourna avant d'agiter la cloche à la grille de la maison. Le quartier paraissait calme mais du Barrail hésitait. Il lui semblait sentir une présence, un regard rivé sur lui. Quelque chose qui s'était mis en marche et ne le lâchait plus. Il scruta la rue en plissant les yeux avant d'entrer.

Un homme sortit alors plus bas d'un angle de rue. Il était sec et maigre. Son visage était tuméfié et portait une cicatrice fraîche qui partait de sa tempe à sa joue, souvenir d'une rencontre la veille avec une statuette en terre cuite. Il regarda d'un air sinistre du Barrail pénétrer dans le jardin.

La lumière s'engouffrait par de larges panneaux de verre et une fenêtre dans le toit jetait dans la pièce une clarté agréable. Jusqu'à présent, pour du Barrail, la matière avait été une histoire dépourvue de sens. En entrant dans l'atelier de la jeune femme, le psychanalyste fut assailli par le mouvement et l'énergie que les doigts de celle-ci avaient imprimés à l'argile.

— Mademoiselle…

Elle s'était levée avec une grâce naturelle, et du Barrail remarqua la taille étranglée qui allongeait sa mince silhouette. Ses cheveux bruns, longs et fins lui tombaient sur les épaules et encadraient un visage à la physionomie plutôt mutine. Une frange coupée sur la ligne des sourcils lui donnait un petit air espiègle. Ses yeux, couleur noisette, étaient chauds et le regard réservé mais chaleureux. Il s'inclina pour un baisemain mais la jeune femme recula instinctivement.

— Je vous remercie de m'avoir reçu, se hâta-t-il de dire.

— C'est très aimable à vous, docteur, en tant que collègue du docteur Gernereau, de venir vous assurer auprès de moi que tout va bien.

— Est-ce le cas ?

Elle eut un geste vague de la main pour désigner l'endroit tout encombré autour d'elle.

— Ici en tout cas, oui.

Du Barrail parcourut du regard l'atelier.

— Ce que je vois ici est remarquable, sans fioriture…

— Savez-vous pourquoi la matière est pure ? demanda la Dame aux Loups avec un sourire timide.

Puis, comme si elle craignait d'être déçue par sa réponse, elle dit très rapidement :

— La matière est pure car elle est épurée.

Elle réfléchit encore quelques secondes en laissant courir son doigt couvert d'argile sur ses lèvres.

— Disons plutôt, corrigea-t-elle, que la matière est une réalité épurée.

Elle enroba cette affirmation d'un sourire sucré et il lui rendit celui-ci, tant par politesse que par intérêt.

— Cela ne vous ennuie pas que je termine ?

Elle n'attendit pas sa réponse. Du Barrail vit avec un étonnement croissant l'argile se faire femme sous ses doigts longs et déliés. Il la contempla avec perplexité, oubliant même ce qu'il était venu faire.

— Où donc avez-vous appris à sculpter ?

— L'école des beaux-arts de Paris étant interdite aux femmes, je me suis formée à Bordeaux puis à l'académie Julian à Montparnasse. J'ai eu le bonheur d'y rencontrer Rodin et Bourdelle…

Il rejoignit la Dame aux Loups qui s'était immobilisée face à une statuette courbe dont les membres semblaient former des vagues.

— Cette figure entrecroisée représente la maternité, expliqua-t-elle devant son regard songeur.

— J'y vois plutôt l'expression du sentiment amoureux, répondit imprudemment du Barrail.

— Chacun applique à la matière sa propre perversité, le taquina-t-elle.

Du Barrail saisit l'occasion pour avancer sur le sujet qui l'amenait.

— Si je puis me permettre, le docteur Gernereau m'a laissé ses notes concernant ses patients…

— Oh! se troubla Marie Adendorff. Est-ce donc l'usage chez vous autres psychanalystes de vous adresser les notes sur vos patients comme on endosse une créance?

— Non.

Du Barrail rougit légèrement.

— En fait, ces notes me sont parvenues de manière tout à fait exceptionnelle et détournée. Notre science est jeune, il peut arriver qu'un confrère sollicite l'avis de son maître sur un cas difficile.

— Je ne sais pas si votre science est si moderne que cela, répliqua-t-elle avec esprit. Connaissez-vous ce vers du grand Corneille dans *Polyeucte* : *À raconter ses maux, souvent on les soulage*…

Le psychanalyste sourit. L'air mutin n'était pas là pour rien : la jeune femme était une fine mouche. Marie Adendorff se retourna à demi, contemplant une statuette inachevée.

— Vous voulez que je vous parle de mes loups, n'est-ce pas?

La question prit du Barrail au dépourvu. Il décelait une familiarité troublante dans sa manière de prononcer *mes loups*. On ne se trouvait décidément pas dans un conte de Grimm, quelque chose s'était réellement passé. Levant les yeux vers elle, il s'aperçut que le regard de Marie Adendorff ne le quittait plus. Doucement, elle répéta sa question.

— Si vous le souhaitez, mademoiselle, uniquement si vous le souhaitez.

Il était gêné. Tout son être se révoltait à présent contre cette enquête stupide et cette intrusion dans sa vie. La Dame aux Loups s'essuya lentement les mains avec un chiffon, les yeux perdus dans le vague.

— Vous permettrez que je ne m'allonge pas…

Du Barrail ne releva pas le sarcasme. Un long soupir, presque une plainte, s'exhala de la poitrine de la jeune femme.

— Vous pouvez penser ce que vous voulez, ces loups pour moi étaient bien réels. La nuit, je sentais leur haleine dans mon cou, leurs mufles humides courir sur ma poitrine et leurs griffes glisser dans mon dos…

— Freud nous a enseigné le premier que les rêves sont la voie royale pour parvenir aux éléments refoulés.

— Comment cela ?

— Dans chaque rêve, expliqua doucement du Barrail, il y a un contenu manifeste et un contenu latent. Le contenu manifeste, c'est le récit de votre rêve. Le contenu latent, c'est le désir refoulé qui s'y trouve exprimé. Quel était ce désir, c'est ce que nous pouvons tenter de découvrir ensemble…

— Pourquoi Gernereau ne me le disait pas ? Il ne me disait jamais rien. J'avais l'impression de parler à un mur.

— Cela fait partie de la théorie, le défendit vaguement le jeune homme. L'analyste ne doit pas porter de jugement, ni donner de conseil pour ne pas affecter la liberté de parole du patient.

— Pourquoi est-ce que je n'arrive pas à oublier tout cela?

Le soleil inondait maintenant la pièce. Du Barrail, gêné, contempla un instant les flaques de lumière à ses pieds, s'attendant presque à y retrouver son reflet.

— Cet événement a beau être pour vous un instant de réelle souffrance, dit-il lentement, vous lui demeurez affectivement attachée.

— Comment pourrais-je m'en détacher un jour? Tout cela semblait si réel…

— Cela peut l'être. Des éléments réels mais que vous avez refoulés sont venus alimenter une assimilation entre homme, sexe et loup.

Elle le fixa un moment sans parler.

— Êtes-vous venu me proposer de poursuivre le traitement avec vous?

— Ce n'était pas le but de ma visite, je n'y ai pas réfléchi, répondit-il honnêtement. Comment vous sentez-vous?

Son regard s'embua.

— Les symptômes de mon mal n'ont pas cessé si c'est ce que vous voulez savoir.

— La nature essaie naturellement de rétablir un fonctionnement normal de l'esprit, la rassura du Barrail. Ces symptômes ne sont donc pas forcément inquiétants. Ils vous écartent des hommes le temps pour vous de redécouvrir ce qui ne va pas chez vous.

— Pensez-vous que je pourrai un jour mener une vie normale?

Ému devant sa détresse, du Barrail la regarda avec embarras.

— Je n'en sais rien, mademoiselle, je n'en sais rien mais je voudrais tellement vous aider.

*

Depuis l'aube, Max Engel interrogeait sans succès les chauffeurs de taxi qui chargeaient à la gare. Après avoir rapidement avalé à midi une rouelle de porc aux haricots sautés aux petits oignons, arrosée d'un saint-joseph un peu lourd, il avait repris sa corvée.

— La Dame en vert, oui, je m'en souviens.

C'était le énième chauffeur qu'il interrogeait et le détective commençait à en avoir assez de battre l'eau avec un bâton. Max Engel sortit donc immédiatement plusieurs billets de sa poche.

— Conduisez-moi là où vous l'avez menée et vous aurez encore le double.

Lorsque la voiture s'arrêta, boulevard des Italiens, le détective réprima un mouvement de surprise. Il connaissait cet endroit *que la loi tolère mais que la morale réprouve* pour y avoir suivi quelques maris infidèles.

— Un bordel, siffla-t-il entre ses dents. Décidément, madame en vert, vous êtes très surprenante!

Le salon était orné de dizaines de glaces aux cadres d'or dans lesquelles se reflétait la lumière de lampes tulipes posées sur des guéridons de marbre noir. Max Engel savait que les Filles aimaient à faire tourner les tables à leurs heures de loisir. L'une d'elles, en jupe courte et en bottines, lui apporta d'office une flûte de champagne qu'il refusa poliment.

— Voulez-vous la chambre du corsaire ou bien la chambre japonaise ? demanda la patronne. C'est la préférée du prince de Galles, on verse du champagne dans sa baignoire tous les soirs lorsqu'il est là.

— Je n'ai pas de préférence, répondit Max Engel, mais je n'apprécie guère le champagne. Trop bourgeois pour moi. Donnez-moi la chambre que vous voulez pourvu qu'il y ait la Dame en vert.

Il y eut un silence glacé. Le visage de la patronne se ferma comme une huître.

— La Dame en vert n'est pas une de nos Filles. Elle intervient pour un nombre réservé de personnes.

— Alors une de ses amies, improvisa le détective, j'aurais l'impression de profiter d'elle. Vous seriez bien aimable, madame…

La patronne haussa les épaules. Ce client était bien compliqué mais possédait d'excellentes manières.

— Elle n'a aucune amie ici.

— Une fréquentation alors.

La patronne haussa les épaules.

— Prenez donc la petite brune là-bas, je les ai vues discuter une fois.

Elle haussa le ton.

— Sabrina ! Accompagnez monsieur dans la suite des plaisirs défendus.

La jeune femme vint vers eux d'une démarche si cha-loupée qu'on aurait dit qu'elle arpentait le pont d'un bateau. Elle avait un visage aux pommettes hautes et por-tait une robe qui ne laissait guère de place à l'imagination.

— Comment vous appelez-vous monsieur?

Le détective esquissa un sourire de loup.

— Appelez-moi Max.

— Suivez-moi, monsieur Max.

Ils se retrouvèrent à l'étage, et la jeune femme se retourna, l'air hésitant.

— Nous avons également une chambre champêtre avec un faux grenier garni de foin. La chambre afri-caine est libre aussi, voulez-vous l'essayer? Elle est très distrayante…

— Montrez-moi.

Elle poussa la porte et il fit un pas dans la pièce. Des masques africains grimaçaient aux murs. Au-dessus d'un lit très bas, des lances aiguisées s'entrecroisaient sur des murs tendus de jute. Des tam-tams faisaient office de sièges. La descente de lit était constituée d'une peau d'un lion à la gueule entrouverte. Sur le rideau de la chambre s'esquissait la silhouette de palmiers sur fond de dunes.

— Trop exotique, fit Max Engel, ne changeons rien à nos plans!

Il pénétra à sa suite dans une autre chambre aux murs drapés de taffetas, la fameuse suite des plaisirs défendus.

— Vous avez ici un porte-vêtement, fit la dénom-mée Sabrina. Si vous voulez bien vous déshabiller…

Il fit quelques pas avant de s'arrêter, surpris, devant un fauteuil à étriers métalliques.

— Qu'est-ce que ceci?

— Le fauteuil d'amour, monsieur, on peut même l'utiliser à trois.

— À deux suffira amplement, dit rapidement Max Engel. Dites-moi Sabrina, la Dame en vert n'est pas ici actuellement?

— Elle ne vient que rarement.

— A-t-elle des clients réguliers?

— Elle entre et on ne la revoit plus. J'ignore avec qui elle fait cela, certainement du beau linge. À propos de linge, vous ne vous déshabillez pas? Vous n'êtes pas venu seulement pour discuter, j'espère? Cela me ferait terriblement de tort. J'ai ma réputation. Bien sûr, parfois il y a des messieurs qui sont en panne devant moi mais généralement un coup de manivelle et ça repart…

— Non, non, rassurez-vous!

Max Engel n'avait aucune envie qu'on le surnomme *un coup pour rien.* Une mauvaise réputation s'acquiert vite et vous colle à la peau pour une vie. Il commença à ôter ses habits. La jeune femme se débarrassa des bretelles de sa robe en se tortillant comme un ver. Le détective regarda avec bienveillance cette petite travailleuse des alcôves. Il émanait d'elle une odeur qu'on aurait pu qualifier de sueur parfumée.

— Avez-vous déjà discuté avec la Dame en vert?

— Elle ne recherche pas la compagnie des Filles, monsieur. C'est une artiste lyrique.

Le détective traduisit le terme ainsi usité par une *occasionnelle.*

— Vous n'avez jamais échangé un mot avec cette… *artiste lyrique*?

— Jamais. Je vous en demande pardon.

Max Engel sourit.

— Il vous sera beaucoup pardonné car vous avez beaucoup péché!

Peu sensible à l'humour biblique, Sabrina laissa glisser sa robe à terre et fit gracieusement un pas de côté avant de la ramasser et la plier sur une chaise.

— Avez-vous vu avec qui elle montait? reprit le détective sur le ton de la curiosité.

— Oh! elle se réserve aux gens *qui ont de quoi*!

Max Engel hocha la tête.

— Oui, le grand capital.

— Non, ce grand-là je ne le connais pas.

Elle fit quelques pas vers lui en faisant rouler ses hanches.

— Aimez-vous ma poitrine, monsieur Max?

— Qui ne pétrit, bon pain ne mange, dit sentencieusement Max Engel en emplissant ses mains de ses seins tièdes.

— Monsieur connaît ses lettres. Mais asseyez-vous donc monsieur. Ici, voilà. Oh! il a l'air abattu, je vais lui redonner un peu de vigueur. Voilà, maintenant qu'il a bonne mine, je vais m'asseoir dessus. Je m'assieds maintenant, ouh là là qu'il est gros! C'est ce que j'appelle un gros capital!

La prestation payée, Max Engel se rhabilla et descendit rapidement dans la rue, non sans avoir promis à la jeune fille que, une fois venu le Grand Soir et la fin du capitalisme, elle pourrait récupérer la propriété de son corps ainsi que son usufruit. Le temps était un peu frais mais un joli soleil perçait sous les nuages. Sur le chemin du retour, il se surprit à chantonner :

Que ma peau est rêche
Sur ta peau de pêche…

*

Une serveuse fatiguée vint resservir à Jung un demi-litre de bière, une *fillette* comme il disait. Du Barrail se contenta d'un autre demi bien frais, histoire de rafraîchir son palais mis à contribution par d'excellentes charcuteries. Les vestiges de la choucroute terminaient de tiédir devant eux. Jung y piocha délicatement une saucisse de Francfort qu'il picora distraitement.

— Cette brasserie est une bénédiction, mon ami.

Il but une gorgée de bière dont la mousse s'accrocha à sa moustache.

— Si je vous dis *Loup*, à quoi pensez-vous ? fit-il.

— Vous voulez me faire jouer au jeu des associations verbales ?

— J'en suis l'inventeur, non ? Et Freud m'en a beaucoup complimenté. En fait, le test en question n'a pas été inventé par moi mais son auteur voulait s'en servir pour mesurer le niveau d'intelligence des gens. On dit par exemple *cheval* et l'interlocuteur doit répondre par le premier mot qui lui vient à l'esprit. C'est le temps de réponse qui permet de graduer le niveau d'intelligence de la personne…

De nouveau, il porta sa chope à ses lèvres et la mousse dessina un cheval au galop au-dessus de celles-ci.

— Lorsque j'ai commencé en 1900 ma carrière de psychiatre au Burghölzli, je l'ai testé auprès de mes patients. La première chose qui me frappa fut leur hésitation devant certains mots, hésitation dont ils ne se rendaient même pas compte! Ainsi l'un d'eux prit une bonne minute lorsque je lui dis *cheval*. Je le questionnai longuement jusqu'à faire remonter à la surface de son esprit un souvenir désagréable de cheval emballé et de chute.

Il reposa sa chope avec précaution.

— Plus tard, j'ai découvert que les hésitations s'accompagnaient de troubles du rythme cardiaque et respiratoire. Le mot générait un conflit psychique difficile à vivre. Il y avait donc des émotions cachées qui venaient perturber le fonctionnement normal du psychisme.

Un sourire prit forme au coin des lèvres de Jung.

— Tout à l'heure, je vous ai demandé à quoi vous faisait penser la Dame en vert et vous avez pris près d'une minute pour me répondre…

— Ce n'est pas possible, protesta du Barrail un peu trop vivement.

— Mais si, mais si… Et vous avez répondu : *à un mystère*. Le mystère de la Dame en vert. Cela ferait un bon titre de roman, n'est-ce pas? En tout cas, il pèse sur votre Inconscient!

Du Barrail baissa piteusement la tête, le premier mot qui lui était venu à l'esprit lorsque Jung lui avait posé cette question, et qu'il s'était bien gardé de prononcer, avait été : *au sexe.*

Satisfait de ses observations, le Suisse étira sa grande carcasse qui emplissait la banquette en cuir rouge.

— Bon, mettons pour l'instant de côté ce mystère et revenons à notre Dame aux Loups.

Il avait écouté avec attention le récit de l'entrevue de du Barrail avec Marie Adendorff pour la synthétiser remarquablement en quelques phrases.

— Laissons de côté l'hypothèse d'un désir né dans l'enfance, d'une fixation sur un objet lors de la puberté et blablabla…

Tous avaient remarqué que Jung ne semblait pas très à l'aise avec la dimension sexuelle des théories psychanalytiques et plus spécialement avec le thème de la sexualité infantile. C'était même une partie des théories de Freud qu'il évitait d'aborder lorsqu'il le pouvait. Aussi du Barrail ne fut-il pas vraiment surpris de l'entendre partir dans une autre voie.

— Cette histoire de loup me fait penser à autre chose. Notre civilisation bourgeoise qui foisonne d'interdits culpabilise le désir. Dans la Vienne de Freud, on étouffe de convenance et de faux-semblants. Cependant, tout ramener au sexe dans l'enfance me paraît restrictif.

Baissant la voix, il ajouta sur un ton qui se voulait complice :

— Notre cher Freud voit des phallus et des vagins

partout! Dans le moindre de nos rêves, dans nos propos les plus banals!

Il s'interrompit pour allumer une cigarette après l'avoir adroitement fichée au bout d'un long fume-cigarette en ivoire. Lorsqu'il planta son regard clair dans celui de du Barrail, ce fut comme une invitation à se dépasser.

— Je vais vous faire une confidence. J'ai fait une nuit un rêve qui m'a beaucoup intrigué. J'étais dans ma maison. C'était une grande demeure à l'architecture complexe. Je me trouvais au premier étage dans une pièce superbement meublée d'un mobilier du XVIIIe siècle. Je décidai d'explorer l'étage inférieur et découvris des meubles sombres et lourds du XVIe siècle et je pensais en moi-même : *comme c'est beau! J'ignorais que c'était ici. Peut-être y a-t-il aussi une cave en dessous?* Il y en avait une en effet. De construction très ancienne, elle datait sans doute de l'époque romaine. Les murs en étaient nus et le plâtre s'écaillait, laissant apparaître des briques. Le sol était dallé. Un sentiment étrange m'envahit pendant que je descendais l'escalier. Je pensais : *maintenant, je suis arrivé au bout.* C'est alors que j'aperçus dans un coin un anneau. Je le tirai, découvrant une seconde cave très sombre. J'y pénétrai. Elle était remplie de débris de vases préhistoriques, d'ossements et de crânes. Je demeurais stupéfait et lorsque la poussière retomba, j'eus le sentiment d'avoir fait une découverte extraordinaire. Ce fut à cet instant que je me réveillai.

Du Barrail se pencha vers lui, captivé. Jung poursuivit avec dans l'œil une lueur malicieuse.

— J'ai raconté mon rêve à Freud afin qu'il m'aide à l'analyser. Il s'intéressa uniquement aux ossements et aux crânes pour arriver à la conclusion que je souhaitais la mort de quelqu'un !

Jung rit mais pas du Barrail. Ce dernier avait compris en un éclair de prescience ce que le Suisse n'avait pas deviné ou ne voulait pas admettre : Freud avait pensé que Jung souhaitait inconsciemment sa mort afin de prendre sa place !

— Je demandai à Freud, reprit Jung sans remarquer le trouble de son interlocuteur, de m'expliquer les autres éléments du rêve mais il ne s'y intéressait pas et s'obstina à les considérer comme secondaires. Moi pas. J'y ai réfléchi des années durant et j'en arrive aujourd'hui à cette conclusion que les différents types de construction trouvés dans cette maison symbolisent les différents stades de l'histoire des civilisations.

La serveuse rapporta le plat de choucroute, laissant derrière elle la vague promesse de revenir avec la carte des desserts. Carl Gustav Jung releva la tête et darda son regard dans celui de du Barrail avant de lancer d'un ton provocateur :

— Je subodore qu'en plus d'un Inconscient personnel existe un Inconscient collectif. L'Inconscient personnel se construit avec notre mémoire individuelle, nos désirs, nos sensations, nos comportements. L'Inconscient collectif, lui, se construit à partir de ce qui est commun à un peuple ou à une société : les mythes, l'histoire, les religions, les grandes images de l'humanité… Imaginez au-dessous de nos pieds depuis des siècles un immense lac souterrain, voilà notre Inconscient collectif!

— Freud…

— Freud ne se demande jamais pourquoi telle personne dans ses rêves se voit poursuivie par les jésuites, une autre par la police et encore une autre par des Juifs! répliqua vivement Jung. C'est parce que l'Inconscient collectif est un héritage instinctif et pèse de tout son poids sur nos comportements individuels.

— Vous en avez parlé avec lui?

Jung baissa les yeux.

— C'est si difficile d'exprimer des vues contraires aux siennes. Je ne prétends pas détenir une vérité universelle, moi. J'avoue que je trouve parfois Freud bien dogmatique!

Du Barrail fit signe pour qu'on leur apporte deux cafés. Il lui était toujours pénible de constater qu'un fossé allait s'élargissant entre les deux hommes qu'il admirait le plus au monde. Jung commanda un cigare qu'il fit rouler entre ses doigts avant de l'allumer avec application.

— À la mort de mon père, commenta-t-il, j'étais étudiant et ma mère sans revenu. Je reçus un jour une boîte à cigares en cadeau. Je m'en octroyais un chaque dimanche et elle me dura toute une année!

Il savoura un moment son cigare avant que du Barrail se risque à poser la question qui l'intéressait.

— Si nous acceptons votre théorie, quelle application pouvez-vous en tirer pour Marie Adendorff?

— Votre Dame aux Loups?

Du Barrail demeura fermé à l'ironie.

— Gernereau est un pur disciple de Freud, soupira Jung, et sans grande originalité si vous me le permettez. On aperçoit ses parents qui font l'amour sous un mauvais éclairage après avoir écouté *Le Petit Chaperon Rouge.* Loup égal sexe égal brutalité. Le loup est tapi dans les bois, prêt à se jeter sur la fillette pour la violer. Oui, il y a des loups de ce type mais tout n'est pas si simple. La figure du loup ne peut pas être réduite à une expérience personnelle. Elle appartient à des mémoires collectives : le loup bleu céleste des dynasties chinoises, la louve de Romulus symbole de fécondité ou encore Fenrir, le loup géant de la mythologie scandinave, capable de tenir tête aux dieux. Comme vous le voyez, le loup n'est pas seulement symbole de sauvagerie mais également d'autorité. Il peut se produire bien des malentendus de ce fait…

Bien malgré lui, l'attention d'un du Barrail fatigué après une nuit sans sommeil, à veiller l'arme au poing ses précieuses notes, avait faibli. Aussi le Suisse se hâta de conclure :

— *Grand-Mère, comme tu as de grandes dents!* La morsure du temps, mon jeune ami, la morsure du pouvoir. De tout ce que vous me dites, il ressort que son refoulement n'est pas seulement lié au sexe ni à un conte de fées. Cette jeune femme a craint ce loup dans un contexte particulier. Un loup symbolise le pouvoir tout comme la sauvagerie. Ce pouvoir l'a certainement confortée dans son idée qu'être choisie par lui était inscrit dans l'ordre des choses. Peut-être même s'est-elle sentie honorée d'être sa proie…

Du Barrail s'était dressé, indigné.

— Pensez-vous ce que vous dites?! Jung haussa un sourcil.

— Les enfants se sentent sans défense face à un adulte, ceci tant physiquement que sur un plan intellectuel ou moral. L'autorité de l'adulte est telle qu'elle peut les obliger à se soumettre aveuglément à l'agresseur. Commencez votre enquête par la famille, l'expérience démontre malheureusement que s'il y a viol, il est souvent commis par des gens très proches ou bénéficiant d'une réelle autorité morale sur eux…

Il se tut alors que la serveuse déposait devant eux les cafés en leur jetant un regard intrigué.

— Comment pouvez-vous être si sûr de vous? demanda du Barrail en baissant le ton.

Jung laissa pensivement choir un sucre dans sa tasse.

— Je ne le suis pas. S'il y a une chose dont je suis certain, c'est que nous ne connaîtrons jamais totalement l'esprit humain. Méfions-nous donc de toute conclusion hâtive.

— Que me conseillez-vous de faire?

— Ce que préconise Saint-Augustin : *Ne va pas à l'extérieur, c'est dans l'homme intérieur qu'habite la vérité.*

*

Le lendemain, Max Engel rejoignit du Barrail au coin de sa rue dans un bistrot nommé *Le Tout Va Bien* où le jeune homme venait prendre chaque matin, à 7h45 précises, un excellent café crème. Il y avait ses habitudes et son journal qu'il aimait parcourir, accoudé au zinc. Cette fois, il s'assit à une table en commandant deux cafés noirs que sa serveuse attitrée, une jeune provinciale à l'accent de l'Aveyron, lui servit avec un brin de perplexité. Lorsqu'elle repartit à son comptoir, le regard du psychanalyste s'attarda un instant de trop sur ses hanches. Le détective comprit en un éclair pourquoi du Barrail fréquentait si assidûment *Le Tout Va Bien* et non pas *Le Tout Va Mieux* situé juste en face.

— Quelles nouvelles de France ? demanda négligemment Max Engel en désignant du doigt le journal.

— Rien de nouveau, quand quelque chose ne va pas, on crie contre les Juifs, les francs-maçons et les parlementaires.

Max Engel se mit à considérer son interlocuteur très attentivement, presque avec gravité.

— C'est la France d'aujourd'hui, continua du Barrail d'un ton méprisant qu'Engel ne lui aurait jamais imaginé. La France des rentiers et du franc germinal ! Paris s'illumine, le ciel se couvre d'aéroplanes et les voitures roulent de plus en plus vite. Que demander de plus ?!

Le détective profita de la brèche ouverte dans la conversation pour s'y engouffrer :

— Ah ! ça, je suis bien d'accord avec vous. Huit cents grèves il y a dix ans, le double cette année ! Il y a cinq ans, au 1er mai, Clemenceau a sorti soixante mille hommes de troupe et fait charger la foule par les dragons pour empêcher le Grand Soir. Sale petit traître !

Il frappa du poing sur la table, s'attirant les regards étonnés ou choqués des autres consommateurs.

— L'histoire de l'homme n'est que le résumé d'une lutte incessante entre les classes pour s'approprier du pouvoir et des biens, continua-t-il d'une voix de plus en plus forte. La répartition des classes évolue seulement en fonction de la répartition des richesses. Lorsque je suis arrivé en France en 1900, je me suis promené à l'Exposition universelle. L'Exposition ! Grands dieux ! Cent hectares occupés, quarante-huit millions de visiteurs !

Ses yeux brillaient et une expression fiévreuse se lisait sur son visage.

— Je me rappelle le théâtre de la Loïe Fuller, sculpté comme une robe de danseuse que le vent soulève, la fée Électricité emprisonnée dans son écrin de glace et de verre… Je me rappelle aussi avoir entendu le président Loubet dire : *Je suis persuadé que le XXe siècle verra luire un peu plus de fraternité sur moins de misère…*

— La République éclairant le monde, fit du Barrail d'un ton indulgent. Et pourquoi pas après tout ? Laissez donc du temps au temps !

Max Engel sourit.

— Amusant comme formule ! Mais voyez-vous, nous n'avons plus le temps ! Le Grand Soir approche…

Lorsque Max Engel commença à lui expliquer que la grève générale insurrectionnelle allait frapper de stérilité les moyens de production du capitalisme, du Barrail l'interrompit avec douceur.

— Ne pouvons-nous pas revenir à votre enquête ?

Une lueur de mécontentement filtra des paupières du détective qui, sans transition, raconta alors avec verve son aventure au bordel en omettant les passages où il avait dû payer de sa personne.

— La Dame en vert est donc une prostituée de luxe qui réserve ses charmes à un nombre restreint de personnes, conclut-il en notant l'air de déception du psychanalyste. Reste à savoir pourquoi l'on s'offre ses services pour vous voler une mallette.

Sans réaction de la part de du Barrail, il reprit :

— Tout le monde semble la connaître mais je n'arrive pas à mettre la main dessus. J'en viens à me demander si la Dame en vert n'est pas un mythe. Chacun se vante d'avoir couché avec elle ou de l'employer à son service mais elle n'appartient à personne et je doute fort que tous les gens qui se targuent de l'avoir connue ou possédée l'aient réellement effleurée.

— Comment cela? fit du Barrail brusquement intéressé.

Max Engel se carra dans son siège et prit un air savant.

— Voyez-vous, fit-il, nous vivons dans une société de caste. Dans la prostitution comme pour le reste, vous trouvez en haut la *grande cocotte*, en dessous ce que l'on appelle la *demi-castor* puis la *cocotte* puis la *demoiselle* ou encore la *fille*. Indubitablement, la Dame en vert est une grande cocotte sauf que l'on ne la retrouve pas dans les endroits généralement fréquentés par celles-ci : le *Ritz*, *Maxim's*, l'hippodrome, les générales et les premières. Elle semble vivre en marge du monde et au secret, se réservant simplement pour certains. L'absence crée vite le mythe…

Il ajouta distraitement un sucre dans son café.

— Quant à la famille de Marie Adendorff sur laquelle vous m'avez demandé d'enquêter, elle se résume aujourd'hui à son père, Mathias Adendorff, un homme riche et influent…

Du Barrail réprima un sourire et attendit stoïquement la suite.

— Le représentant du Grand Capital dans toute sa splendeur : une banque, des intérêts dans plusieurs industries. La France est une des plus grandes puissances financières de ce monde. Les Français sont avant tout des épargnants. Vous n'imaginez pas à quel point l'épargne se reconstitue dans ce pays! Cela dit, Mathias Adendorff a ceci de sympathique qu'il s'agit d'un républicain convaincu, originaire de Hongrie. Son père, grand propriétaire terrien là-bas, s'était élevé contre les représentants de l'Empire austro-hongrois, ce qui lui a valu l'exil et la confiscation de ses terres.

Max Engel tritura rageusement son chapeau et ajouta :

— L'Empire austro-hongrois! Une dynastie au service du capitalisme! Seule la grève…

Du Barrail savait désormais qu'il ne fallait pas s'engager dans une discussion politique avec le détective. Il se hâta donc de détourner la conversation.

— Vous ne m'avez pas parlé de la mère de Marie Adendorff?

— Morte en couche. Son père s'est remarié lorsque sa fille avait dix ans avec une femme plus jeune que lui et d'une grande beauté : Anelia. Aujourd'hui Marie Adendorff fréquente beaucoup de monde dans le domaine artistique. Elle appartient à une association d'artistes avant-gardistes qui se nomme La Sardine éblouie. Leur but commun est de rompre avec la tradition et rechercher des formes inhabituelles, utiliser de nouveaux matériaux… On ne lui connaît que peu de relations amicales en dehors des milieux artistiques. Elle ne doit certainement pas sortir beaucoup.

Le visage de du Barrail rayonna soudain et il changea imperceptiblement de position pour considérer avec un peu de hauteur le petit détective.

— Vous vous trompez, monsieur Engel, cette jeune personne sort puisqu'elle a accepté de m'accompagner à une conférence de Léopold Mabilleau sur le bonheur.

Le détective le regarda interloqué.

— Vous plaisantez ?

Du Barrail se rengorgea.

— Pas du tout, elle a accepté mon invitation sans coup férir.

Engel n'en croyait pas ses oreilles.

— Ah ! bravo, mon ami, vous m'impressionnez ! Inviter une jeune femme voir Léopold Mabilleau ! Allons, allons, dites-moi que vous me faites marcher ? Vous n'allez tout de même pas l'amener assister à une conférence sur le bonheur ?

— Pourquoi pas ? se défendit du Barrail maintenant mal à l'aise.

— Mais quel genre d'homme êtes-vous donc ? s'exclama Max Engel. Lorsque l'on sort une si charmante personne, on l'amène au théâtre ou à l'opéra !

Il réprima un sourire devant le regard furibond du psychanalyste.

— Et j'espère que vous laisserez votre sabre chez vous ! Allons, ne vous fâchez pas. Suivez simplement mes conseils, pourquoi ne pas l'amener au café-concert ?

— Cela me paraît un peu hâtif, rétorqua sèchement du Barrail. Je ne sors pas avec une demi-mondaine…

— Ou une de mes traînées, c'est ce que vous voulez dire ?

— Je ne l'ai jamais dit.

— Mais vous l'avez pensé ! s'exclama le détective.

— Jamais de la vie.

— Si, c'est ce que vous pensez !

— D'abord, je ne connais pas votre vie privée et ensuite comment diantre pourriez-vous deviner ce que je pense, s'emporta du Barrail. Êtes-vous voyant à la fin ?

Devant l'éclat du psychanalyste, le détective s'arrêta net.

— Excusez-moi, je ne sais pas ce qui m'a pris.

— Nous analyserons cela plus tard ! fit du Barrail.

*

La Fille s'était couchée au matin pour dormir presque toute la journée. En fin d'après-midi, elle avait entrepris d'enfiler ses jupons lorsque l'on frappa à la porte de l'appartement où elle logeait, près de l'hôpital Saint-Louis. Elle alla ouvrir et une silhouette maigre s'encadra dans l'entrebâillement de la porte. Elle eut un mouvement de recul en voyant la cicatrice fraîche sur son visage.

— Vous partiez travailler? fit-il d'un ton moqueur. Permettez-moi d'entrer, c'est pour une petite passe rapide.

Il lui tendit quelques billets qu'elle hésita à prendre tant l'individu lui déplaisait.

— Monsieur, je ne travaille pas trop à domicile et je dois aller prendre mon service.

— Permettez-moi d'insister!

Il la bouscula sans façon et claqua la porte derrière lui.

— Je ne vous permets pas! protesta-t-elle.

L'homme la gifla d'un air absent puis lui saisit les cheveux et tira sa tête en arrière. La jeune femme gémit, des larmes dégoulinaient de ses joues.

— Un petit homme très vif a fait une passe avec toi au bordel cette nuit. Il s'appelle Max Engel, tu te souviens?

— Monsieur Max? hoqueta-t-elle.

— Ça doit être ça! Que t'a-t-il demandé?

— Il voulait savoir qui était la Dame en vert mais je ne sais rien d'elle, répondit-elle précipitamment.

Comme par acquit de conscience, l'homme lui administra une autre gifle, plus forte que la précédente.

— Tu mens!

— Non, je vous jure! s'écria-t-elle maintenant paniquée. L'homme la lâcha.

— Tu es une bonne fille! Maintenant, rends-moi ces billets et pas un mot de ceci à quiconque, sinon…

Il eut un geste significatif du pouce sur la gorge. Dans la rue, il retrouva un homme trapu à la tête énorme.

— Alors? l'interrogea celui-ci d'un ton impatient.

— Le détective en avait après la Dame en vert. L'autre soupira et murmura comme pour lui-même.

— Le patron ne va pas être content! J'aurais préféré opérer seul dans le train, les choses seraient plus simples maintenant!

*

Rue Boissy-d'Anglas se réunissait, dans un magnifique hôtel particulier, le cercle de l'Union artistique, encore surnommé *L'Épatant*. Le cercle disposait de salles à manger pour les habitués où même les femmes pouvaient prendre place. Il organisait encore des expositions, des soirées artistiques ou, comme ce soir, des conférences. Du Barrail s'assit donc en compagnie de Marie Adendorff alors que Léopold Mabilleau introduisait habilement son sujet : la science du bonheur.

— C'est une lourde tâche qui m'a été confiée d'inaugurer aujourd'hui la série de conférences où tant d'hommes illustres vont venir exposer, devant vous, les créations les plus utiles, les plus nobles, les plus désintéressées du génie humain.

Du coin de l'œil, le psychanalyste observa la Dame aux Loups, étudiant avec une attention de plus en plus vive le profil tout en douceur de la jeune femme et l'éclat de son regard. Après une longue introduction, l'orateur avait essayé de cerner le sens du mot *bonheur* :

— Et si nous voulons trouver le bonheur, élevons-nous d'un degré jusqu'à la sphère du sentiment et jusqu'à ce sentiment qui est le principe et le terme de tous les autres ici-bas : l'Amour.

Des applaudissements polis retentirent.

— Est-ce que nous allons y trouver le bonheur parfait ? continua Léopold Mabilleau, l'œil brillant. Nous aimons, et de par là des douleurs infinies car Dieu qui fit le monde avec des harmonies fit aussi l'amour d'un soupir qui n'est pas mutuel…

Du Barrail cessa soudain de s'intéresser à la conférence. Il venait d'apercevoir dans un coin la silhouette sautillante de Max Engel. Le détective semblait surveiller quelqu'un dans la salle. Le jeune psychanalyste tenta de repérer la direction dans laquelle était pointé le regard de celui-ci et sursauta à la vue de plumes vertes qui oscillaient sur le bord d'un chapeau paré d'une fleur sur le côté. La Dame en vert !

— Voulez-vous m'excuser quelques instants ? fit du Barrail à sa voisine stupéfaite.

Il gagna l'allée, générant quelques timides protestations. L'attention d'une partie de la salle se concentra sur lui. La silhouette verte se leva alors brusquement et se dirigea vers la sortie. Du Barrail accéléra le pas mais, une fois la porte passée, se jeta pratiquement dans les bras du petit détective qui observait quelqu'un du haut des escaliers.

— Que faites-vous là ? s'exclama du Barrail.

— Je vous suis, ou plutôt je suis celle qui vous suit !

— Comment cela ?

La surprise du psychanalyste était totale.

— Je vous expliquerai plus tard, marmonna Max Engel, goûtez votre soirée comme elle se doit, je me charge de la Dame en vert.

— Vous nous avez suivis ? Mais je croyais que vous cherchiez la Dame en vert !

— Ah ! ne compliquez pas les choses ! J'ai retrouvé la trace de la Dame en vert en vous filant le train parce que je pensais bien qu'elle allait tenter de remettre ça avec vous après son échec dans le train. Et voilà comment tout ce beau petit monde se retrouve comme par hasard à une conférence dans laquelle aucun homme sensé ne mettrait les pieds !

— Mais…

— Brisons là ! Vous allez me faire manquer ma filature. À demain !

Le détective dégringola quatre à quatre les marches de l'escalier et disparut, sa silhouette engloutie par l'obscurité. Du Barrail frissonna. La nuit était froide. Autour de lui, la pénombre estompait les formes, adoucissant les angles des bâtiments. Il se sentit seul et faible face à l'inconnu. Ce fut avec soulagement qu'il retrouva les lumières de la salle alors que l'orateur fustigeait l'éparpillement amoureux :

J'ai voulu tout aimer et je suis malheureux
Car j'ai de mon tourment multiplié les causes…

Marie Adendorff se pencha vers lui lorsqu'il regagna sa place pour lui chuchoter malicieusement à l'oreille :

— J'espère que vous aviez une bonne raison pour me laisser toute seule à cette maudite conférence!

*

Kangourou boxeur, proclamait-on aux *Folies-Bergère* où une affiche montrait l'animal en train de se battre avec un boxeur. Mais la Dame en vert n'avait pas l'intention de passer le reste de sa soirée dans cet endroit aussi prisé : son véhicule continua son chemin tandis que, d'un geste résigné, le détective faisait signe à son chauffeur de continuer. Il n'aimait pas sauter les repas. Ils passèrent devant le *Moulin Rouge*. Un instant, Max Engel espéra qu'ils allaient s'arrêter. Il aimait bien voir les danseuses montrer leur derrière enjuponné en poussant de grands cris aigus. Elles avaient pour nom Grille d'Égout, la Goulue, Trompe-la-Mort, Rayon d'Or, Demi-Siphon, Sauterelle, Torpille ou Gavrochinette… Hélas! ce n'était pas la destination de la Dame en vert.

— J'espère que du Barrail passe une meilleure soirée que moi, jura le détective entre ses dents. Sacrebleu! Je donnerai mon chapeau pour une entrecôte saignante!

Ses espoirs furent bientôt comblés. La Dame en vert était gracieusement descendue de voiture pour pénétrer à l'intérieur d'un restaurant brillamment illuminé. Là, dans un décor bric-à-brac de style, des serveuses en habits de l'Académie française venaient prendre les commandes. Au mur, des casseroles et des étains bien astiqués brillaient de mille feux. Le détective s'installa à la seule table libre qui permettait d'apercevoir, malheureusement de dos, l'objet de sa filature. Avisant de grosses terrines de terre sur une table, il s'enquit de leur contenu et commanda un pâté de bécasse, suivi d'un chateaubriand. Comptant sur la générosité de son client à couvrir ses notes de frais, il ajouta une bouteille de saint-émilion.

— Pardon, fit-il au garçon qui lui apportait son entrée. Je crois connaître ce monsieur qui dîne avec cette dame toute de vert vêtue mais j'ai oublié son nom.

— C'est le député Mirepoix.

— Le député Mirepoix, grogna le détective, suis-je bête, c'est bien lui!

Le vin cachait son ampleur dans un verre sombre et épais. À la première gorgée, des saveurs de cassis et de groseille explosèrent dans sa bouche pour laisser place ensuite à une matière onctueuse. Il avala un morceau de pâté accompagné de quelques oignons blancs, dévora un croûton de pain avec une seconde tranche de pâté avant de reporter son intérêt sur le saint-émilion dont il se resservit copieusement.

Mirepoix! Sa mémoire associa le nom à toute une série d'informations glanées ces dernières années : franc-maçon, proche du parti radical et membre de la loge des Amis de la tolérance et de la Ligue des droits de l'homme dont le but est de porter assistance à toute personne dont la liberté serait menacée ou dont le droit serait violé.

Son regard se porta vers la silhouette du bonhomme engoncé sur son siège, le considérant pensivement. L'homme possédait l'embonpoint et le teint vermeil de ceux qui passent beaucoup de temps à table. De longs favoris encadraient son visage roublard et une barbichette courbe repiquait en avant. Le député ne perdait pas de temps et, avec douceur mais assurance, s'était emparé de la main de sa convive. Tendant l'oreille, le détective l'entendit proclamer à l'attention de la Dame en vert : *Laissez-moi un peu votre douce main, lorsque je la tiens mon attention gagne en acuité!*

C'est du dernier galant! pensa Max Engel en réprimant un pouffement de rire. Mirepoix! Un homme qui incarnait toutes les valeurs républicaines et réalisait l'union des intellectuels et du peuple… Mirepoix et la Dame en vert… Intéressant…

Attention, monsieur le député, pensa-t-il, *il ne faut pas tant regarder ce que l'on mange qu'avec qui on le mange.*

Le chateaubriand arriva, fondant dans la bouche. Max Engel mangea avec appétit, sans quitter des yeux la table où le député Mirepoix s'efforçait de faire oublier sa calvitie et son embonpoint grâce à ses dons de causeur. Le détective planta à nouveau sa fourchette dans la viande. Un proverbe dit qu'on ne vieillit pas à table. Max Engel partageait ce point de vue.

*

Ils étaient attablés dans un restaurant russe très à la mode. La passion du jeune psychanalyste pour les écrivains russes l'avait conduit à ce choix. Il est difficile de lire des auteurs étrangers sans avoir un jour envie de goûter les mets de leur pays!

La jeune femme était habillée d'une robe droite extrêmement moderne qui se portait sans le fameux corset *droit devant* ou *abdominal*. Son corsage était orné de perles et de franges. Autour d'eux, virevoltaient des serveurs déguisés en cosaques, les bras chargés de plats.

— Avez-vous dénombré le nombre de malades mentaux dans l'œuvre de Dostoïevski? demanda du Barrail pour amorcer la conversation.

Marie Adendorff secoua la tête en souriant.

— Trente-trois! annonça fièrement du Barrail. Pour Dostoïevski, un quart de la population est donc folle! N'ai-je pas choisi un métier d'avenir?

La jeune femme éclata de rire et le jeune homme fut surpris de voir qu'elle pouvait être aussi gaie.

— J'aime vous voir aussi détendue. Vous me paraissiez bien sérieuse dans votre atelier.

— Vous vous moquez, docteur, nul n'a l'air plus grave et appliqué que vous!

Il rit à son tour et se pencha sur la carte. Ensemble, ils tombèrent d'accord sur les plats et commandèrent. Malgré sa minceur, Marie Adendorff avait un bon appétit et ne refusa pas de goûter ces graines noires salées appelées caviar, acceptant le petit verre de vodka qui l'accompagnait.

— Je doute toutefois que Dostoïevski soit à l'origine de votre vocation, remarqua-t-elle avec une note moqueuse dans la voix. Qu'est-ce qui vous a amené à vous intéresser à des gens qui n'intéressent personne?

Du Barrail reposa sa fourchette et fronça les sourcils, se concentrant pour formuler simplement sa réponse.

— Freud est à l'origine de ma vocation. La science actuelle est impuissante face à certains symptômes. Avant les travaux de mon cher maître viennois, ces malades de l'âme étaient considérés comme des simulateurs ou des dégénérés qu'on traitait à coups de décharges électriques, de bains forcés et de camisoles de force. Freud le premier les a considérés comme des êtres humains, en leur restituant la parole et en écoutant leur histoire. En laissant parler le malade, sans l'interrompre et sans porter de jugement, il est possible de retrouver ce qu'il sait mais a oublié. La seule porte de sortie de leur état est la parole.

La Dame aux Loups rougit légèrement.

— Les psychiatres s'occupaient de cela avant les psychanalystes, non?

— Avec les méthodes dont je vous ai parlé et sans chercher à connaître véritablement leurs malades.

Il but une gorgée de vodka.

— Jung m'a raconté un de ses premiers cas à l'hôpital de Zurich, celui d'une certaine Babette, originaire de la vieille ville, un endroit miséreux où elle avait grandi entre un père ivrogne et une sœur prostituée. Elle était de plus très laide…

Marie Adendorff s'était figée, attentive.

— À trente-neuf ans, elle fut jugée démente et internée. Elle avait vingt ans de plus lorsque Jung la rencontra. Pour tous, elle était folle et ses propos n'avaient aucun sens. Elle disait par exemple : *Je suis le représentant de Socrate, Je suis un gâteau de quetsches sur une base de semoule, Je suis Germania et Helvetia faite exclusivement de beurre doux.*

Il sourit avec bienveillance et sans aucune moquerie.

— Et elle concluait par : *Naples et moi devons pourvoir le monde de nouilles!*

Marie Adendorff l'écoutait, la tête penchée de côté dans une pose gracieuse.

— Tous ces propos, reprit le jeune homme, indiquaient des augmentations de valeurs traduisant un fort complexe d'infériorité. Comme le dit Jung, les gens ne sont pas si fous que nous le pensons. À l'arrière-plan, une personnalité normale reste cachée et délivre par moments des remarques ou des objections qui ont une signification.

Un long silence s'installa entre eux. Marie Adendorff piochait délicatement dans son assiette tandis que du Barrail remplissait leurs verres.

— Et comment vont vos collègues de la Sardine ébahie? s'enquit-il pour changer de conversation.

Une fossette apparut au coin du menton de la jeune femme. Du Barrail la trouva charmante.

— Ainsi vous savez des choses sur moi… sauf qu'il s'agit de la Sardine éblouie! Elle regroupe des jeunes gens qui se lancent dans l'art et qui sont prêts à tout remettre en cause…

Au-dessus de la jeune femme trônait une icône dorée. La Vierge qui les couvait de son regard bienveillant ressemblait étrangement à Marie Adendorff. Troublé, du Barrail détourna les yeux.

— Pourquoi avoir choisi la sculpture? demanda-t-il avec curiosité.

Elle devait avoir l'habitude de ce genre de questions car elle répondit aussitôt :

— Dans votre monde d'hommes, il n'y a pas de place pour nous. Votre société enferme encore ses femmes à la maison et ne lâche dans la rue que les prostituées, les cocottes et les artistes. Femme et mère au foyer ou courtisane. C'est comme ça que l'on dit, n'est-ce pas? Sinon pire…

Elle se pencha vers lui et, une lueur taquine dans les yeux, elle murmura :

— Le plaisir ou la procréation, jamais les deux ensemble…

Du Barrail resta un moment estomaqué avant de comprendre qu'elle le provoquait. Qui aurait cru en la voyant si sage qu'en plus d'être belle et intelligente, elle était de nature guerrière?

Marie but une gorgée de vodka et reprit :

— Lorsque je suivais les cours de sculpture, un charmant professeur a essayé de faire de moi sa muse. Voilà ce que nos artistes masculins offrent comme compensation aux femmes comme moi : devenir un objet de culte.

Elle secoua la tête.

— Merci, très peu pour moi.

— Vous auriez pu inspirer les plus pures pensées, dit du Barrail avec l'accent de la sincérité.

Mais comme il mit trop de passion dans ses mots, il rougit légèrement et, pour cacher son trouble, appela un serveur pour qu'on leur amène une bouteille de champagne afin d'accompagner le veau au paprika qui s'annonçait.

— J'aurais pu, oui, fit soudain Marie Adendorff après un silence songeur, mais est-ce bien une réussite que de devenir quelqu'un dans un monde imaginaire ?

— Non, sans doute, murmura du Barrail les yeux dans le vague.

Il pensa un instant à son enfance où, pendant les années noires, il n'avait survécu qu'en devenant le héros de tous les livres qu'il lisait. Plus tard, c'est par des livres très sérieux qu'il devint quelqu'un. Il gardait toutefois de cette période enfantine une sourde nostalgie et surtout un grand accablement.

— Où étiez-vous donc ? demande la Dame aux Loups en le rattrapant d'un regard.

— Dans les mondes imaginaires. *Les plus belles chimères sont les pays qui n'existent pas.*

— Rousseau !

Et cultivée avec ça ! Il essaya de ramener la conversation sur un sol moins mouvant pour lui.

— J'ai cru sentir dans vos propos une suffragette qui sommeillait…

Une lueur glacée filtra sous les paupières de Marie Adendorff, et du Barrail constata avec surprise qu'elle savait être louve.

— Je connais les paroles sur cet air-là ! Les suffragettes ! Voilà un terme masculin pour désigner celles qui revendiquent le droit d'exister. Une femme en France n'avait pas le droit, il y a quatre ans, de percevoir un salaire sans le consentement de son mari. En cas d'adultère, le fait pour un homme de tuer sa femme est une faute excusable mais il s'agit d'un crime si l'épouse trompée tue son mari ! Ah ! autre chose : savez-vous pourquoi on n'enseigne pas la philosophie aux rares jeunes filles qui vont à l'école ?

Du Barrail garda un silence prudent.

— Par peur de les voir trop réfléchir ! Maintenant, prenez la littérature populaire. Vous ne trouverez que des récits où une pauvre femme est victime de tous les malheurs du monde. Au terme de trois mille pages, seul un personnage masculin pourra dénouer les fils de l'intrigue et la sortir de là ! Voulez-vous que je continue la liste des privilèges de la gent masculine ?

Du Barrail secoua la tête. Si la première réaction de Marie l'avait amusé, la seconde l'éclairait sur le sens de la rébellion de la jeune femme. Il avait été tout aussi révolté qu'elle d'entendre, lors de ses études de médecine, des praticiens expliquer la subordination de la femme à l'homme par sa faible constitution et la taille plus petite de sa boîte crânienne.

Un vagin pour concevoir, un ventre pour porter et des seins pour allaiter, disaient ces gens-là.

— Je pense que la femme recouvrera un jour sa liberté, dit-il tranquillement. Regardez-nous, les psychanalystes, nous sommes venus dire au monde qu'il n'était plus seul en lui-même. On s'est moqué de nous mais nous existons et nous faisons des émules. La société est en mouvement, le changement est dans l'air.

Elle le couva de ses yeux brillants.

— Je n'ai jamais rencontré d'hommes comme vous ! Resservez-moi un peu de ce champagne. Nous devrions boire du champagne tous les jours, il rend la vie si agréable. Il donnerait presque envie d'aimer...

Souriant, du Barrail remplit son verre.

— Le champagne est aux hommes ce que les anges sont au ciel, laissa-t-il finalement tomber.

Et tout aussitôt, il se demanda ce qui l'amenait à prononcer de telles sottises et pria le ciel afin d'être plus inspiré par la suite.

— Buvez-vous souvent du champagne ? s'enquit Marie Adendorff sans relever la piteuse remarque. Cela ne ressemble pas à l'idée que je me fais de vous...

Un pli d'amertume barra le visage du psychanalyste.

— Vous voulez dire que je suis un homme austère et, pourquoi ne pas aller jusqu'au bout, ajoutons même *pas très drôle*.

La jeune femme eut un geste de dénégation si brutal qu'elle renversa sa flûte de champagne. Un garçon se précipita.

— Je suis confuse…

— Non, je vous en prie ce n'est rien.

— Je ne parlais pas seulement de la nappe, fit-elle en s'animant. Vous êtes un homme bon qui se consacre entièrement à son travail qu'il considère comme une cause juste. Vous avez l'âme d'un pionnier tout en restant un humaniste. Croyez-le ou non, j'ai beaucoup d'admiration pour vous.

Le visage de du Barrail s'assombrit.

— Ce n'est pas de l'admiration que j'espérais…

— Mon Dieu, qu'attendiez-vous donc de moi ? s'étonna Marie Adendorff en l'effleurant du bout de ses doigts.

Du Barrail tressaillit et retira vivement sa main. Les doigts de Marie Adendorff étaient chauds comme des tisons et il lui sembla qu'il en gardait sur sa peau comme la marque d'une brûlure.

*

Même s'il était de nature gaie, Max Engel réprouvait l'atmosphère d'insouciance et de frivolité qui régnait dans les quartiers chics de la capitale. C'était un pur réflexe de solidarité envers ceux pour qui la vie n'était pas une fête. Sa nature sybarite reprenait toutefois vite le dessus et ce fut avec joie qu'il aperçut l'enseigne du *Manhattan*.

Max Engel affectionnait particulièrement les bars américains. Au *Manhattan*, un certain Browdy, métis moitié chinois, moitié indien, servait des cocktails très particuliers au nom évocateur : Pousse-l'amour, Bosom caresser, Bijou cocktail, Paradis fiévreux…

Le détective aimait l'atmosphère un rien canaille qui flottait dans ce genre d'endroits à partir d'une certaine heure de la nuit. L'établissement était particulièrement enfumé. Néanmoins, à travers la volute de la fumée des cigarettes, le détective distingua la silhouette massive de Carl Gustav Jung bien calée dans un fauteuil.

— Docteur Jung…

Les yeux clairs du Suisse pétillèrent.

— Bonsoir monsieur Engel. Ou peut-être devrai-je dire camarade Engel ?! Je ne pensais plus que vous viendriez…

— Ce sont les aléas des filatures.

— Comment va notre ami commun ?

— Il a dû aller dîner après avoir écouté un casse-pieds apprendre à l'humanité en quoi consiste le bonheur. Mais si vous voulez que moi je vous parle du bonheur des peuples, alors…

Le Suisse l'arrêta en souriant.

— Vous m'en avez déjà parlé la dernière fois. Parlez-moi plutôt de du Barrail. Vous avez de la sympathie pour lui, n'est-ce pas ? J'en éprouve également beaucoup à son égard. C'est un garçon qui me touche. Il est tellement empreint d'humanisme et d'enthousiasme à sa tâche. Mais de là à lui confier une enquête sur un meurtre ! Je me demande parfois à quoi pense Freud !

Il porta à ses lèvres son whisky qu'il savoura à petite gorgée.

— Si je puis me permettre, docteur Jung, il y a en du Barrail beaucoup plus que vous ne pouvez le soupçonner.

— Comment le savez-vous ? s'enquit le Suisse avec curiosité.

— Ce sont des choses que je sens, dit le détective en levant le coude, son verre de whisky en main.

Jung le considéra avec attention. Engel avait arrêté son geste avant même que le verre n'effleure ses lèvres et l'alcool ambré continua sur sa lancée, directement au fond du gosier, sans qu'une goutte ne soit perdue. La chose faite, il réclama une bière pour se rafraîchir la gorge.

— Je suis heureux de lui avoir conseillé votre aide, fit Jung admiratif. Avec vous, il est en sécurité !

Engel lui jeta un regard ironique.

— Et comment réagira-t-il en apprenant nos petits rendez-vous ? Ne sera-t-il pas furieux contre nous ?

Jung soupira.

— Il ne voulait rien me dire, c'est le seul moyen que j'ai trouvé pour reprendre un peu la main et l'aider.

— Vous faites un drôle d'ami !

Le regard du Suisse avait cent ans lorsqu'il se posa sur le détective.

— Je sens les choses moi aussi. Lui, vous et moi d'un côté, de l'autre quelques patients suspects. Entre les deux un très mince fil qui pourrait bien être le fil d'Ariane qui nous mène au Minotaure, à la bête.

— Celui qui a tué n'était pas une bête.

— Ce n'est pas parce que l'on tue intelligemment que l'on n'est pas une bête, remarqua Jung.

Le détective commanda un autre whisky. C'était un de ses soirs où l'alcool aidait à se débarrasser de quelques souvenirs inopportuns.

— À mon avis, fit-il, le docteur du Barrail en pince pour la Dame aux Loups. Vous savez, celle qui voit des loups à la place des hommes.

— J'ai connu pour ma part une Dame aux vampires, fit Jung désinvolte.

— Racontez-moi, j'adore les histoires quand il y a des femmes dedans!

— Eh bien! Je traitai une jeune fille catatonique de dix-huit ans, issue d'une famille cultivée. À quinze ans, après avoir été violée par son frère et ses camarades d'école, elle s'emmura vivante dans le silence et la solitude jusqu'à refuser de se nourrir. Je parvins à la faire parler au bout de plusieurs mois de patience. Elle me raconta qu'elle avait vécu dans la lune. Celle-ci était habitée par le peuple sélénite, menacé d'extinction par un vampire des hautes montagnes lunaires qui s'en prenait aux femmes et aux enfants. Ceux-ci étaient désormais contraints de se réfugier dans une gigantesque maison sublunaire.

Le regard de Jung sembla tout à coup s'évader de la pièce, hors de l'espace et hors du temps.

— Ma jeune malade entreprit de tuer le vampire. Elle le guetta des nuits en haut d'une tour, cachant un poignard dans ses vêtements. Il vint un soir, volant tel un gros oiseau noir, et se posa près d'elle. Il ouvrit les ailes, révélant un homme d'une rare beauté, et l'étreignit avant de l'emporter dans les airs.

Dès qu'elle m'eut raconté cela, elle put de nouveau parler librement. Plus tard, elle m'accusa de lui avoir barré le chemin de retour à la lune. Seule celle-ci était belle et seule la vie là-bas y possédait un sens. Elle en devint folle furieuse et il fallut de nouveau l'interner. J'allais la voir dans sa cellule et lui dit : *Tout ceci ne sert à rien, vous ne retournerez jamais dans la lune.* Elle se soumit alors à son destin et devint infirmière dans un sanatorium. Un médecin l'y courtisa un peu brutalement et elle le blessa d'un coup de revolver. Le dernier jour de son traitement, elle m'avait montré cette arme en me disant : *Avec cela, je vous aurais abattu si vous aviez failli !* Elle retourna finalement dans son pays, s'y maria et eut des enfants. Je sais qu'aujourd'hui elle y mène une vie normale.

Jung s'ébroua et remua son corps massif pour changer de position.

— Vous voyez, Max Engel, chaque malade à sa propre histoire et exige sa propre thérapie. Cette jeune fille avait subi l'inceste et s'en trouvait rabaissée devant le monde entier. Elle s'en trouvait toutefois élevée dans le domaine de l'imagination et des royaumes mythiques car l'inceste est le privilège des dieux et des rois. Elle bascula alors dans cet espace céleste qui lui permettait de conserver sa dignité, loin des humains, se liant au démon ailé. Le transfert du traitement lui permit de se lier à un être humain comme moi. Ainsi, elle put revenir sur terre.

Max Engel, qui avait retenu son souffle jusque-là, expira bruyamment.

— Vous savez raconter les histoires, vous !

— Oui ! Ainsi, comme moi pour cette jeune fille, la Dame aux Loups peut retrouver un point d'appui avec du Barrail.

Le détective eut un sourire en coin.

— Ce genre de choses peut mener loin parfois…

Une lueur fugace traversa l'œil de Jung.

— Parfois…

— Cela ne fera pas forcément avancer notre enquête, remarqua Max Engel.

Jung eut une moue dubitative.

— Le lien entre la Dame en vert et le meurtre, la clé de tout, ce sont les notes du docteur Gernereau. Si du Barrail réussit à les lire correctement, il déchiffrera l'énigme. Sinon, il faudra compter sur la Providence…

— Vous croyez en la Providence ?

— Je crois que la Providence n'est ni infiniment bonne ni infiniment sage et que l'évolution est tout sauf harmonieuse. Le cours douloureux de l'histoire de l'humanité s'explique par l'aveuglement continuel de celle-ci.

Les yeux soudain brillants, Max Engel le fixa intensément.

— Croyez-vous en Dieu, docteur Jung ?

— Cela a toujours été pour moi une question essentielle.

— Pourtant personne ne peut prouver son existence…

Jung balaya l'objection d'un geste.

— On ne peut pas prouver l'existence de Dieu.

Comment une mite qui se nourrit de laine de mouton d'Australie pourrait-elle prouver à d'autres mites l'existence de ce continent? L'existence de Dieu ne peut résulter d'une démonstration!

Le détective resta un long moment silencieux avant de vider son verre avec la même maestria. Il frissonna.

— Ce whisky est de la lave en fusion! Mais laissons Dieu et revenons plutôt à la Dame en vert. Je l'ai filée et perdue. Imaginez donc, j'étais au restaurant, un besoin pressant mais j'avais peur qu'elle ne parte. Elle et son convive commandent le dessert, ceci me procure un répit d'au moins dix minutes. Je reviens au bout de cinq et voilà que je vois le monsieur terminer tout seul son millefeuille!

— Quelle époque où l'on ne prend même plus le temps de goûter sa pâtisserie!

— Pas du tout, c'était une grave inattention personnelle, ils n'avaient commandé qu'un dessert. La dame pouvait donc s'esquiver à tout moment. Je n'en reviens pas d'une telle faute de ma part!

Carl Gustav Jung se pencha vers lui pour lui susurrer :

— Peut-être qu'inconsciemment ne désiriez-vous pas tout de suite soulever cette voilette…

Le détective lui jeta un regard peu amène puis haussa les épaules.

— Un acte manqué, hein? Oui, je commence à me faire à votre jargon. Disons alors que le chasseur que je suis voulait donner un peu d'avance à sa proie.

Il se laissa aller en arrière dans son siège. Le whisky, les bières et le saint-émilion ingurgités quelque temps auparavant commençaient à produire leurs effets. Il se sentait apaisé et dans cet état d'excitation joyeuse qui vous laisse croire que vous réussirez demain tout ce que vous avez manqué aujourd'hui.

Il remarqua alors que le psychanalyste le regardait fixement, comme un médecin qui croise un patient qui lui a donné beaucoup d'inquiétude et qu'il n'a pas revu depuis un certain temps. Max Engel ferma les yeux comme pour se cacher derrière ses paupières et attendit stoïquement la question :

— Et vous Engel, est-ce que vous allez mieux aujourd'hui ?

IV

LE LOUP

Du Barrail leva une paupière puis une autre, finalement il les laissa retomber avec découragement.

Trop de champagne !

Telle est la volonté des dieux, pensa-t-il, tout plaisir s'accompagne de peine…

Il se demanda si Marie Adendorff avait elle aussi les tempes prises dans un étau puis prêta l'oreille. Le silence dans la rue annonçait le dimanche. Il hésita un instant devant plusieurs possibilités toutes aussi intéressantes : dormir ce fameux petit quart d'heure de plus qu'on ne dort jamais, se préparer un café ou lire quelques pages d'un livre. C'était sans doute là le meilleur moment de la journée avec la première gorgée du breuvage amer qui lui brûlerait le palais. Il opta pour la troisième solution et réfléchit auquel de ses livres en cours il allait consacrer les premiers instants de sa journée. Ses goûts étaient éclectiques. Sur sa table de chevet étaient entassés pêle-mêle un roman de Wilkie Collins, *Pierre de Lune*, et les dialogues socratiques de Platon. Il venait également de terminer *Chaste et flétrie* de Mérouvel mais avec l'impression d'avoir perdu son temps.

Changeant d'avis, il se leva et parcourut sa bibliothèque du regard comme de la main, effleurant au passage les tranches dorées ou balayant une poussière imaginaire. C'était ce que certains appellent *la conversation avec les livres*. Ce rituel terminé, il s'habilla et prépara du café qu'il savoura lentement en parcourant finalement un compte rendu de la dernière conférence de M. Nozière intitulé *L'Esprit français, l'Humour anglais*. Le soleil au-dehors l'incita à sortir. Un vent léger balayait les rues, les places, caressant la Seine au passage. Dans la rue, il charriait des effluves de beignets et l'odeur prenante du pain sorti du four brûlant.

Le dimanche, pas un bruit ne vient perturber l'ouïe si ce n'est le craquant des souliers neufs que l'on met pour célébrer le repos dominical. Le dimanche, plus personne ne crie ou ne court. Moineaux et pigeons picorent tranquillement les miettes de pain qu'on leur lance. Les silhouettes artificielles et corsetées des femmes passent lentement, la taille soulignée par un petit coussin, le strapontin. Tout engoncés dans leurs beaux vêtements, les paroissiens qui se dirigent vers l'église lorgnent au passage la devanture des pâtissiers pour savoir sur quels gâteaux ils jetteront leur dévolu au sortir de la messe. Même les enfants jouent dehors ou écoutent attentivement un grand qui, une revue illustrée à la main, leur raconte la suite des aventures de Chéri-Bibi.

Dans son petit café habituel, *Le Tout Va Bien*, on jouait à la belote. En face, le café concurrent *Le Tout Va Mieux* avait sorti quelques tables en terrasse. Les conversations allaient bon train. Chaque tablée commentait son sujet, des dernières nouvelles à sensation de *L'Excelsior*, journal à scandale financé par le trafiquant d'armes Basil Zaharoff, aux commentaires sarcastiques sur le ministère du radical Monis que tout le monde savait dirigé en sous-main par Joseph Caillaux.

Sur le chêne ciré de sa table arriva un verre de beaujolais à la place du café demandé. Surpris, du Barrail leva les yeux. Les mains dans le dos, la jeune serveuse aveyronnaise se tortillait, un sourire hésitant sur les lèvres. Elle aimait bien ce client, gentil et aimable.

— Essayez donc ça, vous verrez que ça aide à bien commencer la journée. J'espère que vous n'êtes pas un de ces bougres de buveurs d'eau !

Elle se balançait d'un pied sur l'autre.

— Vous pouvez boire, ce vin-là n'est pas trafiqué, insista-t-elle en faisant allusion à certaines regrettables pratiques consistant à rallonger ce breuvage.

Il but et osa un compliment à la jeune serveuse qui s'éloigna ravie. Il tenta ensuite sans succès de capter son attention mais elle était trop occupée à échapper aux mains lestes des joueurs de cartes qui réclamaient à boire. Lorsqu'il sortit, il sentit son regard dans son dos et dut résister à l'envie de se retourner.

Des enfants assis sur un banc admiraient une voiture en bois en mâchonnant de l'anis. Il les contempla de loin, l'âme troublée par une immense nostalgie, jusqu'à ce qu'il sente ses yeux devenir humides. Alors, il tourna le dos à toute cette joie tranquille et regagna son appartement où il s'assit, seul, le regard dans le vide.

En dégustant son second café, il ouvrit son journal, *Le Petit Parisien*. Au départ de la course aérienne Paris-Madrid, un accident avait tué Berteaux, le ministre de la Guerre, et blessé grièvement Monis, le président du Conseil. Sans qu'il puisse se l'expliquer, il y avait là comme un signe du destin, un glissement soudain de ce pays vers quelque chose de rédhibitoirement différent.

Il en était là de ses réflexions lorsque l'on sonna à la porte. Sa servante ne venant qu'en semaine, il alla ouvrir. Devant lui, plus ravissante que jamais, se tenait Marie Adendorff.

— C'était donc cela que vous attendiez de moi ? furent ses premières paroles.

Du Barrail hocha la tête avec embarras.

— Vous pouvez me dire non…

— Je ne sais pas…

— En avez-vous envie, oui ou non ?

— Oui, bien sûr, mais en même temps cela me fait peur.

Il lui prit la main.

— Venez vous allonger. Je vais m'occuper de tout… Elle le suivit et ils passèrent par le salon, longeant les soldats bien alignés. Comme un cuirassier venait imprudemment de prendre une encolure d'avance sur les autres, il le remit précautionneusement sur la même ligne que ses congénères. La jeune femme étouffa un léger rire.

— Excusez-moi, dit-elle, mais cela sent tellement le vieux garçon rempli d'habitude!

Un peu honteux, du Barrail reconnut ses torts.

— J'ai beaucoup de manies pour mon âge et j'attache trop d'importance à l'ordre mais je n'arrive pas à me guérir!

Elle éclata franchement de rire.

— Vos défauts me rassurent.

Il la regarda en souriant.

— J'en suis heureux.

Ils restèrent là tous les deux un instant sans parler puis une légère rougeur parut aux joues de Marie Adendorff, et du Barrail toussota.

— Nous devrions commencer…

— Vous êtes bien pressé, fit-elle d'un ton ennuyé. Oh! qu'est-ce que ceci?

Elle avait pris en main des livres posés sur un guéridon. Il y avait là des Gaston Leroux, *Arsène Lupin* et *Fantômas*.

— Oui, avoua le psychanalyste gêné, j'aime quand les personnages incarnant le mal triomphent au départ et sont punis à la fin. Je ne sais pas pourquoi mais cela me fait du bien.

Elle haussa les sourcils et le considéra avec une note d'amusement dans le regard.

— Peut-être avez-vous besoin de vous persuader que la justice triomphe toujours parce que, au fond de vous-même, vous n'en êtes pas convaincu.

Elle éclata d'un rire clair et cristallin qui envahit toute la pièce.

— Vous voyez, moi aussi je vous analyse.

Du Barrail sourit pensivement, troublé malgré lui par tant de fraîcheur et de grâce. Il ne fallait toutefois pas tarder. Si Marie Adendorff souhaitait gagner du temps, il ne fallait pas la laisser se ressaisir.

— Nous commençons? insista-t-il.

Elle soupira puis se remit entre ses mains dans un geste de gracieux abandon. Lorsque la jeune femme fut allongée, il sortit de la poche de son gilet sa montre de gousset et la tint devant ses yeux, en lui imprimant un léger mouvement de balancier.

— Fixez cette montre, fixez-la attentivement…

Une fois la jeune femme sous hypnose, du Barrail se pencha vers elle et dit d'une voix basse et douce :

— Je vais vous poser des questions et vous y répondrez. Quand nous aurons terminé, je ferai claquer mes doigts et vous vous réveillerez. Me comprenez-vous?

— Je vous comprends, répondit Marie Adendorff.

*

Le psychanalyste loua un taxi et, accompagné de Marie toujours sous hypnose, ils sortirent de Paris, roulant pendant une heure en pleine campagne, à la recherche de cette maison où les loups venaient rendre visite à Marie Adendorff dans son enfance. Du Barrail pensa fugitivement au conte en contemplant le profil doux de la jeune femme. Tout le monde aimait le Petit Chaperon Rouge, cela ne l'avait pas empêché de se faire manger. La naïveté des jeunes filles n'a qu'un temps, se dit-il. Heureusement car le monde autour d'elles, rempli de prédateurs, n'est pas fait pour les gens naïfs. Dans un moment d'attendrissement, il lui prit la main. Elle était tiède mais inerte. D'un coup, il fut submergé par la colère et se sentit capable d'occire le premier être indigne qu'il rencontrerait.

Soudain, Marie manifesta une première réaction. Son regard était toujours fixé dans le vide mais son corps immobile présentait maintenant un étonnant contraste avec ses doigts qui s'agrippaient au bras du psychanalyste et le serrait avec force. À travers une grille de fer forgé, du Barrail aperçut une belle demeure entourée de longues pelouses vertes. Il fit arrêter le taxi.

— Est-ce là ? demanda-t-il en se penchant sur sa patiente.

— Oui.

— Pardonnez-moi, lança-t-il au chauffeur. Pouvez-vous aller demander le nom du propriétaire de cette maison ?

Le chauffeur revint un instant après.

— Monsieur, elle appartient à un certain Mathias Adendorff.

Du Barrail se rassit pesamment sur son siège.

— Le Loup…

*

L'hôtel Adendorff était une splendide réalisation mêlant les styles néo-Louis XIV, Louis XV et Louis XVI.

Une couronne de balustres ceignait les colonnades de pierre qui bordaient la cour circulaire. Des sculptures d'angelots ornaient la façade. À l'intérieur, les murs étaient parsemés de boiseries et de stucs dorés. Au plafond, des lustres de cristal brillaient de mille feux. La fin de l'après-midi approchait et, dans un petit salon d'attente, Max Engel tournait comme un lion en cage.

— Je ne pense pas que ce soit une bonne idée, nous n'avons aucune preuve formelle.

— Nous risquons de ne jamais en avoir, rétorqua calmement du Barrail. Je cherche simplement à comprendre.

— Comprendre quoi ? s'emporta le détective. Le Loup est un homme puissant et en vue. Il n'a sans doute aucune autre tâche dans sa vie que les viols répétés sur sa fille pendant son enfance. Un jour, le Loup apprend qu'elle suit une analyse. Il sait que peuvent remonter à la surface du Conscient de sa fille des souvenirs refoulés. Il prend peur et envoie quelqu'un récupérer les notes du docteur Gernereau, la Dame en vert sans doute, et un homme de main supprimer celui-ci. Il apprend ensuite qu'un double de ces notes existe. Tout est à refaire. Première tentative dans le train puis à votre cabinet… C'est sûrement notre homme mais nous n'avons pas l'ombre d'une preuve !

Il s'interrompit et alla à la fenêtre, désignant la cour d'un air dédaigneux.

— Regardez ce train de domestiques : femmes de chambres, cuisinières, tâcherons, maître d'hôtel… tous attachés jour et nuit à une sonnette. Et dire que leur maître a même le pouvoir de les rebaptiser! La domesticité est vraiment la pire des conditions car elle est la pire des soumissions!

— Vous feriez mieux de m'attendre là, dit rapidement du Barrail inquiet.

— Mais non, je vous accompagne, voyons!

— Restez là, je vous prie.

Surpris du ton ferme du psychanalyste, Max Engel haussa les épaules et prit un air boudeur.

— Comme vous voudrez.

*

Le bureau de Mathias Adendorff était sobrement meublé mais, signe d'une certaine modernité, la flore envahissait des céramiques de Bigot et des verreries de Gallé posées sur des étagères par une main sans doute féminine. Mathias Adendorff approchait de la cinquantaine. C'était un homme imposant, à la barbe noire fine et bien taillée et au regard inquisiteur. Il émanait de sa personne une autorité naturelle et cette capacité à fasciner et à entraîner les autres que l'on retrouve chez de grands chefs de guerre ou de gouvernement. L'accueil fut courtois mais peu chaleureux. Du Barrail prit la parole d'une voix calme et posée.

— Monsieur, comme je vous l'ai indiqué dans mon courrier pour vous demander rendez-vous, je suis venu vous rencontrer en tant qu'analyste de mademoiselle votre fille, Marie Adendorff.

— Je vous écoute, fit son père.

Sa voix était épaisse comme du miel, agréable à entendre. Du Barrail adopta alors le ton le plus impersonnel possible pour décrire l'histoire racontée par Marie Adendorff et la conclusion de celle-ci. Mathias Adendorff l'écouta dans un silence de plus en plus pesant. À la fin, il l'arrêta d'un geste sec.

— Si je résume ce que je viens d'entendre, vous avancez l'hypothèse selon laquelle ma propre fille a été violée dans sa tendre enfance et que le monstre n'est personne d'autre que moi!

— Non, monsieur, répondit du Barrail sans se laisser démonter. J'ai dit qu'inconsciemment elle pense que vous l'avez fait. *Les parents ne se rendent pas toujours compte de la portée des tabous et des interdits qu'ils imposent à leurs enfants.*

— Que dites-vous là?

— C'est ce qu'écrivait le docteur Gernereau. C'est vrai mais parfois aussi les parents ont raison, le loup est là dans le noir et il attend son heure…

L'homme d'affaires vint se planter devant son visiteur qu'il dominait largement et, se penchant légèrement vers lui, darda son regard dans le sien.

— Savez-vous qui je suis?

Du Barrail opina de la tête. C'était une de ses qualités de ne jamais être impressionné par le statut de son interlocuteur.

— Vous le savez, reprit Adendorff avec une surprise grandissante, et pourtant vous venez chez moi m'accuser d'inceste, sans l'ombre d'une preuve!

Il s'interrompit et le dévisagea attentivement.

— Quelle sorte de jeune fou êtes-vous donc ?

Du Barrail releva la tête et soutint tranquillement son regard.

— Je soigne les âmes, monsieur, et pour cela je suis capable d'aller très loin.

— Que cherchez-vous ?

— La vérité, monsieur, simplement la vérité. Elle soulage tous ceux qui la prononcent et le monde aurait moins de peine si elle revenait plus souvent.

— En vérité, souffla Adendorff, vous êtes fou !

Mais dans son ton, on percevait désormais une note de respect devant cette audace.

— Violer ma fille et assassiner son psychiatre…

— Son analyste.

— Son analyste…

Adendorff plissa les yeux avant de rugir.

— Réfléchissez donc deux secondes maintenant ! Si j'étais réellement l'homme que vous pensez, le monstre que vous décrivez, en quoi les dires de ma malheureuse fille, qui a tant de fois été soignée pour ses nerfs, présenteraient-ils une telle menace pour m'obliger, dans ma position, à faire exécuter ce meurtre sordide par des hommes de main ? Pourquoi prendrais-je ce risque énorme pour rien ?!

Il n'y avait guère à redire et, de fait, du Barrail ne trouva rien à répondre. La porte qui s'ouvrit et une entrée inattendue lui permirent de ne pas perdre totalement contenance. Une femme à la froide élégance était là. Elle devait avoir une trentaine d'années et portait un manteau gris doublé de soie rouge. Ses yeux et ses cheveux étaient plus noirs que la nuit.

— Pardonnez-moi, mon ami, je pensais vous trouver seul. Monsieur…

Sa voix était ferme et volontaire même si du Barrail pouvait y percevoir comme une fêlure. Mathias Adendorff réprima un mouvement d'humeur mais, se conformant aux usages de ce monde, il fit sèchement les présentations.

— Docteur, je vous présente ma femme. Aniela, ma chère, je vous présente le docteur du Barrail… psychanalyste.

— Psychanalyste?

Elle le regarda avec curiosité par-dessous ses longs cils noirs. Son regard était superbe mais teinté d'une indéfinissable mélancolie.

— Madame…

Des diamants ornaient ses doigts. Mal à l'aise, du Barrail tenta un baisemain qui se termina assez gauchement. Lorsqu'il se redressa, il vit des yeux noirs qui brillaient, pensifs, en le contemplant.

— Ma chère, le docteur du Barrail nous quittait…

Congédié comme un importun, il retrouva le détective qui l'attendait dans le petit salon. En sortant, ils croisèrent un homme d'un certain âge, au port imposant. Un instant, l'homme les contempla avec une affabilité que Max Engel ne lui rendit pas. Il les salua d'une inclinaison de tête et poursuivit son chemin, introduit par un majordome.

— Vous connaissez cet homme ? demanda du Barrail.

— C'est un banquier célèbre.

Ils marchèrent un moment en silence avant que du Barrail ne résume son entretien avec Adendorff. Avec une versatilité qui ne lui était pas coutumière, Max Engel admit sans détour la pertinence de l'argument avancé par ce dernier.

— Nous sommes allés trop vite, semble-t-il. Je n'aurais pas dû vous laisser venir ici.

Autour d'eux les réverbères s'éclairaient, rassurant les passants. Une ceinture de lumière se déroulait tout autour de la ville, apportant la sécurité à ceux qu'inquiétaient les ténèbres.

— La nuit tombe, constata tranquillement le détective.

Il s'ébroua comme un jeune chiot. La nuit était son domaine. Dès l'approche de celle-ci, une énergie quasi surnaturelle semblait prendre possession de lui.

— Si nous allions boire un verre ? Nous pourrions aller au café *Riche* ou au café *Hardy* mais vous savez ce qu'on dit : *il faut être riche pour aller au café* Hardy *et bien hardi pour aller au café* Riche !

En remontant le boulevard, ils passèrent devant la devanture neuve d'une banque. Max Engel commença à grogner.

— Ici se trouvait une très jolie salle de café qui datait de la Restauration. Tous les cafés sont remplacés par des banques, vous avez remarqué ?

Le détective pesta ensuite contre la disparition d'une salle de billard, à laquelle s'était substitué un établissement de crédit.

— Allons boire un verre à la *Rotonde*, décréta-t-il. Il ne faut pas rincer la coupe de l'amitié avec du vinaigre !

En cours de chemin, il acheta *L'Humanité* et donna un coup d'œil à l'éditorial de Jean Jaurès. Il y était question des dangers du nationalisme et de l'Internationale des travailleurs. Unis, ceux-ci empêcheraient désormais toute guerre et réussiraient à contraindre les forces du capital à céder à leurs justes revendications sous la houlette de la France révolutionnaire. Soucieux de ne pas engager de conversation sur le sujet préféré du détective marxiste, du Barrail ne souffla mot.

Max Engel adorait la *Rotonde*. C'était un bar fréquenté par toutes les classes sociales ou l'on pouvait de temps à autre apercevoir Lénine et Trotsky, deux ardents marxistes, prendre leur café crème. À l'intérieur, les figures congestionnées par le vin ou la bière prenaient des couleurs violacées. Les volutes des cigares teintaient l'endroit d'une légère brume bleutée. Un instant, les paupières des deux hommes clignèrent devant les lumières, leurs yeux accommodant progressivement pour suivre le tourbillon des élégantes ou des artistes maudits, le ballet des maîtres d'hôtel et des soubrettes. Max Engel expliqua à son compagnon qu'on avait le droit de danser sur les tables lorsque l'on avait trop bu mais qu'il était interdit aux dames d'ôter leur chapeau ! Une fois attablé devant son cognac, du Barrail secoua la tête.

— J'ai un peu trop vite sauté aux conclusions. Après tout, Marie Adendorff n'a jamais accusé son père de l'avoir violée.

— En fait, vous avez joué au psychanalyste plutôt qu'au détective. Or, ce que vous voulez, c'est trouver l'assassin de Gernereau. Voilà la mission dont vous a chargé Freud, pas de soigner ses patients.

Du Barrail lui jeta un regard glacé.

— Pouvez-vous répéter ce que vous avez dit ?

Max Engel regarda avec étonnement le psychanalyste dont le visage n'était plus qu'un masque de pierre.

— Que se passe-t-il ?

— Vous venez de dire que Freud m'avait confié cette mission. Je ne vous ai jamais parlé de Freud.

— Ah ! oui, c'est exact, fit le détective vaguement gêné. Comment appelez-vous ça ? Des lapsus, des actes manqués ?

— Une trahison.

— Écoutez mon vieux, soupira Engel, j'ai simplement bu un verre avec Jung. C'est lui qui m'a désigné pour vous seconder après tout.

Il s'interrompit pour jeter son whisky dans le gosier d'un coup sec. À son tour, du Barrail admira malgré lui le geste rapide et précis du détective et la manière quasi surnaturelle par laquelle l'alcool s'engouffrait dans la bouche sans que le verre n'effleure les lèvres du buveur.

— Ne le prenez pas mal. Jung vous aime bien, il est inquiet pour vous. Il pressent un danger. Vous le connaissez, il sent les choses.

Pour la première fois, du Barrail sourit.

— Oui, c'est vrai.

Il lui jeta un regard incisif.

— Vous avez été un des patients de Jung, n'est-ce pas?

Le détective se figea et son regard ne quitta plus celui de du Barrail. Toute une palette d'expressions se succéda rapidement sur son visage sans que le psychanalyste puisse y déchiffrer quelque chose.

— C'est Jung qui…

— Non, Jung ne parlerait jamais de ses patients, le rassura du Barrail. J'essayais simplement de trouver le lien entre un psychanalyste suisse renommé et un détective privé marxiste…

Max Engel avait déjà évacué la question en commandant un autre whisky à une petite serveuse qui se précipita malgré son teint brouillé par la fatigue car, à chaque fois, il lui faisait don de sa monnaie. Autour d'eux, le ton montait. Le détective attendit l'arrivée de son verre pour reprendre :

— Allons du Barrail, il ne faut pas laisser croître l'herbe sur le chemin de l'amitié. Buvons. Cul sec?

Du Barrail hésita puis leva son verre à la hussarde.

— Cul sec.

Ils vidèrent leur verre d'un coup, et le détective contempla d'un air moqueur le psychanalyste qui sortait son mouchoir pour essuyer ses yeux larmoyants.

— Ça fait du bien, commenta Engel qui leva la main pour recommander la même chose.

— Vous m'avez caché vos conversations avec Jung mais peut-être me révélerez-vous comment vous êtes devenu marxiste? demanda du Barrail en se redressant.

— C'est de la manipulation, protesta l'autre. D'abord vous me culpabilisez puis vous profitez des circonstances…

— Je ne vous en voudrais pas de ne pas me répondre.

Le détective hésita un instant. Le temps, pensa du Barrail, de décider s'il devait ou non se découvrir car révéler des éléments de son passé c'est toujours donner à l'autre une clé de la compréhension de soi.

— Je suis d'origine américaine, dit rapidement Max Engel, ma mère est française. Mon père était un petit industriel de Boston. Un homme brutal. Il ne se souciait guère de nous et c'était tant mieux pour ma mère comme pour moi car à l'occasion, il pouvait avoir la main lourde. Un jour, j'avais quatorze ans, il m'envoya en apprentissage chez un confrère. On me mit dans un bateau avec ma tante qui voyageait. Oh! Nous n'étions pas dans une cabine de première classe car mon père ne voyait pas la nécessité de faire voyager un garnement comme moi à grands frais. Néanmoins, dans ma cabine de deuxième classe, je pus observer à loisir le peuple entassé sur l'entrepont, en troisième classe, hommes, femmes et enfants. Du bétail…

Malgré la chaleur, le visage du détective avait pris une teinte livide.

— En haut, des hommes ouvraient la porte en acajou de leur cabine et toisaient avec mépris les occupants de troisième classe tout en se plaignant à haute voix de leur odeur corporelle. Des enfants de l'entre-pont me demandèrent du pain, je promis de leur en donner mais ma tante m'en empêcha. Une gifle violente vint récompenser ma sollicitude pour autrui. Les enfants attendirent en vain leur pain. Vingt ans après, je n'ai toujours pas oublié leur regard de petite victime innocente.

Max Engel se saisit de son verre puis le reposa comme s'il était subitement incapable d'avaler quoi que ce soit. Ses yeux évoquaient deux flaques sombres.

— Un jour, je visitai une fabrique de textile. Des enfants de cinq à huit ans se tuaient à la tâche douze à quinze heures par jour. Je m'efforçai de les regarder dans les yeux et j'y lus exactement la même chose que sur ce maudit bateau. Je quittais alors les États-Unis pour venir en France, le pays natal de ma mère dont je parlais très bien la langue.

Il étendit la main vers le cendrier qu'il fit tourner sur lui-même, comme un potier l'aurait fait avec son tour.

— Voilà toute mon histoire… enfin presque… Une histoire n'a jamais de fin, n'est-ce pas ?

Il fit tournoyer pensivement son whisky dans son verre avant de se décider à le vider puis alluma une cigarette et planta son regard dans le sien.

— Je vous raconte tout cela car vous m'avez l'air d'être un brave garçon et que vous avez choisi de vous consacrer à ceux qui souffrent…

Du Barrail fut touché par les confessions de Max Engel. Il aurait bien voulu lui parler et c'était sans doute ce qu'attendait l'autre car la confidence appelle en retour la confidence et que c'est ainsi que se créent bien des amitiés. Il n'était toutefois pas prêt à cela. Il but une gorgée de son deuxième cognac et en commanda un autre, complimenté par le détective.

— Je bois rarement, avoua du Barrail, mais ce cognac a bon goût et je trouve qu'il me stimule l'esprit.

Max Engel éclata de rire.

— En tout cas, il ne vous délie pas la langue!

Son œil vif se posa sur la table d'à côté où l'on servait une soupe à l'oignon gratinée.

— Je mangerai bien quelque chose moi…

Le psychanalyste pointa un doigt sur lui.

— Vous m'avez dit l'autre jour que la Dame en vert n'était peut-être qu'un mythe et pourtant elle existe bien. Elle existe en tant que personne et elle a un lien avec toute cette affaire. Je me suis trop attardé en chemin avec Marie Adendorff. Nous avons découvert quelque chose d'innommable mais sans lien avec l'assassinat de Gernereau. Et j'ai eu grand tort de ne pas m'intéresser aux autres patients.

Max Engel acquiesça.

— C'est également mon avis. Prenez contact avec votre fétichiste et votre amnésique. Moi je retournerai courir après ma Marie-Madeleine…

— Qu'avez-vous dit?

— J'ai dit que j'allais retourner courir au train de la Dame en vert.

Du Barrail se figea soudainement.

— Vous l'avez appelé Marie-Madeleine, pourquoi?

Le détective haussa négligemment les épaules.

— La prostituée qui a répandu un vase de parfum de prix sur les pieds du Christ puis qui les lui a essuyés avec ses cheveux ? Cela m'est venu à l'esprit comme cela.

— Non, pas comme cela ! s'exclama le psychanalyste extasié. Jung a raison : nous sommes tous imprégnés par les grandes images de l'histoire, c'est un héritage instinctif. Mon Dieu, il y avait des notes sur une patiente du docteur Gernereau. Une certaine Marie-Madeleine. C'est elle la quatrième patiente, celle pour laquelle vous m'avez rapporté que la police n'a pas retrouvé le nom ! Vous irez demain voir l'assistante de feu le docteur Gernereau et nul doute que l'on vous confirmera qu'une Dame en vert faisait partie de sa clientèle. La Dame en vert, c'est Marie-Madeleine ! Mon Dieu, que c'est bête de ma part de ne pas y avoir songé plus tôt. Que c'est bête !

V

MARIE-MADELEINE,
SAINTE ET PROSTITUÉE

Une fois sa consultation terminée, du Barrail se rendit à sa banque pour consulter les notes de son confrère concernant celle qu'il nommait Marie-Madeleine. Dans une correspondance de plus en plus affolée, Gernereau révélait qu'il avait atteint et même dépassé les limites que se fixe tout psychanalyste.

De toutes mes patientes, c'est la plus mystérieuse. Elle n'a voulu me donner que son prénom et, comme par hasard, ce prénom est celui de la prostituée qui a versé un vase de parfum sur les pieds du Christ, celle dont certains disent qu'elle a pu aller plus loin car comment le Christ fait homme pourrait-il connaître cet état sans avoir vécu l'extase douloureuse que vivent deux êtres dans les bras l'un de l'autre?

Elle se donne aux hommes sans en avoir de besoin ni matériel ni physique. Tout est dans la tête, dans sa tête et je n'arrive pas à y pénétrer. J'attendais de notre traitement le phénomène habituel de transfert et qu'elle s'attache à moi. C'est le contraire qui est arrivé et moi qui la désire comme je n'ai encore jamais désiré personne. Comme je souhaiterais ne jamais l'avoir rencontrée !

[…]

Cette femme m'obsède. Elle me provoque à chacune de ses venues.

"Vous avez envie de moi, Herr Doktor ? m'a-t-elle demandé. Qu'attendez-vous donc pour vous déclarer ? Croyez-vous me froisser ? Je vous rassure, Herr Doktor, je n'ai absolument aucune susceptibilité. De la part d'un homme, plus rien ne m'étonne."

Et elle rajoute en riant :

"Plus aucun homme ne pourra me décevoir !"

Est-ce moquerie ? J'avoue que je me perds en conjectures. Dieu qu'il est difficile de garder la tête froide avec elle. Je pense qu'elle est la femme de tous les plaisirs, l'incarnation même du désir et de son assouvissement. Tout le monde ne pense-t-il pas à ça ?

"Je connais des choses que vous ne savez pas et que vous n'imaginez même pas. Je pourrais partager cette connaissance avec vous", dit-elle pour enflammer mon imagination. Et mon imagination travaille…

Hier, elle a oublié un gant. Je n'ai pas réussi à l'enfiler, elle a la main bien trop délicate ! Dieu ! Je n'ai plus aucune pudeur lorsque j'écris ces lignes mais pour me punir je les enverrai au docteur Freud. Il ne me jugera pas et il me donnera de bons conseils. Oui, c'est cela. Il n'y a plus que ça à faire : demander de l'aide.

*

Du Barrail sortit de sa banque et tel un hibou cligna des yeux devant la lumière blanche du jour. Il allait traverser la rue lorsqu'un taxi s'arrêta tout près de lui. En se retournant machinalement, il aperçut un flot de mousseline verte sortir de la voiture et ce flot se fit soudain femme, une femme qui marcha résolument à lui. Sa démarche était légère, ses mouvements souples. Tout en elle était exceptionnellement fluide et sensuel. Sous la voilette, les yeux verts en forme d'amande le fixaient.

— Vous me cherchiez, je crois, dit-elle simplement.

Sa voix était modulée par un subtil accent étranger dont il ne parvenait pas à découvrir l'origine depuis leur rencontre dans le train.

— Avez-vous quelques instants à me consacrer ? ajouta-t-elle.

Il émanait d'elle un indéfinissable mélange de charme vénéneux et de pureté vertueuse. Retrouvant son calme, du Barrail réussit à articuler :

— Voulez-vous monter à mon cabinet ? Mon prochain patient n'arrive pas avant une heure…

— Avec plaisir.

Elle s'accrocha nonchalamment à son bras pour traverser et il fut assailli par de troublants effluves parfumés. Le gant qui protégeait sa main sur son bras semblait lui constituer une seconde peau. Traversant la rue, il sentit plus qu'il ne vit ses hanches bouger langoureusement sous l'étoffe. Il devina un

132

enchevêtrement sans fin de bras et de jambes, bien plus dangereux que la plus terrible des jungles.

Il en va ainsi de tous les mythes, pensa-t-il. Ils avancent, précédés de leur réputation et celle-ci, à elle seule, conditionne déjà la victime avant la rencontre.

Arrivée au cabinet du psychanalyste, la Dame en vert se tourna vers lui et dit avec beaucoup d'assurance :

— Je suis Marie-Madeleine.

— Je sais, répondit laconiquement du Barrail.

Elle parut légèrement décontenancée. Le psychanalyste et le petit détective avançaient plus vite que prévu.

— Tant mieux, fit-elle sans doute pour gagner du temps.

Il la dévorait des yeux, tentant d'imaginer son corps dissimulé sous les plis et replis de ses vêtements, perdu sous toutes ses couches d'étoffe. C'était ça le piège, tout le monde devait s'efforcer de l'imaginer nue mais il n'y avait qu'un seul moyen pour avoir un aperçu de cette nudité…

— Puis-je m'asseoir ?

Il hésita puis lui désigna de la main le divan, guettant sa réaction. Avec un sourire complice, elle s'y assit à un bout. Son parfum imprégnait maintenant toute la pièce et il devenait difficile de ne pas succomber à l'association imprévue de l'ambre et des épices. Il hésita avant de s'asseoir à l'autre bout du divan sans la perdre des yeux.

— J'ai besoin de vous, dit-elle.

Son aplomb frisait l'impudence. Du Barrail vit rouge.

— Comme vous aviez besoin du docteur Gerne-reau ? Pour le voler, peut-être même pour le voler puis le tuer ?

Elle le regarda longuement.

— S'il y a bien quelque chose dont je suis incapable, dit-elle enfin, c'est de tuer de sang-froid quelqu'un. Je n'ai pas non plus pour habitude de voler. Vous devi-nez qu'on me paie pour autre chose…

Elle croisa les jambes et du Barrail ne put s'empê-cher de suivre le mouvement pour tenter d'apercevoir une cheville sous l'amas soyeux et vert qui la dissimu-lait de la tête aux pieds.

— J'ai besoin de vous pour me soigner, reprit-elle. Je ne sais plus qui je suis. Il y a deux femmes en moi, c'est pourquoi j'ai choisi ce nom de Marie-Made-leine. Marie-Madeleine, sainte et courtisane, péche-resse et repentante. Une part de moi est pure, je vous l'assure, l'autre m'entraîne à faire des choses dont je ne peux m'empêcher. Le Christ n'a pas rejeté Marie-Madeleine, le ferez-vous ?

Le laissant méditer sur cette curieuse interpellation, elle jeta un bref regard autour d'elle.

— Pouvez-vous m'offrir une cigarette ?

Il ouvrit un coffret sur la table. Elle retira un de ses gants ajourés, découvrant une main fine et élégante, et ce fut pour du Barrail comme si elle venait de se dénuder. Elle remonta ensuite sa voilette juste au-des-sus de sa bouche. Il lui découvrit un teint d'une blan-cheur crémeuse.

— Pourquoi n'avez-vous pas lutté contre cette

inclination ? demanda du Barrail qui nota qu'elle l'avait habilement amené à rentrer dans des relations de médecin à patient.

— J'ai lutté. J'avais une volonté terrible mais peut-être justement trop de volonté. Je suis une femme. Savez-vous ce que cela signifie dans notre société d'aujourd'hui ? Cela signifie n'être rien. Un objet, c'est tout. J'ai refusé de n'être qu'une chose dans les mains d'un seul homme.

Du Barrail gratta une allumette qu'il éleva jusqu'à la cigarette qu'elle avait aux lèvres. D'un geste instinctif, elle leva les mains comme pour protéger la flamme. Ses doigts frôlèrent les siens. Du Barrail dissimula son trouble derrière un sourire poli.

— La vie vous offrait d'autres possibilités…

— Lesquelles ? répondit-elle vivement. Que vouliez-vous que je sois ? Quel choix nous offre-t-on d'ailleurs ? Vierge effarouchée ou catin ? Ai-je l'air d'une vierge effarouchée ?

— Il y a d'autres manières de s'affirmer en tant que femme dans notre société, dit-il en songeant à Marie Adendorff.

— Femme au foyer ? *L'oisiveté est le naufrage de la chasteté*, ironisa-t-elle.

— *Si tu n'es pas chaste, fais semblant de l'être*, cita du Barrail en retour.

La Dame en vert laissa échapper un sourire amusé.

— Savez-vous comment on légitime le statut inférieur de la femme ? Parce que la femme est destinée au plaisir d'un seul. Trouvez-vous cela normal ?

— Non mais que revendiquez-vous ?

— Le droit à l'amour.

Du Barrail lui jeta un regard incisif.

— On vous avait destiné à un homme que vous n'aviez pas choisi, c'est cela ?

Elle ne répondit pas tout de suite mais l'observa attentivement à travers le nuage de fumée dont elle s'entourait.

— Homme sagace ! Mais homme tout de même… Elle leva le menton pour lancer avec effronterie :

— Une femme comme moi peut-elle échapper à son destin ? Un proverbe arabe dit : *Même si tu es fille de sultan, tu finiras toujours par te trouver au-dessous d'un homme.*

— Vous résumez tout en un rapport de force entre les sexes.

— Mais la vie est un rapport de force, cher docteur !

Un nouveau halo de fumée l'environna, estompant un instant les commissures de ses lèvres. Lorsqu'il se dissipa, du Barrail vit qu'elle souriait toujours.

— Considérez un instant notre situation, tout votre esprit est concentré sur un unique objectif : m'arracher toutes les réponses aux questions que vous vous posez.

— Laissons de côté ce que vous êtes venue chercher, fit du Barrail légèrement agacé, quelle est la nature de votre véritable problème ?

— Mon problème ?

Elle le contempla un instant, légèrement interloquée. À première vue, elle fréquentait peu de personnes comme du Barrail.

— Mais c'est très simple, cher docteur, je n'ai plus aucune morale et je souhaite en retrouver une. Je n'ai pas d'interdit, je ne connais pas de tabou. Je suis capable de me donner au premier inconnu que je croise.

Il fronça les sourcils.

— Cela signifie-t-il que vous voulez faire de moi votre analyste?

Elle croisa à nouveau les jambes. Il entendit crisser les jupons et en eut les nerfs à vif.

— Pourquoi pas?

— Dites-moi d'abord pourquoi vous avez voulu me voler les notes du docteur Gernereau dans ce train.

— Il n'avait pas le droit de les envoyer à d'autres. Ce faisant, il a perdu ma confiance, déclara-t-elle impudemment.

— Voulez-vous les notes vous concernant ou les voulez-vous toutes?

Elle se recula sur son siège pour mieux le jauger et comprit en un éclair qu'il était trop tard pour mentir.

— Donnez-moi ces notes et je coucherai avec vous. Je vous ferai ressentir des choses que vous n'imaginez même pas. C'est un marché équitable, non? Et qui sait? Après cela, peut-être est-ce que je ne saurai plus me passer de vous?!

— Je n'ai rien à marchander.

— Non? Même pas mon histoire? insista-t-elle. Elle est passionnante.

— Je n'en doute pas. Toutes les histoires de mes patients ont de l'intérêt.

— Alors?

— Alors, c'est toujours non. Coucher avec sa patiente pour un psychanalyste, c'est commettre un inceste.

— Je ne suis pas votre patiente, fit-elle calmement remarquer.

— Vous pourriez l'être, répondit sèchement du Barrail, vous l'avez dit vous-même.

— Alors, je ne veux plus le devenir. Donnez-les-moi et vous pourrez m'avoir, là maintenant, sur votre divan ou dans votre lit!

Du Barrail se permit un sourire moqueur.

— Pensez-vous qu'il suffit d'un jupon pour m'affoler?

Elle décroisa les jambes et il aperçut quelques centimètres de sa cheville, gainée de vert. Ses yeux ne le quittaient plus, guettant l'impression qu'elle lui faisait.

— Pourquoi vous priver du plaisir?

Sa voix aux subtiles intonations agissait sur lui avec un charme caressant.

— Je me passe bien des fruits, l'hiver, ne trouva-t-il qu'à répondre.

Cela amusa la Dame en vert.

— C'est que vous ne connaissez pas les fruits défendus, se moqua-t-elle. Il y a tant de choses que je sais et que vous ne connaissez pas... Vous vous en doutez, non?

Cette phrase, il se rappelait parfaitement l'avoir lue dans les notes du docteur Gernereau. Pas de doute, elle tentait le même numéro de séduction. S'apercevant qu'il surmontait son trouble, elle le dévisagea d'un air froid.

— À quoi pensez-vous ?

— Au docteur Gernereau, j'espère ne pas être aussi faible qu'il l'a été. Vous êtes devenu sa patiente et l'avez séduit pour savoir ce qu'un autre de ses patients lui a confié. Il n'y a pas d'autre explication à votre conduite. J'ignore en revanche pourquoi.

— Mon corps et une explication contre ces notes que vous avez…

— Dans un coffre à ma banque, c'est ce que vous alliez dire ? Vous êtes bien renseignée.

Elle se mordilla légèrement la lèvre inférieure. Derrière ses longs cils, elle sembla réfléchir à la situation. D'évidence, la situation avait dérapé. Du Barrail semblait plus ferme qu'il n'y paraissait et trop prévenu contre elle pour se laisser manipuler.

— Que faites-vous ?

Elle s'était levée dans un mouvement gracieux et venait de s'asseoir près de lui sur l'accoudoir du divan, ses genoux touchant les siens. Son parfum hors du temps offrait désormais une mosaïque de senteurs. Il sentait sa main gantée s'égarer sur sa nuque et l'entraîner à la recherche de ses lèvres. Le baiser fut humide et particulièrement profond. Elle avait une façon de vous embrasser totalement impudique qui aurait rendu fou le plus sensé des hommes. Dans un sursaut, du Barrail se ressaisit.

— Je suis un homme de science, je ne me laisse pas troubler par ce genre de choses.

— Vous m'en voyez surprise, une de vos mains est maintenant sur mon genou et l'autre autour de ma taille…

Elle l'embrassa une nouvelle fois et il fut alors encore plus dur de la repousser.

— Je suis à vous pour rien, vous voyez docteur, vous m'avez soumise. Vous êtes le seul homme à y être parvenu. Une femme comme moi se perd jusqu'à ce qu'elle trouve son maître.

Son accent était devenu plus marqué mais, dans sa situation, du Barrail ne conservait pas l'esprit assez clair pour en analyser l'origine. Tout juste y trouva-t-il des accents plus gutturaux qu'auparavant. Elle l'embrassa de nouveau et cette fois, il se laissa faire.

— Ne me dites rien, dit-elle en haletant, son front contre le sien, surtout ne parlez pas ! Prenez tout sans engagement, je vous l'ai dit, je m'abandonne entre vos mains. J'espère simplement que vous saurez quoi faire de moi et me venir en aide.

Ses doigts agiles fouillaient les pans de sa chemise. Du Barrail se sentit prêt à s'abandonner lorsque tout à coup lui revint en mémoire un rêve qu'il avait fait la nuit précédente.

Une jeune fille marchait peureusement sur un sentier très sombre, au bord d'une forêt profonde dont les grands arbres agitaient leurs bras gigantesques vers elle. Un fiacre la rattrapa et s'arrêta à sa hauteur. À l'intérieur se trouvait un loup très bien habillé. Il se pencha sur elle avec un grand sourire. Il tenait dans sa main un flacon et dit : *Prends et bois, mon enfant.*

Elle but le flacon et le rendit à son propriétaire en lui disant : *N'y aura-t-il jamais personne pour nous sauver, nous pauvres enfants ?*

Du Barrail se dressa d'un bond, haletant.

— Ne me touchez pas !

Elle renversa la tête en arrière, offrant à sa vue son cou blanc, et partit d'un éclat de rire moqueur.

— Arrêtez de réfléchir, le plaisir est plus grand lorsqu'il vient sans qu'on y pense. Je sais maintenant qu'il y a très longtemps que vous n'y avez pas goûté…

— Le plaisir n'est pas un mal en soi mais je ne suis pas prêt pour le prix et la peine…

La Dame en vert se leva d'un coup et il se sentit orphelin. Elle, de son côté, n'avait rien perdu de sa suavité.

— Adieu donc puisque vous refusez tout ce que j'ai à offrir.

Elle rabattit sa voilette. Il resta immobile, incapable de la retenir. En sortant, elle se retourna une dernière fois.

— Encore une chose, docteur, fruit de mon expérience : un plaisir différé est un agréable tourment… À bientôt.

Et elle s'en fut, laissant flotter derrière elle comme une menace la note sombre de l'ambre.

*

Les habitués des débats à la Chambre venaient de bonne heure pour retrouver leur place habituelle.

Dans l'hémicycle, les députés écoutaient avec résignation leurs collègues se succéder à la tribune de l'Assemblée nationale, le *baquet du prêcheur* comme on l'appelait. Le député Mirepoix semblait assoupi. Un orateur proche des ligues des pères et mères de famille nombreuses, ligues qui se multipliaient plus vite que les lapins, venait de prendre la parole.

— La population française stagne et vieillit. Pour dix naissances françaises il y a vingt-deux naissances allemandes. Notre culture trop raffinée a détraqué nos systèmes nerveux et nous a frappés de stérilité. La dégénérescence nous guette parce que nous avons accueilli chez nous d'autres races…

— Les chiens de nos rues sont féconds, qu'ils soient croisés levrettes ou bouledogues! cria quelqu'un sur les bancs des radicaux.

— Seules nos campagnes où domine encore la pratique religieuse en sont exemptées, continua l'autre imperturbable, les régions que vous avez déchristianisées s'éteignent!

— Ce n'est pas la religion qui est en cause, s'exclama un socialiste. L'ouvrier fait peu d'enfants car les études coûtent cher, le paysan en fait peu pour ne pas morceler ses terres en héritage…

— Nous voulons la mise en place d'une commission de la dépopulation, continua l'orateur des ligues.

— Il y en a déjà eu! hurla-t-on dans la salle.

— Sont autant de crimes contre l'humanité, l'onanisme, le préservatif de Condom et le *coïtus interruptus*…

— C'est vous qui êtes *interruptus*!

— Messieurs, fit le président, je vous appelle à plus de modération…

Imperturbable, l'orateur se lissa la moustache et poursuivit avec emphase :

— L'ordre, l'économie, les bonnes mœurs, les liens de familles et les institutions de ce pays, tout ce que nous avons de plus cher est aujourd'hui mis en péril par votre école laïque. Persécuter la religion, voilà toute la tâche de vos instituteurs et voici tout votre catéchisme républicain !

Tout à coup Mirepoix se détendit comme un ressort, gesticula, pris à partie deux ou trois ministres et accabla l'orateur.

— Ce qui nous sépare, monsieur, c'est toute l'étendue de la question religieuse !

Mirepoix se haussa ensuite sur la pointe des pieds et hurla :

— Je suis un républicain modéré mais je ne suis pas modérément républicain !

(Applaudissements au centre.)

— Vous osez attaquer notre école ! poursuivit-il avec fureur. L'école gratuite, obligatoire et laïque est le fondement de la République. Une école sans Dieu, s'il vous plaît !

(Fureur sur les bancs à l'extrême droite de l'hémicycle.)

— La laïcité est le ciment de nos fondations républicaines. Le gouvernement de la République et les représentants du peuple, ceux dont la légitimité n'est entachée d'aucun soupçon, en sont la truelle !

Il leva théâtralement la main.

— Cela je le jure sur les codes flambant neufs de la laïcité!

(Applaudissements à gauche et au centre.)

Et il termina d'un magnifique :

— Vive la République démocratique et sociale!

Une salve d'applaudissements salua sa sortie et un autre orateur se présenta.

*

La pipe aux lèvres et un chapeau à large bord sur les yeux, Mirepoix semblait plus paisible. De fait, un petit arrêt à la buvette de l'Assemblée avait quelque peu calmé les ardeurs du lion. Il croisa un de ses contradicteurs à la barbe broussailleuse et lui lança jovialement :

— Je t'ai bien arrangé, hein?!

Aniela Adendorff l'attendait sur les marches. En la voyant, il se précipita vers elle et lui baisa galamment la main. L'épouse de Mathias Adendorff lui sourit en retour.

— Comme c'est délicieux de vous revoir, chère madame! s'exclama Mirepoix. Un plaisir rare, votre mari était trop occupé pour perdre son temps en dîners ou réceptions ces derniers mois.

Aniela Adendorff hocha la tête.

— Ces derniers mois, voire ces dernières années!

Le ton était empreint d'amertume. Mirepoix, fin observateur de la nature humaine, ne s'y trompa pas.

— Allons venez! s'écria-t-il d'un ton enthousiaste, je vous emmène déjeuner.

Il l'entraîna, rue de l'Université, en face de la Chambre des députés, dans un restaurant en forme de fer à cheval, parsemé d'immenses miroirs et aux faïences murales typiques de la décoration Art nouveau. Une fois assis l'un en face de l'autre sur des banquettes de moleskine rouge, elle le regarda songeusement. En plus d'être un des plus vieux amis de son mari, cet homme incarnait à ses yeux tous les espoirs de ce siècle. Il avait participé en 1898 à la création de la Ligue des droits de l'homme. Il militait pour la suppression des conseils de guerre, la réforme de l'Assistance publique, le développement des œuvres de charité… Malgré les richesses dont elle était comblée depuis son mariage, elle n'oubliait pas son passé.

— Est-ce qu'une blanquette de veau et une tarte à la fraise vous feraient plaisir ? s'enquit-il.

Elle eut un sourire indulgent.

— Oui, et prenez donc du vin si vous en avez envie. *Servez-leur du bon vin, ils nous feront de bonnes lois.*

— Si vous en appelez autant à Montesquieu qu'à mon tempérament…

Il commanda un bourgogne car, expliqua-t-il, comme on dit souvent que les médecins préconisent du vin de Bordeaux pour les malades, cela signifie que le bourgogne est réservé aux gens en bonne santé. Il y avait chez Mirepoix une élévation d'esprit surprenante si l'on ne se fiait qu'à sa silhouette rondouillarde.

— À propos de loi, reprit Aniela Adendorff, quand donc les femmes auront-elles le droit de vote ? Et quand cesseront-elles d'être considérées comme des mineurs aux yeux de la loi?

— On croirait entendre votre belle-fille!

— Je n'ai pas le plaisir de la voir souvent.

Une lueur de regret passa fugitivement dans son regard.

— J'ai bien conscience qu'elle n'a pas accepté aux côtés de son père une femme plus jeune que lui…

— Disons, une autre femme, fit le député avec tact.

— Quoi qu'il en soit, s'anima Aniela, nous partageons souvent les mêmes opinions.

— Ce n'est pas un hasard si toutes les deux vous êtes des proches du Loup.

Le regard de la jeune femme se durcit.

— Je n'aime pas qu'on l'appelle ainsi.

Mirepoix haussa les épaules avec désinvolture.

— C'est le surnom qu'on lui a donné dans le milieu des affaires. Que voulez-vous, un café ferme et une banque s'installe à sa place : le loup l'a mangé. Miam!

Et il mima avec bonheur un animal engloutissant tout sur son passage. Aniela s'agita, mal à l'aise.

— Vous devenez trop politique : vous n'avez même pas répondu à ma question sur le vote des femmes.

— Ah! les suffragettes…

Mirepoix brandit sa fourchette comme s'il s'agissait d'un étendard.

— Consolidons d'abord les fondements de la République. Les femmes sont plus croyantes que les hommes. Si on leur donnait aujourd'hui le droit de vote, elles ramèneraient aux prochaines élections toute une flopée de députés catholiques réactionnaires à la solde du pape.

— Si les femmes sont pieuses, Mirepoix, c'est parce qu'elles n'ont pas le droit de penser. Seulement de croire!

— Comme vous y allez, ma chère, comme vous y allez!

— Mon pauvre ami, j'ai peine à vous entendre. Les femmes à la messe, les hommes au cabaret! C'est donc votre anticléricalisme primaire qui ôte tout espoir d'émancipation aux personnes de mon sexe!

— Je n'ai pas dit cela, répondit Mirepoix en sauçant sa blanquette. Simplement, cela n'est pas le moment.

— Vous n'avez pas toujours tenu ce discours. Je vous ai connu plus hardi du temps de vos petites réunions à la campagne.

Mirepoix pâlit légèrement.

— Cela remonte si loin, dit-il précipitamment en baissant le ton, et il ne convient pas d'en parler ici. Le monde a évolué, nous aussi. Votre mari a trouvé d'autres voies pour apporter sa contribution au monde et moi j'ai choisi celle de la politique.

— Mais votre politique n'a pas fait évoluer notre condition!

— Je ne dirai pas cela, il y a eu des avancées…

— Depuis des siècles, on nous tient le même discours. Déjà, au moment de la Révolution, on a dit aux femmes qui se présentaient pour assumer des responsabilités nouvelles : *Sois femme, les tendres soins dus à*

l'enfance, les détails du ménage, les douces inquiétudes
de la maternité, voici tes travaux. Tes occupations assi-
dues méritent toutefois une récompense : tu seras la divi-
nité du sanctuaire domestique !

— Il est vrai que dans votre royaume domestique
vous êtes l'objet d'un culte, la complimenta Mirepoix.

— Je n'ai que faire de régner sur des casseroles et
des bonnes !

— Il est de la vocation de la femme d'assurer la
cohésion sociale par la famille. Quel mal y voyez-
vous ? D'ailleurs beaucoup de femmes travaillent…

— Aux champs, dans les usines ou aux plus bas
niveaux des commerces ou de l'Administration. Et
pour quel salaire ? J'ai visité une fabrique d'agrafes
métalliques où le salaire journalier des femmes est de
1,50 franc contre 5,70 francs pour les hommes !

— Hum…

— Peut-être vaut-il mieux choisir un autre sujet de
conversation, ironisa Aniela Adendorff dont les beaux
yeux sombres jetaient des éclairs.

— Oui, parlons d'autre chose.

Il la regarda avec un sourire prudent.

— De quoi vouliez-vous parler ?

— Oh ! de rien, lança-t-elle avec insouciance. Tiens,
vous intéressez-vous à la psychanalyse et aux théories
de ce Freud ? Il a, paraît-il, des résultats surprenants.
J'ai croisé un certain du Barrail, le connaissez-vous ?
Les psychanalystes ont des théories curieuses : le Moi
est notre personnalité consciente, l'Inconscient est

notre personnalité inconsciente, le Soi est la réunion des deux.

— Des bêtises, des bêtises…

*

À la nuit tombée, Max Engel se rendait toujours avec joie au café-concert en raison de son prix peu élevé. C'était le seul endroit où toute barrière entre les classes sociales était levée. Aux *Folies-Bergère*, on pouvait garder son chapeau sur la tête et voir la famille Birmane dont tous les membres avaient une barbe, ou des numéros de cirques avec acrobates, danseuses orientales, lutteurs et jongleurs. Le détective y avait été fasciné par une contorsionniste avec laquelle tous les hommes voulaient sortir car ils pensaient qu'elle pouvait apporter au lit des plaisirs rares, voire spectaculaires.

L'un d'eux étant très pressant, Max Engel s'était dévoué pour intervenir et l'importun était parti avec un coquard. Cet acte chevaleresque avait permis au détective d'inviter la jeune femme à boire un verre, puis un autre et, après deux rencontres, de conclure dans son joli appartement de la rue des Actionnaires. Malheureusement, il n'était pas assez aisé pour lui offrir ce que d'autres promettaient, aussi leur liaison s'était-elle assez rapidement terminée sans empêcher qu'ils demeurent bons amis.

Ce soir, la contorsionniste ne figurait pas au spectacle, remplacée par un pétomane. Celui-ci était assez remarquable dans sa maîtrise des muscles abdominaux qui lui permettait de lâcher des gaz à volonté et de jouer *Au clair de la lune* sans avoir à payer de droits d'auteur.

Malgré la qualité du spectacle, Max Engel aurait donné cher pour un peu de compagnie féminine. Il en trouva cependant car une des danseuses le remarqua dans l'assistance et s'assit sans façon à sa table.

— Mais c'est ce vieux Max! Notre pétomane te plaît?

— Il donne le meilleur de lui-même!

Elle eut un rire cristallin.

— Mais contrairement à lui, ajouta-t-il, je vais devant moi sans m'occuper de mes arrières!

De nouveau, elle rit.

— Comment vas-tu depuis la dernière fois mon petit Max?

— La dernière fois, répondit le détective, nous avons fait l'amour. Au matin, tu es sortie en me disant que tu reviendrais pour déjeuner. J'ai commandé un repas fastueux et je t'ai attendue. Cela fait maintenant deux ans… Comme dit le dicton, Pâques désirées sont en un jour allées…

Elle haussa légèrement les épaules.

— Tu m'en veux encore?

— Non, je suppose qu'avec toi le plaisir et la peine couchent dans un même lit.

Il leva son verre à son adresse.

— *Amour apprend aux autres à danser…*

Elle se leva en souriant.

— Qui t'aurait cru aussi sentimental !

Il la regarda s'éloigner comme on regarde partir un bateau que l'on aurait pu prendre il y a très longtemps pour aller vers un ailleurs qui n'aurait rien à voir avec celui d'aujourd'hui. Très sociable et porté vers les autres, les femmes notamment, Max Engel gardait sa solitude recluse en lui. Ce soir pourtant, celle-ci lui pesait et il alla la tromper avec une purée côte de porc d'un restaurant ouvrier de la rue Clovis dont il aimait l'ambiance et les consommateurs. Il lui était arrivé d'entraîner quelques convives en fin de soirée, quand la nappe se tache de vin et que les têtes commencent à tourner, pour chanter *La Marche du 1er mai*, *Les Huit Heures* ou encore *La Marseillaise des travailleurs*.

Son plat terminé, il regarda autour de lui dans l'espoir de reconnaître le visage d'un camarade mais il ne vit que des ouvriers aux mains abîmées et aux ongles cassés qui s'endormaient, leur chopine à la main. Il lança alors à qui voulait l'entendre :

— Tous les pouvoirs de la vieille Europe ont formé une sainte alliance contre nous. Nous ne pourrons atteindre notre but que par le renversement de toutes les relations sociales existantes !

Personne ne lui répondit mais le patron s'empressa de lui servir un bon morceau de camembert avec un quart de rouge. Une orange constitua son dessert. Il s'amusa à en semer les morceaux d'écorce derrière lui en rentrant à son domicile, comme un petit poucet éméché. Il décréta qu'il était parfaitement heureux et se surprit même à siffloter avec conviction sur le chemin du retour :

J'aime l'oignon
Frit à l'huile
J'aime l'oignon
Quand il est bon

Une silhouette s'interposa soudain entre lui et sa demeure. La main du détective glissa avec une rapidité hallucinante vers l'étui cousu dans sa veste pour s'arrêter lorsqu'un réverbère éclaira d'une lueur blafarde le visage du jeune du Barrail.

— Vous ici ?

— Pardonnez-moi, je ne voulais pas vous déranger…

Le détective comprit qu'il se passait quelque chose.

— Ne faites pas de manières ! Montez, je vous en prie.

Du Barrail n'imaginait pas ainsi l'intérieur du détective.

Le style Art déco y était roi. Tout ici concourait à donner une impression de légèreté et d'érotisme délicat. En l'absence de lignes et d'angles droits, tout se déroulait à l'infini : lignes végétales stylisant fleurs, oiseaux et corps féminins ou ornements représentant des libellules, des paons, des cygnes, des feuilles de palmier ou de papyrus. Des statues de fer semblaient sculpter l'air tandis que la lumière tamisée de nombreuses lampes baignait d'une chaude lueur les meubles couleurs de miel. Aux murs, sur des affiches ou des tableaux, des femmes étaient mollement allongées dans le creux de leur chevelure qui ruisselait jusqu'au sol. De belles estampes japonaises apportaient une touche d'exotisme. Selon l'endroit où l'on se plaçait, du Barrail remarqua que les masses de couleurs changeaient la perspective.

Adepte de la poésie ouvrière, Max Engel lisait *Les Soliloques du pauvre* de Jehan-Rictus. Il l'avait laissé en évidence sur la table basse du salon. Du Barrail y jeta un bref coup d'œil. En reculant il heurta un guéridon. Sur celui-ci, dans un bocal, des bonbons rouges de forme ovale, piquetés de sucres, attirèrent son attention.

— Des coucougnettes du Vert Galant, expliqua gaiement Max Engel. Ce sont des bonbons d'Uzès, tout comme ceux-là…

Il désigna un autre bocal où trônaient des bonbons marron avec une petite pointe en chocolat.

— Les tétons de la reine Margot, vous en voulez?

Le psychanalyste refusa poliment. En parcourant du regard la pièce, il tomba à l'arrêt devant un livre ouvert.

— Vous lisez Pierre Loti? s'étonna du Barrail qui éprouvait quelques difficultés à faire le lien entre l'Orient voluptueux et l'actif détective marxiste.

— *Il est encore de ces lieux sur la terre ignorant la vapeur, les usines, les fumées, les empressements et la ferraille*, récita ce dernier.

Il cligna de l'œil à l'adresse de du Barrail.

— J'ai besoin d'horizons élargis et encore vierges, j'aurais aimé l'Orient si j'y étais allé. Cela m'aurait sans doute consolé de l'état de la société.

Un instant distrait de ses pensées, du Barrail sourit. Mais bien vite, l'image de la Dame en vert revint le tourmenter.

— Voulez-vous un verre de whisky? proposa Max Engel qui avait surpris en lui une inquiétude. J'en ai un d'excellente qualité. Il est un peu coûteux pour ma bourse mais qui bon l'achète bon le boit!

Le détective regarda du Barrail vider son verre d'un trait et le resservit sans hésiter.

— Vous, vous avez des choses à me dire!

Il l'arrêta d'un geste en le voyant se préparer à refaire le même geste.

— Ne le buvez pas aussi vite, il vient d'une côte fouettée par les vents. Humez-le! Respirez l'air marin. Là, voilà… Maintenant, parlez!

Le psychanalyste raconta au détective son aventure avec la Dame en vert. Le détective l'écouta tout en remuant l'océan et les tourbières dans le fond de son verre.

— Ma foi, conclut-il au terme de l'histoire, j'ignore si je n'aurais pas cédé à ses avances à votre place.

— C'est tout ce que vous trouvez à me dire?

— Oui. J'ai couru tout Paris après elle et voilà qu'elle décide de vous rendre visite. J'ai bien entendu été repéré. On nous épie, c'est certain.

— C'est aussi ce que pense Marie…

— Marie?

— Marie Adendorff.

Le détective ouvrit la bouche et la referma sans un mot.

— Je lui ai raconté toute notre histoire, continua du Barrail légèrement gêné.

Max Engel était catastrophé.

— Pourquoi avez-vous fait cela?

Du Barrail réfléchit.

— Je ne souhaitais pas continuer à lui mentir. Marie Adendorff a accepté une hypnose, quelque part, elle est devenue ma patiente. J'ai des obligations envers elle.

— Oh! je vois…

Le détective alluma un cigare.

— Vous en pincez pour elle…

Le regard du psychanalyste s'égara sur un tableau au mur représentant une femme dans sa robe aux drapés flottants, une couronne de fleurs formant un halo au-dessus de sa tête. Il était signé Mucha, un peintre prédestiné puisque, enfant, sa mère lui attachait régulièrement un crayon au cou pour l'inviter à dessiner.

— Ne dites pas de bêtises! répondit du Barrail en détachant ses yeux de la peinture.

Le détective tira sur son cigare et le regarda d'un air supérieur.

— Croyez-moi mon ami, les femmes c'est mon rayon et j'en connais un bout dans ce domaine-là. Vous en pincez pour elle!

— Je vous dis que non!

Max Engel capitula en levant les bras en l'air.

— Ne vous fâchez pas, ce que j'en dis…

Il lâcha en l'air une volute de fumée et marmonna d'un ton attristé.

— Bref, elle sait tout.

— Oui.

— Et qu'en dit-elle ?

— Elle pense que son père n'a rien à voir avec toute son affaire et qu'il ne l'a jamais touchée. Elle est indignée et m'a traité de triple idiot. Elle est également très fâchée contre vous.

— Bien, bien…

Du Barrail soupira puis demanda conseil.

— Pour Marie Adendorff, décréta le détective, laissez passer. Pour le reste, gardez vos notes à votre banque et ne les en sortez sous aucun prétexte. Cette précaution vous préserve sans doute d'une nouvelle agression. Ne recopiez pas ces notes car nous ignorons si notre adversaire en a eu connaissance.

— Pourtant, la police ne les a pas retrouvées à son cabinet…

Perplexe, Max Engel fronça les sourcils.

— Mais si l'assassin a tué Gernereau et récupéré ses notes, pourquoi vouloir s'emparer de la copie de celle-ci ? Pour les faire disparaître ? Vous auriez pu, vous-même ou Freud, en recopier d'autres exemplaires. Non, à mon avis, quelqu'un a payé la Dame en vert pour récupérer ces notes du vivant du docteur Gernereau. Elle s'est ainsi présentée comme patiente de celui-ci pour se les procurer. Elle a dû échouer. Ce même commanditaire a ensuite fait assassiner le docteur mais, pour une raison inconnue, l'assassin n'a trouvé aucune note chez Gernereau. Consultez-les donc à votre banque seulement, je vous le répète.

— Mais pourquoi voulait-il ces notes ?

— Ce n'est pas à vous que je vais apprendre que l'on dit parfois à son psychanalyste des choses depuis très longtemps enfouies et oubliées… Qui sait si la personne n'a pas regretté que ces choses soient remontées à la surface. Vous êtes des apprentis sorciers, vous tenez boucherie ouverte de nos âmes!

Le détective s'était levé et arpentait nerveusement la pièce.

— On peut également gager que le commanditaire du meurtre a découvert qu'une copie des notes avait été envoyée à Freud. Il a donc logiquement mandaté la Dame en vert pour terminer sa mission.

— Si elle revient…

— Vous l'avez déjà vue une fois de près, c'est bien suffisant. Qui approche le beurre du feu ne l'empêche pas de fondre. Évitez donc la tentatrice!

— Et vous, qu'allez-vous faire?

— Faute de bœuf, on fait labourer l'âne! Nous n'avons pas la Dame en vert mais nous avons un certain député Mirepoix que j'aimerais bien entretenir de sa charmante compagne de table.

Il s'immobilisa, l'air préoccupé.

— Une chose encore… Puisqu'elle est au courant de tout, je souhaiterais pouvoir discuter avec votre Dame aux Loups, Marie Adendorff.

— Mais pourquoi donc? demanda nerveusement le psychanalyste. Je vous ai tout dit à son sujet.

— Vous êtes psychanalyste et moi détective, deux métiers différents quoi que vous en pensiez. Je ne sais pas trop ce que je cherche mais je peux découvrir un élément, un fait qui me parle, aujourd'hui ou demain, et qui facilitera notre enquête.

Du Barrail vida d'un coup son whisky et le reposa un peu brutalement. Sachant désormais que son compagnon buvait plus qu'on ne lui en versait, Max Engel ne le resservit pas.

— Je n'en vois toujours pas la nécessité, fit du Barrail un peu sèchement, mais si vous le jugez indispensable…

— Nécessaire mon cher. Dans toute enquête un seul témoignage oublié peut empêcher d'atteindre la vérité.

— Et moi ?

— Vous avez quatre suspects, vous n'en avez plus que deux à rencontrer : le fétichiste et votre amnésique, Hugo Lucca.

— Je me réserve le fétichiste pour la fin.

Devant la mine interrogative du détective, il expliqua maladroitement.

— C'est un peu mon sujet favori.

Max Engel se rassit, attentif.

— Savez-vous que Marx a beaucoup écrit sur le fétichisme ?

— Vraiment ?

— Bien sûr. Marx a écrit que les sauvages de Cuba pensaient que l'or était le fétiche des Espagnols. Ils lui offrirent une fête, firent une ronde autour de lui en chantant. Après quoi, ils le jetèrent à la mer, pensant ainsi se débarrasser pour toujours des Espagnols.

Du Barrail se pencha, intéressé.

— Je vais lire Marx. Par quoi faut-il commencer ?

Ravi, le détective se tortilla d'aise sur son siège.

— Le livre I du *Capital*. Vous y trouverez tout un chapitre consacré au caractère fétiche de la marchandise. C'est la rencontre de la matière brute de l'objet avec sa valeur marchande. Vous y verrez de manière surréaliste une table tout à fait ordinaire prendre vie, bouger et se transformer pour entrer dans la danse du système d'échange.

Enthousiasmé, il se leva d'un bond et cria en tendant son verre :

— Mort au système d'échange! Non au fétichisme de la marchandise! L'objet doit garder sa valeur intrinsèque!

Du Barrail lui jeta un regard gêné. Radieux, Max Engel se rassit.

— Un sacré toast que nous avons porté, vous ne trouvez pas? Finalement, il y a peut-être bien un lien entre marxisme et psychanalyse.

— Oui, oui, certainement, approuva du Barrail. J'ai bien compris que pour Marx, la marchandise possède comme les fétiches sa propre énergie.

— C'est la rupture entre l'utilité réelle et la valeur marchande. Si elles pouvaient parler, les marchandises fétiches diraient : *le capitalisme nous fait passer d'une valeur d'usage à une valeur marchande.*

Les yeux de du Barrail brillèrent.

— Mon Dieu, comme ces effets fétichisant sont excitants!

Ce soir-là, ils parlèrent beaucoup et se découvrirent encore plus. Car tel est le ressort de la confidence, que l'aveu vous fait aimer l'aveu. Ils goûtèrent encore au whisky auquel du Barrail finit par trouver une finale longue et poivrée. Lorsqu'ils se séparèrent, le détective lui proposa de l'accompagner un peu afin de prendre l'air. Ils étaient tout à fait grisés et, dans la rue, un du Barrail excessivement gai accompagna Max Engel lorsqu'il clama un extrait du *Capital* :

— *C'est le monde enchanté et inversé celui où Monsieur Capital et Madame la Terre, à la fois caractères sociaux mais en même temps simples choses, dansent leur ronde fantomatique!*

*

Lorsque la Dame en vert se présenta, le chauffeur de la voiture vint lui ouvrir la portière. D'un geste, l'homme assis à l'arrière de la voiture le congédia. Il portait des boutons de manchette en or.

— Chère amie, c'est merveilleux de vous revoir. J'espère que vous me ramenez de bonnes nouvelles.

Il avait une voix ferme et autoritaire, le genre de voix qui appartient aux hommes qui n'admettent guère la contradiction. La Dame en vert se glissa sur la banquette de cuir, emplissant la voiture de ses effluves parfumés.

— J'ai appâté le poisson, fit-elle de sa voix suave dont toute trace d'accent avait disparu. Pouvez-vous m'offrir une cigarette?

— Hum… dit-il en lui donnant du feu, je crois comprendre qu'il n'a pas mordu à l'hameçon. Vos charmes ne sont plus ce qu'ils étaient.

160

Elle sourit pensivement en inspirant la fumée.

— Mes charmes n'ont rien à voir là-dedans, notre jeune psychanalyste n'est pas complètement innocent. Lui et son détective ont déjà bien avancé même s'ils ne le savent pas.

— Ce révolutionnaire !

— Il est certainement plus malin et plus habile qu'il n'en a l'air. Je vais m'occuper de ce petit détective, c'est un homme à femmes et sans doute vénal. Puis-je lui proposer une certaine somme ?

— Bien entendu, quelle question ! Bien entendu !

— Je ne savais pas où en étaient vos affaires. Vos petits soucis…

— Mes affaires, c'est l'argent des autres !

La Dame en vert eut une moue charmante.

— Très bien. Donnez-moi donc un bel acompte. Il faut que je passe demain au mont-de-piété…

— Quoi ?! Vous avez été obligée de gager des biens ?

— Non, j'ai l'habitude de déposer mes fourrures au mont-de-piété au printemps avant de partir à Nice et mes bijoux l'hiver avant de partir à la montagne et ainsi de suite. Cela me fait de l'argent et c'est plus sûr qu'une banque !

— Vous êtes fascinante, ma chère…

— Vous dites ça pour me flatter.

— Vous avez tellement de vices en vous…

— Il y aura des vices tant qu'il y aura des hommes, dit-elle sèchement.

— Vous avez probablement raison, fit l'autre d'une voix nonchalante.

Sa main se posa négligemment sur la cuisse de la Dame en vert protégée par un flot de mousseline.

— Comme vous sentez bon le stupre et la luxure ! Votre parfum est à votre image : il est fait de multiples facettes. Est-ce donc l'auxiliaire de votre séduction ?

— Mon cher, répliqua-t-elle en remettant doucement sa main en place, le secret de la réussite, c'est le secret. Permettez-moi de préserver celui-ci.

L'homme à côté d'elle rit. C'était un rire dur et froid, peu agréable à entendre pour qui en était l'objet. Le sourire de la Dame en vert se crispa légèrement, c'était le genre de rire qui la confortait dans son idée qu'elle ne coucherait jamais avec cet homme. Jamais.

Autant s'accoupler avec un cadavre, pensa-t-elle en s'environnant d'un nuage de fumée pour masquer sa répulsion.

*

Marie Adendorff reçut Max Engel dans la véranda qui jouxtait son atelier, rue Dessous. C'était le milieu de la matinée et un beau soleil diffusait une lumière agréable. Des plantes vertes encombraient une bonne partie de l'espace et une table à guéridon assez étroite, du genre de celles qu'on appelle *guéridons à deux*, offrait l'opportunité de boire un café dans une agréable promiscuité. Il avait surpris la jeune femme dans sa cour, assise sur un fauteuil, un plaid écossais sur les genoux et un large chapeau la protégeant des premières ardeurs du soleil. Elle avait reposé sa revue, *Le Petit Écho de la mode*, pour l'accueillir avec grâce et simplicité. Le regard acéré du détective remarqua dans le jardin de la Dame aux Loups une nymphe rieuse abritée dans la niche d'un mur. Songeur, il pensa aux contes de fées dont Marie Adendorff semblait sortir pour le meilleur et pour le pire.

La jeune femme lui fit visiter son atelier et il admira sincèrement ce qu'il voyait tant il s'en dégageait d'harmonie et de clarté. Elle avoua avoir été marquée par Rodin, sa force et son équilibre. De son côté, le détective fut sensible à son charme.

Il n'est de bois vert qui ne s'allume, pensa-t-il en la voyant revenir, fragile et gracieuse, porteuse d'un plateau avec des tasses pour le thé. Il lui expliqua alors sa démarche puis termina en formulant le souhait qu'ils puissent dénouer toute cette affaire avant l'arrivée du Grand Soir. Marie Adendorff pouffa de rire tout en lui servant un odorant thé au jasmin.

— Excusez-moi, je ne me moque pas de vous mais du Barrail m'avait prévenue que vous étiez un furieux révolutionnaire…

Max Engel balança un moment entre l'irritation et l'amusement puis la gaieté de la jeune femme le gagna à son tour et il sourit.

— Oh! j'aime vous voir sourire, dit-elle. Savez-vous que les rides du rire sont très développées sur votre visage?

Elle le considéra avec cette curiosité désintéressée dont seules les femmes sont capables lorsqu'elles découvrent du charme chez un homme. Max Engel était certes plus petit que la moyenne mais sa vivacité naturelle le faisait oublier. Il avait des cheveux noirs, des yeux gris très perçants et surtout il semblait habité par une inépuisable force vitale.

— Je vous demande pardon, reprit-elle son examen terminé, je parle parfois comme une écervelée.

Le sourire d'Engel s'accentua. Il aimait bien la spontanéité de la Dame aux Loups.

— Que vous a donc dit du Barrail de moi?

Et en posant cette question, il était plus intéressé qu'il ne voulait l'admettre. Marie Adendorff redevint sérieuse.

— Il a beaucoup d'estime pour vous. Il dit que vous êtes l'homme le plus droit et le plus loyal qu'il ait rencontré après Freud et Jung. Il dit aussi que vous manquez de sens politique mais qu'il y a de la compassion chez vous pour la souffrance d'autrui.

— Il y en a aussi chez lui.

Elle poussa vers lui une assiette de biscuits anglais et le considéra avec gravité.

— C'est peut-être pour ça que vous vous appréciez…

— Peut-être…

Il y eut un silence. Elle ôta son chapeau, découvrant des cheveux retenus par une barrette de nacre.

— Que dit-il encore? la pressa-t-il.

— Que vous êtes malin comme un singe.

Le détective but son thé sans manifester d'approbation particulière. *Malin et vif comme un singe*, lui avait dit un jour une de ses maîtresses. La comparaison simiesque lui plaisait modérément.

— Qu'attendez-vous de moi ? s'enquit la jeune femme en essayant de suivre le cours de ses pensées.

— Parlez-moi de votre père.

— Quoi, cette allégation ridicule…

Il l'interrompit d'un geste.

— J'ai abandonné cette hypothèse, je cherche un lien avec la Dame en vert.

— Oui, elle semble beaucoup absorber du Barrail, fit-elle les lèvres pincées.

— Et vous n'aimez pas ça ?

— Euh… mais pas trop…

Le regard du détective se fit pensif.

— Bien sûr, bien sûr…

Il alla chercher du coin des lèvres une dernière goutte de thé sans cesser de l'observer.

— Revenons à votre père, connaît-il la Dame en vert ?

Elle croisa les bras sur sa poitrine et son ton se fit plus sec.

— Je n'avais jamais entendu parler de cette personne et elle me semble tout à fait étrangère au monde de mon père. Vous parlez d'une catin…

— Je mène une enquête. Le docteur Gernereau a été assassiné, sans doute pour qu'on l'empêche de révéler ce qu'il a appris d'un de ses patients. Pour cette même raison, on essaie de voler la copie de ses notes. Quel est le commanditaire de la Dame en vert ? J'ai un indice : le député Mirepoix qui a dîné avec elle. J'ai appris qu'il était un des meilleurs amis de votre père. Vous-même étiez patiente du docteur Gernereau. Cela fait beaucoup de coïncidences, non ? C'est cela une enquête : trouver un fil et le suivre. Je suis comme Thésée dans le labyrinthe, soyez mon Ariane.

Elle rougit légèrement. Thésée et Ariane avaient été amants…

— Le député Mirepoix est effectivement un vieil ami de mon père. Malgré sa position financière, mon père ne cache pas ses idées politiques. Il est proche des radicaux, voire des radicaux-socialistes.

— Ceci est un peu surprenant au regard de la position sociale de votre père.

— Ce sont ses idées, répliqua-t-elle d'un ton ferme, et je les partage.

— Quel genre d'homme est Mirepoix ?

— Je ne le fréquente pas. Il est un peu rondouillard, je vous l'accorde, mais il a la réputation d'être un homme bon et généreux. Il veut réellement améliorer le sort des plus défavorisés. C'est quelqu'un qui a, semble-t-il, un idéal de fraternité.

Elle but une gorgée de son café et ajouta.

— Mon père également, et vous n'imaginez pas à quel point.

Une légère rougeur aux joues trahit son embarras d'avoir prononcé ces dernières paroles. Max Engel tenta d'en savoir plus mais la jeune femme se referma comme une huître laissant la perle de vérité hors de son atteinte. Ses lèvres se réduisaient désormais à une simple ligne.

Encore un mystère de plus, pensa-t-il songeur.

*

Anelia Adendorff s'arrêta face à l'immeuble du cabinet de du Barrail. Sa mise était sobre et élégante. Elle semblait hésiter. Il se trouvait entre elle et la porte à franchir plus qu'une rue : la vérité… un gouffre sans fond. Immobile, elle sentait la ville couler autour d'elle, consciente des lumières, des formes, des couleurs et des odeurs mélangées. Son front se plissa légèrement, créant dans son beau visage lisse une ride inattendue. Son regard s'était porté vers la fenêtre du cabinet du psychanalyste et, d'un doigt ganté, elle se tapotait la lèvre inférieure d'un geste perplexe. Puis, tout à coup, elle se décida et tourna les talons.

*

Jung et du Barrail marchaient côte à côte dans le Jardin des plantes. Le second avait les traits tirés. Après tout le whisky des tourbières ingurgité la veille, il s'était réveillé en pleine nuit, brutalement dégrisé. Il s'était tourné et retourné longtemps dans son lit sans pouvoir trouver le sommeil. Au ballet des marchandises et des fétiches avaient succédé d'autres images. L'image de la Dame en vert le poursuivait, sa main gantée traquant son sexe.

— Que regardez-vous ainsi ? demanda le Suisse en voyant son jeune collègue suivre les promeneurs du regard, en particulier les jeunes nurses.

Il y avait en effet beaucoup d'enfants et beaucoup de jolies mamans ou de nurses dans ce jardin. Pris en flagrant délit de vagabondage d'esprit, du Barrail ne perdit pas contenance.

— Ne trouvez-vous pas, demanda-t-il, que nous sommes en train de développer une culture de masse ? Tout le monde a une allure de série. Un jour, tout ce que nous produirons se ressemblera et tout le monde ressemblera à tout le monde.

— Mais nous sommes le siècle des masses : travail de masse, éducation de masse, transport de masse, divertissement de masse. C'est la voie que semble prendre l'humanité. Espérons qu'elle ne suivra pas également en masse quelques fous furieux qui voudront soumettre le monde.

Jung se pencha pour caresser un chien. Pendant ses études de médecine, il avait pris en horreur les cours de physiologie à cause des vivisections pratiquées sur les animaux. Sa pitié pour ceux-ci reposait sur le sentiment que les animaux à sang chaud lui étaient apparentés.

Quelques mètres plus loin, ils furent attirés par l'attroupement qui s'était formé devant un homme qui poussait des cris d'oiseau. Au terme de ces imitations, comme sa casquette à terre restait vide, il s'écria :

— Alors ? Pas une pièce ? Oh ! je vois, ces messieurs dames ne sont pas avares, ils ont simplement le sens des convenances et ne veulent pas se faire remarquer en jetant la première pièce !

Amusé, Jung fit un pas en avant et déposa un billet.

— Oh ! merci mon prince ! Allons m'sieus dames, à votre bon cœur… Faites comme monseigneur !

Ils reprirent leur promenade et firent quelques pas en silence jusqu'à ce que Jung fasse discrètement remarquer à du Barrail une jeune fille courtisée par deux garçons.

— La femme est au centre du monde, je vous l'affirme. Elle n'y joue pas encore le rôle qui lui revient mais cela viendra.

— Pour l'instant son sort n'est pas enviable, rétorqua du Barrail en songeant à ses conversations avec Marie Adendorff et avec la Dame en vert, femmes en quête de reconnaissance, d'égalité et de justice.

Il s'immobilisa. L'atmosphère du jardin était d'un coton léger. Plus rien ne bougeait. Pas un souffle d'air n'agitait les feuillages. On entendait à peine le bruit des voitures. Jung fronça les sourcils.

— Les femmes sont également au centre de cette histoire. Je le sens, je le pressens. La Dame aux Loups d'abord, la Dame en vert aujourd'hui. Qui sait si nous n'en aurons pas bientôt une troisième. Trois est un nombre fondamental. Pour les Chinois, c'est le nombre parfait, pour les bouddhistes c'est le triple joyau. Quant aux chrétiens, Dieu est un en trois personnes.

— Nous n'en sommes pas encore là, fit du Barrail légèrement agacé par la tendance à la digression de son collègue.

Jung eut un fin sourire.

— Rappelez-vous que je pressens les choses. Je possède réellement ce don, je le tiens de ma mère.

Devant l'air sceptique de du Barrail, il continua :

— Un jour, je me retrouvai à table, en train de discuter psychanalyse avec un avocat. Pour enjoliver un exemple, j'inventai entièrement une histoire. Au fil de mon récit, mon interlocuteur se décomposa et un lourd silence s'abattit sur la tablée. L'histoire que je venais d'inventer était celle de cet avocat que je n'avais jusqu'alors jamais rencontré.

Il s'arrêta à l'entrée de la grande serre du jardin d'hiver, le temps d'allumer un petit cigare dont il savoura la première bouffée avec satisfaction.

— Plus tard, un événement dramatique me confirma cette sensibilité particulière. Un de mes anciens patients s'était marié avec une femme néfaste pour lui. Il rechuta mais, sous l'influence de cette femme, ne revint pas me voir. Une nuit, je me réveillai effrayé, persuadé que l'on était entré dans ma chambre d'hôtel. J'allumais ma lampe mais je ne vis rien. Je m'étais pourtant réveillé sous le coup d'une forte douleur comme si quelque chose avait rebondi sur mon front et frappé la partie arrière de mon crâne. Le lendemain, je reçus un télégramme m'apprenant que ce malade s'était brûlé la cervelle cette nuit-là.

Il se tut. Un marchand de chanson passa auprès d'eux, sifflant des airs à la mode. Pour quelques sous, il vendait des chansonnettes très amusantes et, un instant, du Barrail fut tenté d'en acheter une pour Marie Adendorff.

— La Dame en vert a donc un nom, reprit Jung qui n'avait pas remarqué son hésitation, ou plutôt s'en est-elle donné un pour l'occasion mais il n'est pas si innocent que ça. Marie-Madeleine !

Il s'arrêta devant un cireur de chaussures et posa un pied sur la caisse. Pendant que le travailleur s'activait et que du Barrail s'immobilisait, les mains dans le dos, Jung leva un doigt en l'air.

— Attention ! mon jeune ami, on ignore bien souvent qu'il existe trois Marie-Madeleine dans les Évangiles ! La première est la pécheresse qui verse du parfum sur les pieds du Christ puis essuie ceux-ci avec ses cheveux. La deuxième est Marie de Béthanie, sœur de Lazare le ressuscité, qui accomplit exactement le même geste.

Il retira son pied et posa l'autre à sa place. Le garçon se remit au travail en sifflotant.

— La troisième, continua Jung, est Marie de Magdala qu'on retrouve au pied de la croix lors de la mort du Christ, qui assiste à sa mise au tombeau et revient le surlendemain pour embaumer son corps mais trouve le sépulcre vide. C'est elle qui voit la première le Christ ressuscité et l'annonce aux apôtres.

Le Suisse eut un sourire moqueur.

— J'ai lu récemment un écrivain américain particulièrement ignare qui consacre une partie de son livre aux prétendues relations charnelles entre le Christ et Marie-Madeleine sans savoir qu'elles sont en fait trois personnages différents !

Il s'arrêta pour savourer son effet.

— Bon alors laquelle choisissons-nous ?

Il tendit quelques pièces au cireur de chaussures et tapota amicalement l'épaule de du Barrail.

— Gardons la première, la femme de mauvaise vie,

la pécheresse repentie car elle correspond le plus à l'idée que nous nous faisons de Marie-Madeleine, n'est-ce pas?

— Vous pensez donc qu'elle n'a pas pris par hasard ce nom? demanda du Barrail. Ni même par jeu?

— Même le jeu n'est pas innocent. L'acte manqué, mon cher, l'acte manqué!

— Freud pense que tout acte manqué est un discours réussi.

— Il a raison! Il a raison! s'exclama joyeusement Jung. L'acte manqué parle tout haut pour exprimer ce que l'Inconscient pense tout bas. Et il révèle du coup qui est la Dame en vert : une femme qui veut exister dans un monde d'hommes! Sans Marie-Madeleine, les chrétiens auraient-ils tenu le coup pendant tous ces siècles de pesante chape? Dans notre civilisation judéo-chrétienne patriarcale, la femme n'a pas de représentant au *Parlement d'En Haut*.

— Vous oubliez la Vierge!

— La Vierge, c'est l'image de la mère. Elle n'a même pas connu bibliquement son mari pour enfanter! La seule image archétype qui existe en dehors de la Vierge, c'est Marie-Madeleine! Notre seul fantasme chrétien!

Comme à son habitude, Jung se mit à arpenter de long en large l'espace autour d'eux.

— La Dame en vert dit vrai. Elle ne voulait être ni vierge ni mère mais simplement exister. Inconsciemment, elle a choisi le costume de Marie-Madeleine, la seule grande figure archétypale de notre civilisation.

Ce faisant, elle n'a pas pour autant renié son identité, ni sa probable culture judéo-chrétienne.

Il s'arrêta brusquement, une autre idée germant dans son esprit fertile.

— Et si elle va jusqu'au bout, la pécheresse se repent…

Du Barrail eut une moue sceptique. Il commençait à connaître la propension de Jung à s'enthousiasmer sur des histoires imaginaires et à extrapoler pour échafauder des hypothèses.

— Croyez-vous vraiment tout ce que vous dites ?

— Toujours ! C'est le meilleur moyen pour que les choses arrivent !

Ils continuèrent leur chemin, croisant une marchande de pommade qui essaya timidement de leur vendre un baume contre les rides, et entrèrent dans le jardin anglais, composé d'un labyrinthe couronné par un petit réverbère. On se serait cru dans l'atmosphère ouaté d'un conte de fées d'outre-Manche. Bien que peu exubérant d'ordinaire, du Barrail restait ce jour-là remarquablement silencieux. Jung s'en étonna. Son jeune collègue lui fit part de son embarras après la visite de la Dame en vert et du rêve qui avait suivi. À son grand soulagement, Jung ne se prêta à aucune analyse mais remarqua simplement :

— C'est amusant, vous êtes victime d'un transfert à l'envers. D'habitude, l'analyste atteint un stade critique lorsque son patient éprouve une fixation envers lui. Personne ne sait encore bien quand ce transfert s'arrête. Un de nos collègues dépourvu de scrupules a cru bon de dire : *Ça s'arrête tout seul quand le malade n'a plus d'argent!* Laissons de côté ce mauvais humour, vous me donnez l'impression d'être vous-même, l'analyste, victime de ce transfert et non votre patiente. Cela dit, elle n'est pas votre patiente.

— Mais elle pourrait l'être.

— C'est juste, c'est juste… Ou plutôt n'est-ce pas ce que vous souhaiteriez ?

Du Barrail ne répondit pas. Et pour cause, l'image de la Dame en vert emplissait toutes ses pensées et désormais une part de lui regrettait de ne pas avoir cédé à ses pulsions.

VI

HUGO LUCCA, LE RÊVEUR ÉVEILLÉ

Ce soir la lune sera brune.

Il se rappelait vaguement un poème qui évoquait l'astre de la nuit et maintenant il se trouvait dehors, empli du sentiment indéfinissable qu'il n'aurait pas dû sortir, qu'il y avait quelque chose, là dans la nuit, qui le guettait et l'observait. Hugo Lucca entra dans un bar rempli de touristes étrangers et commanda un verre puis un autre, sans souci des conséquences. S'il avait une mémoire trouée, il possédait un estomac de fer. Il avait déjà espéré libérer ainsi ses souvenirs en les imbibant d'alcool mais rien à faire. Amère était l'ivresse en ce difficile début de siècle. Il sentit glisser sur lui des regards de femme car indéniablement, il était bel homme, grand et svelte, des yeux vairons pleins de feux ou de mystères et un large front sous une tignasse noire et bouclée…

En reposant son verre, il se rendit compte que quelque chose clochait. Un regard s'était accroché à lui comme un papillon attiré par la lumière, le retournait sous toutes ses coutures pour le jauger et l'apprécier. Il se retourna mais ne vit rien d'autre que des visages qui changeaient de direction et des gens qui replongeaient précipitamment dans leur conversation. Il paya et sortit.

Dans la rue, l'air commençait à embaumer. Il s'arrêta pour jouir de sa fraîcheur et ôta son chapeau, exposant son épaisse tignasse à la brise du soir. Il entendit alors le bruit sec et froid des talons aiguilles résonner derrière lui. Inconsciemment ses sens enregistrèrent un parfum de bois et de musc. Lorsqu'il se retourna, deux yeux noirs le contemplaient avec un soudain intérêt. C'était une femme d'une trentaine d'années à la froide élégance, au regard plus profond que la nuit. Il se rappela sa présence au fond du bar qu'il venait de quitter. Il se souvint encore qu'elle était entrée après lui, son parfum flottant dans son dos lorsqu'il avait pris place au comptoir.

Hugo Lucca et la Dame de la nuit se contemplèrent en silence. Pour l'homme, ce silence fut comme étourdissant. Alors, étant déjà découvert, il leva lentement son chapeau et la salua. Elle sembla tressaillir puis à son tour inclina légèrement la tête. Il s'écarta pour la laisser passer et la suivit des yeux jusqu'au coin de la rue mais le claquement de ses talons le poursuivit encore, une fois qu'elle eut disparu.

*

Plus tard, au cœur des ténèbres, Hugo Lucca vit un serpent noir sortir du mur. Il ferma les yeux et pensa fortement qu'il n'avait pas vu ce qu'il avait vu, de fait, lorsqu'il les rouvrit le serpent avait disparu. Un sourire hésitant se dessinait sur ses lèvres lorsque soudain le tapis sur le sol sembla bouger. Hébété, il vit les ovales et les cercles se former et se déformer pour dessiner de nouvelles arabesques de soie. Son cœur s'arrêta un instant de battre lorsqu'il comprit que ce qui bougeait sous lui était un tapis de serpents noirs.

Une sonnerie retentit. Il se réveilla en sursaut et regarda autour de lui, le cœur battant. Les serpents disparus, la sonnerie persistait. Il se leva rapidement, jetant sur ses épaules sa robe de chambre. Un homme d'à peine trente ans au maintien un peu raide et sévère mais au regard doux attendait patiemment à la porte. Il ôta son chapeau.

— Je vous dérange sans doute. Peut-être même que je vous réveille, j'en suis désolé.

— Ce n'est pas grave, fit Hugo Lucca d'un ton peu convaincant, je m'étais couché tard mais… qui êtes-vous ?

— Je vous demande pardon, je ne me suis pas présenté, voici ma carte.

— Docteur du Barrail, psychanalyste, lut-il avec circonspection.

— Un collègue de feu le docteur Gernereau, votre analyste.

Encore hagard, Hugo Lucca le laissa entrer et du Barrail poursuivit son histoire comme il l'avait raconté la première fois à Marie Adendorff. Hugo Lucca se passa une main sur le visage.

— Excusez-moi mais il m'est toujours difficile de commencer la journée sans mon café. Puis-je vous en proposer?

— Avec plaisir.

Du Barrail fut invité à prendre place au salon. Le plancher de chêne, astiqué avec la plus grande énergie, brillait sous les rayons du soleil qui entraient à flots par les fenêtres du salon. Des meubles anglais de style marin donnaient à l'appartement un air de cabine de bateaux encombrée d'un bric-à-brac d'objets hétéroclites : une roue de gouvernail, des pipes, des coraux, des coquillages... Levant les yeux, du Barrail aperçut de très belles poutres vernies au plafond. Des plantes grimpantes prenaient essor de multiples pots pour monter le long des murs et s'y accrocher.

Le psychanalyste trouva l'endroit très plaisant. Bientôt, Hugo Lucca revint avec une cafetière et deux tasses. Il repartit aussitôt à la cuisine pour y rechercher les cuillères et le sucre oubliés.

— Me permettez-vous une question? demanda poliment du Barrail à son retour.

— Oui.

— Êtes-vous marin?

— Je l'ai été mais je souffre d'un mal étrange : le mal de mer. Ne souriez pas! Pour un marin, c'est un problème! J'ai donc mis pied à terre et je suis devenu journaliste.

Il se tut, les yeux dans le vide.

— Quelque chose ne va pas? s'enquit du Barrail.

Hugo Lucca se passa encore une fois la main sur la figure.

— J'ai fait un cauchemar, enfin je crois... cela paraissait si réel...

— Le rêve est l'un des moyens d'expression de votre Inconscient, fit gentiment remarquer le psychanalyste. C'est seulement lorsque l'on dort qu'il peut s'exprimer sans aucune censure. Quel était ce rêve ?

Hugo Lucca hésita. Il porta d'une main tremblante sa tasse de café aux lèvres et but une longue gorgée du breuvage brûlant. Le regard de du Barrail n'était nullement inquisiteur, c'était celui d'un homme capable d'écouter et de comprendre. D'instinct, Hugo Lucca sut qu'il pouvait lui faire confiance.

— J'ai vu un roi, il marchait seul dans la forêt. Il errait à travers les arbres comme s'il était perdu. La forêt devenait de plus en plus sombre. Bientôt le roi disparut dans l'obscurité et je me retrouvai seul, allongé sur le sol. Des serpents sortirent alors de tous côtés et commencèrent à ramper sur moi...

Il frissonna. Du Barrail le contempla avec bienveillance.

— L'Inconscient ne connaît ni le temps ni la contradiction puisqu'il est sans jugement. Votre serpent peut incarner bien des choses : votre psychisme obscur, quelque chose qui se tortille en vous pour sortir...

— Quoi donc ?

— Je ne sais pas.

Du Barrail haussa un sourcil comme il faisait souvent lorsqu'il hasardait une hypothèse.

— Une vérité…

— Connaissez-vous mon cas ? demanda vivement Hugo Lucca.

Du Barrail n'hésita pas.

— Oui, je sais que vous ne vous rappelez plus deux années de votre vie.

Hugo Lucca se leva et alla à la fenêtre, contemplant sombrement au-dehors.

— Elles ont disparu comme un crachat sous la pluie, la pluie sur les montagnes…

Du Barrail attendit la suite qui paraissait prometteuse d'un beau mouvement d'association de mots. Comme rien ne vint, il secoua doucement la tête. Tant que Hugo Lucca ne se libérerait pas de son passé, il ne pourrait ni connaître la réalité ni vivre le présent. Comment aller de l'avant alors que tout son être reste attaché à ce qui est derrière lui ?

— Vous ne buvez pas ?

Hugo Lucca s'était retourné, l'air vaguement mécontent. Le psychanalyste porta la tasse à ses lèvres, découvrant un équilibre subtil entre douceur et amertume. Il but et son palais fut cette fois enveloppé de notes de caramel, de pain grillé et de chocolat. C'était le meilleur café qu'il ait dégusté de sa vie.

— C'est un café des îles, expliqua son hôte. Là où je n'irai jamais…

Du Barrail sortit pensif de chez son nouveau patient car c'était le propre de cet homme que de s'attacher à tout malade qui lui confiait sa douleur de vivre. En arrivant dans la rue, un mouvement furtif en face de lui attira son attention. Une seconde plus tôt, un regard sombre comme la nuit s'était posé sur lui avec une rare acuité. Étonné, il s'immobilisa. La femme se détourna aussitôt pour contempler la vitrine d'un herboriste et du Barrail continua son chemin, troublé. Il avait eu le temps de reconnaître l'épouse de Mathias Adendorff : Aniela.

*

Marie se surprit à fredonner un air entraînant. Du Barrail l'avait invitée à déjeuner, elle s'était faite belle et le regard des passants sur elle ne traduisait que compliment. Elle se surprit à penser à l'avenir avec optimisme. Son art remplissait sa vie, l'efflorescence de la création culturelle l'emportait dans un tourbillon de pensées sans fin. Il ne lui manquait que de se guérir de ses loups et, pour cela, elle avait confiance en du Barrail comme elle n'avait jamais eu confiance en Gernereau.

Bien sûr il était trop sérieux, ou plutôt trop concentré sur son travail. Elle avait pourtant déjà réussi à l'entraîner à une exposition. S'il avait admiré la brutalité des couleurs pures mises en forme par la virtuosité d'un Matisse, il ne retenait des cubistes qu'une aberrante déstructuration des choses et un fastidieux désordre. Elle ne se décourageait pas pour autant et se réjouissait même de pouvoir parfaire son éducation picturale.

Du Barrail avait proposé à la jeune femme de traverser le marché aux puces avant de se rendre à un restaurant très proche, porte de Clignancourt. Ils empruntèrent donc un lacis de boyaux et de vieilles ruelles où s'entassaient des baraques de bois regorgeant d'objets hétéroclites. Les charrettes à bras des chiffonniers encombraient les venelles. Des seaux de boulons jonchaient le sol. La promenade pittoresque réunissait une foule hétéroclite. Même les bourgeois des beaux quartiers semblaient y prendre goût. Marie découvrit un du Barrail gai et bavard, prenant plaisir à commenter toutes les trouvailles de la jeune femme.

Ils prirent ensuite place dans un charmant petit restaurant de quartier où le patron, un Lyonnais, servait une succulente salade de museau. Le psychanalyste et la jeune femme étaient les premiers clients. Une agréable buée s'était déposée sur les vitres tandis que s'élevaient dans l'air les fumets de rôti, d'oignon et de gratin dauphinois. Ils optèrent pour un gigot à l'ail et, comme le plat demandait un peu plus de temps, un gigondas solidement charpenté vint les faire patienter.

— C'est gentil de m'avoir invitée, dit-elle.

— Le plaisir est pour moi, j'apprécie votre compagnie.

Une flamme vacillante s'alluma dans les yeux de Marie.

— Vous m'avez demandé l'autre soir pourquoi je m'étais dirigée vers la sculpture, dit la jeune femme. Vous ne m'avez pas dit de votre côté ce qui vous a poussé à choisir la voie de la psychanalyse. Une voie sinueuse…

— Il vaut mieux être mûrier qu'amandier, répondit doctement du Barrail.

— Que voulez-vous dire?

— Qu'on a plus de profit à être sage que fou. L'amandier est le symbole de l'imprudence car sa floraison précoce l'expose aux aléas…

Elle lui jeta un regard pénétrant.

— Je crois comprendre ce que vous voulez dire, si vous n'aviez pas été psychanalyste, vous auriez été fou!

Le regard de du Barrail était un masque impénétrable.

— Sans doute, répondit-il.

Et elle devina qu'il était sincère.

— Théorie intéressante. Devient-on aussi policier ou détective pour se protéger de sa propre criminalité?

Du Barrail songea à Max Engel et à sa sauvage détermination.

— Pour certains, c'est bien possible, oui.

Elle le regarda affectueusement.

— Vous êtes si modeste mais je ne me trompe pas, vous êtes dans votre domaine un pionnier comme d'autres le sont pour les arts. J'aime cette belle époque qui mélange des gens qui pensent en profondeur, comme vous, avec des gens qui voient en couleur, des Cézanne, Monnet, Braque, Picasso, Matisse…

— Ou des penseurs comme Gide, Claudel, Valéry…

Elle eut une petite moue.

— Des gens compliqués! Vous n'aimez pas la légèreté, du Barrail? Moi, j'aime les choses qui sont en apesanteur…

Elle le regarda droit dans les yeux.

— Les choses qui flottent comme ça dans l'air entre deux personnes…

Elle ne pouvait en dire plus, lui ne savait que répondre. Il restait des choses qu'il n'avait pas eu le temps d'apprendre à partager. Ils mangèrent un instant en silence, chacun un peu déçu de cette occasion manquée. Tout en sauçant son assiette, du Barrail demanda d'un ton détaché :

— Je ne vous ai pas dit que j'ai aperçu votre belle-mère chez votre père.

— Ah ! Aniela…

Elle haussa les sourcils.

— Vous n'appréciez pas votre belle-mère ?

Marie Adendorff réagit vivement.

— Non, non, détrompez-vous, j'éprouve pour elle beaucoup de respect et d'affection. Je lui dois beaucoup, ainsi qu'à mon père, notamment d'avoir échappé à tout ce qui attend une jeune fille de mon milieu : les bals bleus où les mères choisissent le garçon à la plus grosse dot. Généralement, toute la famille se mobilise pour trouver le meilleur parti possible. Moi, on m'a laissée en paix.

— Alors, tout va bien entre vous ?

Marie Adendorff hésita une fraction de seconde.

— Oui, j'ai simplement du mal à la considérer comme ma belle-mère : elle n'est guère plus âgée que moi, voyez-vous.

Du Barrail repoussa son assiette.

— Et pourtant, elle est tombée amoureuse de votre père…

— De son image plutôt, de son charisme… À de multiples égards, mon père est un être fascinant. Est-ce que ces choses-là sont faites pour durer? Aniela partageait toutes ses idées, c'était quelqu'un de très engagée elle aussi…

— Engagée?

Marie Adendorff se mordit les lèvres.

— Aniela a toujours milité pour les droits des femmes. Elle appartient au Conseil national des femmes françaises.

— Votre père aussi?

— Plaît-il?

— Vous avez dit qu'elle était engagée, *elle aussi*. J'en conclus que votre père l'était également.

Elle cilla rapidement.

— Savez-vous bien qui est mon père? demanda-t-elle froidement.

— Je ne le connais pas. Si vous deviez le définir par le premier mot qui vous passerait par l'esprit, quel serait-il?

— Un chasseur.

— Un chasseur, comme c'est étrange. Voulez-vous m'expliquer pourquoi?

Elle le regarda fixement.

— Êtes-vous en train de m'analyser?

— J'essaie de vous connaître mieux et pour cela de comprendre ceux qui vous entourent.

Ses yeux se plantèrent dans les siens. Il y lut un mélange de colère et de peur.

— Mon père a des valeurs humaines élevées. Vous aussi, je crois. Ce sont vos parents qui vous les ont inculquées? Subitement, du Barrail parut complète-ment perdu et désemparé comme un navire qui venait de perdre son gouvernail.

— Non, finit-il par répondre. Ils sont morts trop tôt et j'ai perdu à peu près tous mes souvenirs d'eux.

— Comment cela? fit Marie Adendorff interloquée.

— Toute mon enfance semble s'être dissoute d'un seul coup.

Elle fronça les sourcils, intriguée par cette indéfinis-sable mélancolie qui emplissait son regard.

— Parfois, j'ai l'impression que vous n'auriez jamais souhaité grandir…

— Oui, j'aurais désiré rester un enfant toute ma vie. Le monde est bien cruel lorsqu'on y est confronté tout seul.

— Pourquoi dites-vous cela?

— Pour rien.

Comme les nuages s'amoncelaient dans ses yeux elle les balaya d'un sourire clair et posa une main gra-cile sur son poignet.

— Ne voulez-vous pas me raconter?

Oui, il aurait aimé le faire mais cela impliquait telle-ment d'aveux qu'il décida de se taire. Ils se regardèrent alors en chiens de faïence, chacun bien décidé à ne rien dire de plus et une chape de gêne tomba sur eux jusqu'à ce qu'ils se séparent avec un certain soulage-ment, aussi mécontents l'un de l'autre qu'ils l'étaient d'eux-mêmes.

*

Du Barrail regagna son cabinet en prenant un des derniers tramways à chevaux de la ville. Il contempla avec nostalgie le Paris de la fonte et du fer ondulants qui se déroulait sous ses yeux. La pierre dure et ferme de son immeuble qui avait résisté à toute mode le rassura. Après une séance avec une patiente atteinte d'arythmomanie qui comptait chaque marche d'escalier et de lame de parquet lorsqu'elle marchait, du Barrail sortit et gagna sa banque pour se replonger dans le début des notes du docteur Gernereau sur l'amnésique.

Je fus impressionné par les symptômes morbides exprimés, soit intelligemment, soit à mots couverts par ce jeune homme. Tous ces symptômes sont les résidus d'un drame qu'il a vécu il y a plus de huit ans. Une scène traumatique a généré un refoulement des deux années de sa vie précédant ce drame. Hugo Lucca a simplement tout oublié de cette période-là de son existence. Ceci est d'autant plus étrange que d'ordinaire les amnésies sont temporaires et ne recouvrent pas d'aussi importantes périodes.

S'ensuivait toute une série de notes et de suppositions diverses auxquelles du Barrail n'adhérait guère. Il revint chez lui à pas lents, laissant la brise printanière le rafraîchir. Un courrier de Freud l'attendait et retint toute son attention.

Mon cher confrère et ami,

J'ai lu votre lettre avec intérêt. Deux femmes, la Dame aux Loups et la Dame en vert, deux histoires : le loup pour l'une, la pomme pour l'autre. Or, par qui a été offerte la pomme à la femme dans la tradition biblique ? Par le serpent ! Serpent que nous retrouvons chez votre amnésique. Passionnant ! Voici déjà un lien entre ces deux personnes, un lien ténu mais que vous saurez peut-être expliquer demain.

Commençons par le loup. En Asie, on fabrique des loups en forme de foin au moment des récoltes et on les conserve une année entière pour que le loup épouse toutes les filles du village. Vous rendez-vous compte ? On veut le sexe du loup ! On le désire, on l'attend. Cette jeune femme a pu désirer ce sexe de loup sans en recevoir l'offrande. Il y a bien des voies inexplorées dans votre recherche. Peut-être avez-vous conclu un peu trop vite à la culpabilité du père de cette jeune fille. Celle-ci vous a montré la maison où elle aurait été violée. Vous avez fait le lien entre la maison et son propriétaire mais Marie Adendorff a simplement parlé d'un lieu, pas d'une personne. Et puis, j'en avais déjà fait la remarque au docteur Gernereau, la Dame aux Loups parle de loups et non d'un loup. Songez que c'est un élément de plus pour la défense de son père.

Passons à la Dame en vert, encore appelée Marie-Madeleine. Combien de nos patientes rêvent de se prostituer ? C'est le sexe comme instrument au service de la puissance mais nous ne disposons d'aucun matériau pour aller plus loin dans l'analyse.

Une jeune femme qui se vautre dans le péché, un jeune homme qui rêve de serpent. Passons à votre amnésique, Hugo Lucca. Là encore, voyez le lien : le péché, la pomme, le serpent…

Le serpent ? Le sexe, mon jeune confrère, le sexe. J'ai lu un texte du Vᵉ siècle, une sorte de Genèse du péché. Il met en scène la femelle du serpent et cela est rien moins qu'effrayant : dès qu'elle ressent l'excitation sexuelle, l'obscène femelle provoque le mâle qu'elle veut boire de sa bouche grande ouverte. Le mâle introduit dans la gorge de sa compagne sa tête à la triple langue et, tout en feu, lui darde ses baisers, éjaculant par ce coït buccal le venin de la génération.

Le serpent est un symbole sexuel par excellence. Lorsqu'il s'éveille, il se raidit. Vous voyez ce que je veux dire ? Le serpent est le substitut du pénis en érection.

Vos analyses me semblent pertinentes mais une chose toutefois m'interpelle. Il me semble qu'à chaque fois, dans votre désir de bien faire, vous appliquez une théorie et vous vous hâtez de la fortifier avec les éléments qui vous semblent la conforter. Ceci n'a rien d'extraordinaire, c'est une tendance humaine tout à fait naturelle. Pourquoi n'êtes-vous pas parvenu à établir le lien entre ces trois personnes ? Je vais vous répondre par une autre question.

Savez-vous comment j'ai découvert l'analyse ? Après avoir compris les limites de l'hypnose, j'ai usé du questionnement. Je harcelais littéralement mes patients de questions. Un jour l'un d'eux s'est écrié : "Mais laissez-moi donc parler, docteur !" Après ça, je me suis tu. J'ai redonné la parole à mes malades.

Avez-vous redonné la parole à vos patients, du Barrail?

Votre bien dévoué.

Sigmund Freud

Un peu plus tard, dans la soirée, il soumit chez lui le courrier de Freud à Jung qui le lut attentivement, les sourcils froncés, partagé entre des sentiments contraires. Du Barrail laissa la pensée du Suisse arriver à maturité.

— Je suis intrigué, dit Jung en levant lentement les yeux du papier, de voir Freud verser dans la démonologie, cela ne lui ressemble pas. C'est vrai que le serpent a ôté à Ève sa pudeur virginale. Archétype du récit biblique : le serpent fait croire à Ève que l'arbre de mort est en réalité arbre de vie et qu'il faut donc se hâter d'en manger les fruits. Les fruits de la connaissance, pas de la sexualité! L'homme a d'autres besoins que le sexe : se nourrir, fuir le danger, éviter de se faire mal, s'intégrer à un groupe social, être le meilleur, croire en l'au-delà…

Il jeta le courrier sur le bureau de son jeune collègue et se leva.

— J'ai soigné beaucoup de névroses sans rapport avec le sexe. Freud dit que tout le monde est névrosé. Donc, lui aussi. De quelle névrose souffre-t-il? Freud est bouleversé par la sexualité, sait-il seulement pourquoi?

Il sortit de sa poche un étui à cigarette mais ne l'ouvrit pas, se contentant de le faire tourner entre ses grandes mains.

— Freud m'a beaucoup gêné lorsqu'il m'a écrit l'an dernier pour m'apprendre que, selon lui, Léonard de Vinci était homosexuel et avait transformé sa sexualité inachevée en une pulsion de savoir. Tout ça parce que dans ses mémoires, Léonard a raconté un de ses rêves dans lequel un vautour lui mettait sa queue dans la bouche! Je ne sous-estime pas la place que peut prendre la sexualité dans la vie psychique mais cela ne doit pas tourner au délire interprétatif.

Comme soulagé d'avoir exprimé ses idées, Jung alluma enfin sa cigarette et inhala profondément.

— Prenez le serpent, il en existe de nombreuses variétés : le serpent qui se mord la queue, le serpent cosmique, celui qui est cercle : vie et mort, mort et vie. C'est la main qui lance et celle qui rattrape. Celle qui donne et qui reprend.

Jung s'interrompit pour lui jeter d'un ton de défi :

— Alors que faites-vous de cela ?

Du Barrail réfléchit.

— Hugo Lucca est d'origine italienne, un peuple profondément chrétien. Or la chrétienté ne retient que l'aspect maudit du serpent. Le serpent d'Ève bien entendu mais aussi les serpents sifflants : *L'éternel envoya à son peuple des serpents hurlants dont la morsure fit mourir beaucoup de monde en Israël. "Éloigne de nous ces serpents", implora le peuple auprès de Moïse.* Le serpent est punition ou bien attire la punition. Dans tous les cas, il est coupable. C'est le séducteur répugnant qui nous apporte vice et péché. Ces serpents de ces rêves, Hugo Lucca peut se les envoyer pour se punir. L'autopunition...

Jung se planta devant les soldats de plomb de son jeune confrère et entreprit de rompre l'alignement des grenadiers de la Garde.

— L'autopunition pour quelle faute? demanda-t-il.

Du Barrail se troubla et rejoignit Jung.

— Euh… je ne sais pas…

— Le roi! C'est votre second élément! Si le roi a trahi ses idéaux, peut-être a-t-il entraîné Hugo Lucca dans sa chute.

Jung tira une autre bouffée de sa cigarette sans dissimuler sa satisfaction.

— Vous voyez mon jeune ami, vous venez à mon raisonnement, vous y venez… Vous avez bien compris la puissance des mythes…

Du Barrail hocha la tête et entreprit de remettre dans leur carré initial les grenadiers de la Garde sous le regard amusé de Jung.

Gernereau s'était trompé, pensa le jeune psychanalyste. Il n'avait pas cherché la cause des névroses de Hugo mais, ayant trouvé une explication satisfaisante, avait étayé celle-ci par les arguments qu'il souhaitait entendre. Voilà ce qui arrive lorsque l'on veut qu'un cercle soit carré.

— La compréhension des causes, mon ami, souligna sentencieusement Jung, tout est dans la compréhension des causes. *Heureux celui qui a pu pénétrer les causes secrètes des choses.* Notre ami Gernereau a voulu aller au plus court, toujours la voie la plus facile. Mais souvent la névrose ne résulte pas d'un seul traumatisme. Nous devons remonter progressivement toute la chaîne des souvenirs pathogènes pour découvrir la cause véritable du mal.

— Vous pensez que c'est une succession d'événements qui l'a conduit là où il en est aujourd'hui?

Jung répondit par une autre question.

— Vous connaissez les sirènes? Celles qui charment les marins et les perdent à jamais s'ils s'abandonnent à leur voix si délicieuse?

— Les sirènes qui tentent Ulysse sur son bateau pour l'entraîner à faire briser celui-ci sur les récifs…

Le Suisse approuva vigoureusement.

— Tout l'oubli, donc l'amnésie, réside dans la voix des sirènes. Ceux qui les entendent perdent tous les repères de leur existence et en oublient même ceux qu'ils aiment.

Une ride barra le front de Jung qui ajouta à voix basse comme pour lui-même :

— Quoi de pire?

Il se leva et jeta son manteau sur ses larges et robustes épaules.

— Voilà notre nouvel Ulysse. Il entend ses sirènes à lui et elles produisent l'effet opposé à vos soins.

— Et que lui apportent donc les siennes?

— Rien sinon le désir de mort.

— Que dois-je faire? demanda du Barrail en le suivant jusqu'à la porte.

— Ce que vous pouvez avec les éléments en votre possession.

— C'est-à-dire?

— Retrouvez le roi perdu. Le roi est souvent une

projection du Moi. En lui se concentre tout un idéal puisque le roi est dévoué par nature aux autres. Seulement, voilà, le roi est perdu dans la forêt. Ce roi n'aurait-il pas tout oublié de ce à quoi il était destiné ? Le roi est perdu… le roi m'a trahi, le roi nous a tous trahis… Mais qui serait ce roi ?

L'image de Mathias Adendorff, le Loup, flotta un instant entre eux mais, pour une obscure raison, personne n'osa prononcer son nom comme si l'évoquer pouvait porter malheur.

Ils sortirent. Le soir tombait et une étrange lueur semblait saupoudrer toute la ville d'une substance dorée. Le long des boulevards, les peupliers frissonnaient sous la brise.

— Je ne vois toujours pas le lien entre ces trois personnes, reprit du Barrail toujours dans ses pensées, mais Freud a raison : je n'écoute pas. Marie a toujours parlé des loups au pluriel et moi j'en suis resté au loup de la fable.

— Attention ! Vous ne voyez pas toutes les conséquences de cette affaire : lorsqu'il a envoyé ses notes à Freud, Gernereau pensait comme vous à un seul loup. La réponse de Freud a dû le faire progresser dans sa compréhension mais cela reste une supposition que rien ne permet d'étayer.

Du Barrail médita en silence ces dernières paroles, stupéfait par l'extraordinaire clairvoyance de son aîné. Autour d'eux, la nuit se peuplait doucement de bruits et de lumières.

— Souhaitez-vous dîner dans un restaurant précis ?

demanda soudain le jeune homme en prenant conscience qu'il ne savait pas où ils allaient.

— Non, je vous emmène ailleurs.

— Où cela?

— Dans un bordel!

*

Planté sur le trottoir, Max Engel impatient battait
du pied à l'angle de l'avenue du Bois et de l'avenue
Malakoff. Les passants se retournaient en souriant à
son passage et le détective se sentit grotesque dans sa
tenue de sans-culotte, sa pique à la main. Tout à coup,
un individu à la tignasse broussailleuse traversa la rue
dans sa direction. On lisait dans le déhanchement de
ses épaules un passé louche. En passant près de lui,
il lui fourra rapidement un carton dans la main en
murmurant:

— Le pigeon qui braille à l'entrée, c'est celui à qui
j'ai chouré le carton.

Max Engel hocha la tête d'un air approbateur mais
déjà le pickpocket, une relation équivoque mais utile
de temps à autre, avait disparu. La fête battait son
plein lorsque Engel présenta, à l'entrée de l'hôtel particulier de Boni de Castellane, son carton d'invitation au majordome. Dehors, des milliers de lanternes
vénitiennes étaient suspendues aux branches des
arbres, chassant la nuit plus loin. Il pénétra dans ce
que l'on surnommait le Palais Rose, gravissant le
célèbre escalier de marbre rouge à rampe de marbre

noir. Il y croisa une impératrice byzantine portant un lourd diadème orné de rubis et dont les nombreux bracelets tintaient à chacun de ses mouvements. Les grandes cocottes étaient là également, il les reconnut au passage : Liane de Pougy, la belle Otero et d'autres encore, toutes couvertes de bagues, de bracelets et de colliers. Allons, il trouverait bien là la Dame en vert !

Dans de grands seaux remplis de glaçons brillaient les bouchons des bouteilles de champagne. La foule bruissante tourbillonnait avec grâce, se perdant en vains bavardages. Tout le monde s'était déguisé pour l'occasion. Max Engel se taillait un vrai succès avec sa tenue de révolutionnaire et son entrain à piquer vigoureusement les fesses des invités avec sa fourche en criant : *Mort au capitalisme !* Après quelques instants à s'être ainsi amusé comme un gamin, il se dirigea sans hésiter vers le buffet et engouffra deux canapés au saumon puis un toast au caviar en criant la bouche pleine : *La propriété, c'est le vol !*

Il y eut soudain un mouvement de foule. Une tiare de diamants couronnant sa tête, la comtesse Greffulhe apparut, déguisée en cygne, les plumes de l'oiseau tombant en cascade sur ses reins.

Un verre de vin blanc à la main, le détective se mit alors à examiner les invités pour tenter d'y découvrir celle qu'il cherchait. Entre un mousquetaire et un druide gaulois, une jeune patricienne romaine, portant une tunique bordée de pourpre et resserrée à la taille par une ceinture qui la faisait blouser, attira son attention. Elle avait un corps magnifique et un chatoiement de pierres précieuses mettait en valeur la blancheur laiteuse de sa peau. Mais non, ce n'était pas elle. Il la salua pourtant d'un sonore :

— Salut à toi, esclave romaine !

— Ce n'est pas parce que l'on porte des calceolus qu'on est une esclave ! rétorqua-t-elle vertement.

Max Engel baissa les yeux sur les sandales de cuir aux longs lacets qui s'enroulaient autour de ses mollets.

— Des calceolus ? Ah ! c'est comme ça que ça s'appelle…

Il attira vers lui un valet en livrée bleu et rouge, portant culotte et bas de soie, souliers à boucles et gants blancs, et lui montra discrètement quelques billets en lui murmurant quelque chose à l'oreille. L'homme acquiesça et désigna du menton une silhouette à l'autre bout de la pièce.

Déguisée en femme de harem, son visage était donc, comme de coutume, masqué. Ses bras étaient nus et sa gorge décorée d'une émeraude d'une taille respectable. Le regard du détective glissa jusqu'à ses pieds, chaussés de sandalettes. Il la vit discuter avec un Napoléon bien trop grand pour être crédible. Ils se séparèrent après un dernier mot et le faux monarque se dirigea vers une porte qu'il ouvrit et referma derrière lui. Quelques secondes passèrent, l'esclave du harem évita en souriant des mains trop lestes, refusa une invitation à danser et, sa coupe de champagne toujours à la main, se glissa jusqu'à la porte où avait disparu son interlocuteur.

Contournant l'impressionnante queue d'écureuil d'un invité, Max Engel la suivit prestement et se retrouva dans une salle dont tous les murs étaient recouverts de miroirs. Un instant, il eut la vision d'une centaine de couples face à face alors qu'ils se trouvaient seuls. Apercevant son reflet, elle se retourna lentement.

— Je savais que je vous trouverai là, dit-il. Une femme comme vous ne peut manquer ce genre de soirée…

— Vous faites erreur, monsieur.

— Oh! non, j'ai versé suffisamment d'argent à un domestique pour être sûr que c'est vous. Et puis, vous m'avez déjà causé une impression que vous seule pouvez reproduire sur moi.

Elle le considéra un instant, un sourire vague aux lèvres. Max Engel jugea son regard délicieusement insupportable.

— Croyez-vous donc que j'ignore que vous me courez après? dit-elle enfin. Vous posez beaucoup de questions sur moi, un peu partout.

Ils furent bousculés par un perroquet ivre qui cherchait à boire au mauvais endroit. D'autres convives entrèrent et admirèrent cette cage de glaces.

— Venez à l'écart, dit le détective, nous pourrons discuter plus tranquillement.

Elle le jaugea avec un brin d'amusement.

— Qui me dit que je serai en sécurité avec vous?

— Venez, vous dis-je.

Il avait posé sa main sur son épaule et voyait maintenant son geste se répéter à l'infini sur les murs de glace.

— Suivez-moi! décréta-t-elle soudain.

Après avoir donné cet ordre, elle s'empara de sa main et l'entraîna. Elle semblait bien connaître les lieux car ils traversèrent un couloir marbré pour se retrouver dans un petit salon. Sur les lambris de la pièce, couleur lilas, s'étalaient des treillages ornés de fleurs et des allégories galantes. Dans un coin, un brûle-parfum distillait des senteurs de rose et de violette. Ils s'installèrent sur un divan garni d'un monceau de coussins moelleux.

— Vous me cherchiez, reprit la Dame en vert d'une voix un peu rauque. Vous m'avez trouvé et maintenant qu'allez-vous faire? Me gifler? Me frapper? Les hommes savent faire! Non? Peut-être êtes-vous de ceux qui préfèrent ceci?

Elle posa sa coupe sur un guéridon puis, sans un mot, se pressa brutalement contre lui. D'un coup, il sentit son corps souple et brûlant se lover au sien. Les bonnes résolutions de Max Engel l'abandonnèrent. Il voulut soulever son voile afin de prendre ses lèvres mais elle les lui refusa. Alors, comprenant que ce n'était pas cela qu'elle attendait de lui, il posa sa main sur sa cuisse et la remonta lentement sous la soie qui la recouvrait. Ses hanches ondulèrent doucement et son bassin se colla au sien. Il se sentit alors irrésistiblement tomber en arrière.

Engel gémit, la vie serait supportable sans les plaisirs. Comme il se retrouvait allongé sur le dos et réduit à l'impuissance, il protesta faiblement.

— Laissez-moi faire…

— Non, sans un peu de travail on n'a pas de plaisir, murmura-t-elle en s'activant. N'a de plaisir qui n'en donne.

Une goutte de sueur perla de son front et tomba sur ses lèvres. Il la but goulûment.

— Pas de plaisir sans sueur mon ami, murmura-t-elle.

Ses ongles rouge sang lâchèrent brusquement l'objet qu'ils griffaient délicatement.

— Que faites-vous? protesta-t-il.

Elle se réajusta tranquillement en défroissant les plis de ses voiles vaporeux.

— Lorsqu'on a goûté à moi, on ne peut plus s'en passer. Ce n'était qu'un acompte, le reste a un prix. Vous pourrez avoir plus la prochaine fois ainsi qu'une très forte somme d'argent.

— Contre les notes? hoqueta Max Engel.

— Contre les notes.

Le détective expira doucement, tentant de calmer ses battements de cœur et de reprendre sa respiration.

— Vous avez vraiment cru que je travaillerai pour vous? demanda-t-il brutalement. Vous avez pu penser que je pouvais trahir du Barrail?

Elle lui jeta un regard froid.

— Je ne suis que le cadeau agréable de l'affaire. Mon employeur n'est pas aussi charitable que moi, je le crains!

— Qui est votre employeur?

— Un monstre.

Elle lui tendit sa coupe où le champagne commençait à tiédir.

— Buvez, vous en aurez besoin avant de m'entendre.

Il vida la coupe d'un trait et grimaça. Le champagne n'avait pas très bon goût.

— Je vous écoute, dit-il.

Elle lui jeta un regard neutre.

— Puis-je fumer ?

D'où sortit-elle une cigarette ? Il n'eut pas le temps d'y réfléchir qu'elle l'avait déjà allumée et, s'environnant d'un nuage de fumée, le regarda droit dans les yeux en murmurant :

— Il était une fois…

Dehors, on commençait à tirer le feu d'artifice. À travers la fenêtre, il vit des fusées éclabousser la nuit de mille couleurs.

— Il était une fois un Loup…

Le détective cligna des yeux, la tête commençait à lui tourner. Il la regarda avec stupéfaction et comprit.

— Nous sommes dans une histoire de loups, mon cher détective, dit-elle sèchement, pas dans une histoire de bergères et de princesses. À l'avenir, soyez plus prudent !

Il tomba et sa dernière vision fut celui de son voile qu'elle n'avait pas enlevé.

*

Hugo Lucca avait regardé le soleil se coucher. Ses derniers reflets, durs et froids sur la Seine, donnaient à l'eau une texture de métal en fusion. Effrayé par l'approche de la nuit et son lot de cauchemars habituels, il décida de sortir. Des voix perdues remontaient en lui par vagues successives pour se briser sur des écueils. C'était le résultat de son analyse mais tout cela demeurait trop fugitif pour réveiller en lui les souvenirs des temps oubliés.

Il s'était promené un instant dans le Paris illuminé par la fée Électricité. Maintenant, il se tenait immobile, échoué comme une baleine sur un banc de sable, au milieu d'un bar à moitié désert. Perché sur son haut tabouret, il émanait de lui un tel sentiment de solitude que le vide s'était fait autour de lui. Pourtant, contre toute attente, quelqu'un ne le quittait pas des yeux.

— S'il vous plaît…

C'était une femme à l'élégance glacée, imposant une distance avec chacun de ses interlocuteurs lorsque celui-ci n'était pas le bienvenu. Elle avait un regard immense, prêt à absorber la nuit. D'un coup dans la salle, les conversations cessèrent et les hommes jetèrent un coup d'œil dans sa direction. Elle portait une robe de soie sombre et aux pieds des chaussures également de soie.

— Voulez-vous m'offrir un verre?

Elle parlait d'une voix douce et volontaire. Subjugué, Hugo Lucca appela le barman. Avec une grâce hautaine, elle se hissa sur un tabouret à côté de lui. Ainsi perchée, elle faisait penser à un oiseau de proie. C'était la femme de l'autre soir… la Dame de la nuit…

— Que désirez-vous boire, demanda-t-il d'une voix rauque.

— La même chose que vous.

Il commanda docilement deux bourbons. Le serveur s'empressa de les leur apporter sans quitter des yeux la femme qui lui jeta un regard au reflet glacé.

— Allez donc voir ailleurs si nous y sommes, gronda Hugo Lucca entre ses dents.

Et l'éclat de ses yeux était tel que le barman disparut à l'autre bout de son comptoir. Comme s'il venait de brûler ses dernières forces, Hugo Lucca sembla alors s'affaisser sur lui-même. Dans son esprit tourmenté, un raz de marée menaçait sa mémoire. D'une main tremblante, il porta le verre à ses lèvres, aspergeant au passage le bras de sa veste. Elle le regarda engloutir le bourbon sans esquisser un geste.

— Vous semblez troublé, monsieur Hugo Lucca.

Il tressaillit en entendant son nom.

— Qu'en savez-vous?

Le regard de la Dame de la nuit s'emplit soudain de tristesse.

— L'intuition des femmes. Je sens que vous n'avez pas toujours été ce que vous êtes.

Elle sembla hésiter et son teint pâlit légèrement.

— Et peut-être redeviendrez-vous ce que vous avez été…

— Voilà un langage bien sibyllin pour une inconnue mais il est vrai que vous connaissez mon nom… Qui êtes-vous?

— Est-ce bien nécessaire pour une simple conversation devant un verre?

— Votre nom! réclama-t-il sèchement.

À sa grande surprise, elle le lui dit aussitôt, semblant trouver dans cette soumission un réel plaisir.

— Anelia Adendorff.

— Ce nom ne me dit rien, grogna-t-il.

— Mais c'est le mien et vous me l'avez demandé…

À nouveau, sa voix le subjugua. Relevant lentement la tête, il plongea avec stupeur dans le regard magnétique de la Dame de la nuit et ce fut comme si un voile se levait sur sa vie.

— Je vous connais… murmura-t-il extasié.

Sous le poids de cette révélation, le visage de la femme changea d'expression. Une tristesse sans nom avait pris possession d'elle. Un pied gainé de blanc se posa à terre, quelque part sur son cou des colliers s'entrechoquèrent et ce tintement soudain sembla le tirer d'un long sommeil.

— Je vous connais, dit-il de nouveau avec une ferveur nouvelle.

D'un geste fluide, elle ramena autour d'elle les plis de sa robe.

— Que diable êtes-vous venue faire dans ma vie? gronda-t-il devant son silence.

Elle le regarda par-dessous ses longs cils noirs, ses yeux emplis de la sombre beauté de la nuit mais tout son corps restait caché par de soyeux artifices. Le cœur de Hugo Lucca manqua chavirer dans son regard teinté d'une indéfinissable mélancolie. Il se rattrapa d'une gorgée d'alcool.

— À bientôt, Hugo, dit-elle.

Et elle sortit sans un mot de plus.

*

Ils étaient dans un bordel et Jung, content de son effet, riait aux éclats.

— Le sexe, le sexe! Je veux bien entendre Freud mais maintenant, mon ami, venons-en aux faits! Non, je n'ai pas dit aux travaux pratiques! Je vous demande simplement de regarder ce qui vous entoure. Et ne faites pas cette tête, la prostitution est avant tout un système d'échange entre deux classes et une soupape de sécurité dans notre société. Les jeunes garçons chrétiens ont une telle pression avant le mariage qu'ils en deviendraient fous s'il n'existait pas l'échappatoire du bordel!

Ils prirent place sur des fauteuils en doux velours saumon et une serveuse en déshabillé, talons hauts, petit tablier blanc à la taille et camélia dans les cheveux, leur servit des cocktails avec un nuage de bitter, un tiers de cherry et deux tiers de vermouth italien. *Très apprécié par les jeunes gens ainsi que par les plus âgés,* leur assura-t-elle.

Autour d'eux, tout n'était que miroirs, dorures, tableaux légers et tentures lourdes. Sur d'épais tapis moelleux évoluaient, comme des échassiers, des jeunes femmes en robes longues et moulantes, portant des chaussures à talons hauts. Elles allaient et venaient, prêtes à offrir leur compagnie. Du coin de l'œil, du Barrail suivit leur ballet gracieux.

— Je ne vous étonnerai pas, reprit Jung après avoir allumé une cigarette, en vous disant que Max Engel pense que les travailleuses du matelas sont des travailleuses pas plus mais pas moins exploitées que les autres. Quant aux tôliers! Il faut l'entendre parler de Fernand le Moche et d'Arthur l'Édredon!

Il sourit pensivement.

— Étonnantes, ces maisons closes! J'ai toujours aimé la fréquentation des femmes. Je vous avoue que ma nature me pousse plutôt à la polygamie. J'aime Emma bien entendu mais vous avez entendu parler de Sabina Spielrein, j'imagine?

Du Barrail hocha la tête avec hésitation. Tout le monde avait fait des gorges chaudes de la liaison de Jung avec une de ses patientes : Sabina Spielrein. Victime d'hallucination et d'une phobie des animaux et de la maladie, celle-ci, dès l'âge de quatre ans, s'empêchait de déféquer, remplaçant ensuite cet exercice par la masturbation. Son état empirant, à l'âge de dix-huit ans, ses parents décidèrent de la faire soigner à la clinique du Burghölzli de Zurich. En moins d'un an, Jung la guérit de ses symptômes mais la cure avait entre-temps basculé dans une passion incontrôlable entre la patiente et le thérapeute. Sabina exigea alors de son amant un enfant, ce que celui-ci refusa. Finalement, elle alla jusqu'à s'adresser à Freud qui intervint pour aider Jung à sortir d'une situation inextricable. D'une intelligence remarquable, la jeune femme avait alors entrepris de brillantes études médicales et venait de soutenir une thèse sur la schizophrénie.

— *N'ayons qu'une femme, c'est fondamental!* cita Jung. C'est aller un peu vite en besogne avec la nature polygame de l'homme. La brider, c'est la refouler…

La limite est bien mince entre l'amour et le transfert, songea un instant du Barrail. De nouveau, ses pensées capricieuses le portèrent vers la Dame en vert. Un instant il ferma les yeux, imaginant ses mains se perdre dans les jupons ou les rubans et ses doigts se confronter aux lacets qui retenaient son corps prisonnier. Comme s'il suivait le cours de ses pensées, Jung sourit.

— Attention! prévint-il, la pente qui mène au vice est une pente douce mais irrésistible. L'arbre finit toujours par tomber du côté où il penche…

— Ce qui signifie?

— La Dame en vert n'est pas pour vous, vous n'y résisteriez pas. Un homme comme Max Engel, peut-être, mais vous, non. L'étang n'est pas le compagnon du fleuve!

Du Barrail se mordit les lèvres, conscient de la pertinence des propos de Jung.

— Vous n'avez jamais connu de femmes comme la Dame en vert, n'est-ce pas? reprit ce dernier. La sensualité à l'état pur, le sexe, rien que le sexe…

Une goutte de sueur perla aux tempes de du Barrail qui se demanda un instant s'il était convenable de l'essuyer. Autour de lui virevoltait un monde fait de tentations soyeuses qui lui demeurait étranger.

— Rien ne vous a préparé à affronter une Dame en vert, fit Jung sur un ton protecteur comme s'il lisait en lui. Nous sommes tous le fruit d'une éducation et d'un milieu. Je me souviens avoir visité un musée avec ma tante. J'avais six ans. Nous étions venus voir la salle des animaux empaillés mais, les visites se terminant à quatre heures et la porte ayant été fermée, on nous obligea à passer par la galerie des antiques. Je me figeai, subjugué, en les découvrant. Je n'avais encore rien vu d'aussi beau. Tout à coup, ma tante me tira en arrière avec de grands cris : *Abominable garçon ! Ferme les yeux ! Quelle honte ! Ferme les yeux, abominable garçon !* Au début, je ne compris pas la raison de cette colère et de l'indignation de ma tante puis je regardai mieux et remarquai enfin que les corps étaient nus, simplement drapés de feuilles de vigne.

Du Barrail rit, ce qui lui était rare.

— Toujours la même chose, reprit Jung encouragé par ce succès. Ce sont les interdits que l'on appose sur le sexe qui peuvent conduire certaines personnes au refoulement. Écoutez les prédicateurs : le péché est partout ! Pour l'éviter, on peut vous faire peur avec l'enfer sinon avec la syphilis. La syphilis rôde ! Craignez d'être contaminé !

De manière inattendue, du Barrail se pencha en avant, les poings serrés, pour ajouter avec véhémence :

— Oui, et l'on rajoute que tous nos jeunes gens atteints de syphilis seront autant de soldats en moins pour notre beau pays. Pourra-t-on un jour penser à notre jeunesse autrement qu'en chair à canon ?

Jung le considéra avec attention, surpris par l'amertume du ton de du Barrail et la tournure soudaine de ses pensées. Il avait déjà remarqué chez son jeune collègue une subtile fêlure, quelque chose remontant à l'enfance.

Une jeune femme au visage rempli de taches de rousseur, ses lèvres d'un rouge vif, passa devant eux. Elle marchait avec une douce ondulation dans les hanches. Machinalement le regard du jeune homme la suivit.

— Je voulais juste vous dire ceci, mon garçon, fit Jung. Vous êtes ici dans un bordel. Ne fermez pas les yeux, ne criez pas : *Quelle honte!* Le sexe n'est rien d'autre que quelque chose de très naturel et il est tout aussi naturel que vous soyez troublé par le parfum de la Dame en vert. Acceptez-le, ceci vous permettra de prendre de la distance. Niez-le et ceci vous perdra.

Du Barrail hocha lentement la tête. Il comprenait parfaitement pourquoi Jung l'avait conduit ici. Pour résister au puissant attrait sensuel de la Dame en vert, il n'y avait qu'un exorcisme possible.

La jeune femme aux taches de rousseur vint s'asseoir auprès d'eux. Elle avait une peau laiteuse et sa bouche luisait comme une blessure. Du Barrail se plongea dans son verre mais fut rattrapé par son sourire délicieusement enjôleur. Il ferma les yeux une seconde et respira profondément. Il ne retrouva pas dans l'air le parfum fait d'attente et de désir latent de la Dame en vert. Lorsqu'il les rouvrit, un gros homme bedonnant avait saisi la jeune femme par le coude et l'entraînait avec lui. La pensée soudaine de la Dame en vert dans un tel lieu et dans de tels bras transperça son cœur d'une douleur imprévue.

— Je rentre, dit-il à Jung en prenant son chapeau.

*

Aniela Adendorff rentra tard. Elle se rendit à son salon de musique qu'elle affectionnait plus particulièrement. Des lambris imprimés couleur vert d'eau enfermaient sur un côté des glaces qui réfléchissaient une fresque japonaise sur le mur d'en face. Des nuées d'oiseaux y prenaient leur essor, accompagnées à chaque fois par les pensées d'Aniela pour ce vol sans retour. Elle sonna pour se faire servir une tasse de thé. On la lui apporta et elle remercia distraitement. Comme le serviteur restait immobile après avoir posé le plateau sur le guéridon, elle releva la tête pour croiser le regard de son mari.

— Oh! c'était vous! Elle sourit.

— Merci de vos prévenances.

Il lui rendit son sourire mais l'expression de son visage resta grave et préoccupée.

— Vous rentrez bien tard, fit-il d'un ton égal.

— Oui, j'ai éprouvé le besoin de marcher, il faisait si chaud…

— Vous trouvez? Vraiment?

Elle baissa la tête.

— Oui, vraiment.

— La marche nocturne devient chez vous une habitude, constata-t-il d'une voix neutre.

La tête de son épouse conserva la même inclinaison.

— Anelia, pouvez-vous me regarder, s'il vous plaît?

Retrouvant toute la fierté et l'impulsivité qui restaient les siennes, elle releva la tête et soutint bravement son regard.

— N'avez-vous rien de particulier à me dire?

Elle cilla brièvement.

— Non… Et vous?

Les yeux de Mathias Adendorff étaient aussi insondables qu'un lac d'Irlande.

— Ne me retournez pas la question, je vous prie.

Aniela s'enhardit.

— Que se passe-t-il mon ami? Je vous sens agité ces temps derniers.

— Tout va bien, je suis… serein.

Ils se défièrent mutuellement du regard.

— C'est ce du Barrail, osa-t-elle, vous n'êtes plus le même depuis sa visite.

Un instant, un nuage obscurcit la physionomie de Mathias Adendorff puis sa voix claqua, sèche comme la lanière d'un fouet.

— Ce du Barrail est un jeune sot tout comme il est stupide de vouloir réveiller les fantômes du passé!

VII

MIREPOIX ET LES VORACES

Le député Mirepoix recevait, la pipe aux dents et le ventre sur les genoux, solidement campé dans son fauteuil. Il usait d'une grande bonhomie avec les gens du peuple. Il n'était pas rare, lorsqu'il parcourait un quartier populaire, qu'il sorte son portefeuille pour entraîner à sa suite des enfants dans une pâtisserie et offrir une tournée générale de macarons.

Devant son bureau patientait une dizaine de personnes, des solliciteurs en tout genre. Assis les coudes sur les genoux, les hommes frisaient leur moustache, tournant nerveusement leur chapeau entre les mains. De leur côté, les femmes lissaient avec fébrilité les plis de leur robe. À travers l'entrebâillement de la porte, on voyait le secrétaire particulier du député lui apporter, entre deux entretiens, des cartes de visite ou des lettres à signer.

Comme les autres, Max Engel et du Barrail attendaient patiemment leur tour. Le détective avait les yeux cernés après sa brève nuit. Il s'était réveillé avec un fort mal de tête à l'aube et se demandait, depuis qu'il avait retrouvé du Barrail, comment lui conter la façon dont la Dame en vert l'avait joué comme un enfant ou peut-être tout simplement comme un homme…

— C'est le moment, murmura entre ses dents Max Engel lorsqu'on les invita à rentrer. Donnons un grand coup dans la fourmilière et regardons où vont les fourmis!

Le député Mirepoix les accueillit aimablement. Il avait le teint frais, des joues rubicondes et une bonne couche de lard enrobait son corps. Du Barrail l'observa à la dérobée, lui trouvant des pupilles rondes et petites ainsi qu'un air malin.

— Que puis-je pour vous, messieurs Engel et du Barrail?

Sans un mot, le détective lui tendit sa carte.

— Diable! fit Mirepoix soudain refroidi, un détective! Et en quoi puis-je vous être utile?

— Un collègue du docteur du Barrail, ici présent, a été assassiné. Il s'agit du docteur Gernereau. Ce nom vous dit quelque chose.

Le visage du député s'assombrit.

— Pas le moins du monde, je devrais?

— Non, pas forcément. En revanche, vous devez connaître la Dame en vert?

Du Barrail jeta un regard effaré à Engel. Le détective ne donnait pas dans la dentelle, c'était une attaque frontale!

Le teint de Mirepoix vira au cramoisi.

— Que signifient toutes ces questions?!

— Cette Dame en vert est une des principales suspectes du meurtre du docteur Gernereau.

L'incrédulité fit place à la stupéfaction chez Mirepoix.

— Quoi?!

— Vous avez couché avec la Dame en vert, continua sans pitié le détective.

Il jeta un regard en coin à du Barrail. Celui-ci donnait l'air d'un gamin qui venait de prendre une gifle sans l'avoir vu venir. Mirepoix se laissa aller en arrière et soupira bruyamment.

— Ah! d'âge en âge on ne fait que changer de folie!

Un éclair de malice brilla dans ses yeux.

— Cela fait-il de moi un complice? Un suspect?

— Nous souhaitons retrouver cette femme, continua Max Engel sans répondre. Pouvez-vous nous révéler son véritable nom?

Mirepoix s'appuya contre le dos de son fauteuil, un air d'incrédulité se lisant sur son visage.

— Tout le monde l'appelle la Dame en vert, elle n'a pas d'autre nom!

On percevait de l'amusement dans sa voix.

— Où peut-on la trouver? insista le détective.

— Mais d'où sortez-vous?! Personne ne se rend chez la Dame en vert, c'est elle qui vient à vous!

— Vous disposez bien d'un moyen pour la contacter, fit Max Engel d'un ton impatient. Les mondaines doivent pouvoir être jointes pour gagner leur vie.

— Détrompez-vous, notre seul contact est une boîte postale.

Le détective haussa les sourcils.

— Vraiment? Pouvez-vous me noter ici le bureau de poste et le nom de la personne à qui vous l'adressez?

— Un nom d'emprunt, j'en ai peur mais, pour vous montrer ma bonne volonté, je vais vous noter tout cela.

Max Engel lut avec un sourire ce que le député venait de griffonner.

— Marie-Madeleine. Décidément!

Il échangea avec du Barrail un sourire complice. Le secrétaire de Mirepoix se glissa alors dans la pièce et vint parler à l'oreille de celui-ci sans daigner jeter un regard aux deux visiteurs.

— Oui, oui, s'empressa de dire le député, je vais le recevoir. Messieurs, pardonnez-moi mais la République m'appelle.

— La République a du bon, surtout après le repos du guerrier! persifla le détective.

Mirepoix leva en signe de protestation poli sa main boudinée.

— Messieurs, il n'est pas encore interdit de fréquenter, à ce que je sache. Quant à la République, je suis son fidèle serviteur. Je suis radical et fils de la Révolution!

Max Engel eut un sourire dédaigneux.

— Une République bourgeoise qui a oublié de déclarer la guerre au capital.

Du Barrail leva les yeux au ciel. Les vannes de la dialectique venaient de s'ouvrir et n'étaient pas près de se refermer!

— Nous nous employons à corriger les inégalités sociales, répondit le député imperturbable.

— Nous? Savez-vous la composition de la Chambre? 147 avocats, 53 médecins, 52 rentiers, 19 ouvriers et 2 employés!

Mirepoix s'enfonça dans son fauteuil, l'air ennuyé.

— Disons que c'est plutôt un régime de compromis. Le multipartisme nous y oblige mais nous réussissons parfaitement à nous entendre contre les extrêmes. Les forces de la réaction se heurteront toujours au ciment républicain!

— Vous promettez plus de beurre que de pain!

Du Barrail tira légèrement sur la manche du détective qui sembla ne pas s'en apercevoir.

— Nous voulons améliorer le sort du prolétariat en augmentant ses revenus, ses conditions de travail, son hygiène, son niveau d'instruction, lui asséna tranquillement Mirepoix avec la force de conviction d'un tribun. L'organisation de la solidarité de tous les citoyens contre les risques de la vie commune, voilà où est notre devoir social. Vos idées de grève et d'insurrection ne mènent à rien.

— Nous ne voulons pas d'un prolétariat plus heureux, nous ne voulons plus de prolétariat du tout!

— Vous appartenez à la Section française de l'Internationale ouvrière, la SFIO?! demanda Mirepoix qui ne cachait plus son agacement.

— Oui et non, fit Engel en tapant nerveusement du pied par terre. Je l'approuve car elle a adopté, lors du congrès d'Amsterdam de 1904, la doctrine marxiste de la lutte des classes. Notez aussi qu'elle condamne la participation réformiste aux gouvernements bourgeois. Cela dit, je n'apprécie pas les grosses structures…

Mirepoix le considéra songeusement.

— Oui, mais oui! s'exclama-t-il soudain. Max Engel, un nom pareil : Marx et Engels réunis! J'ai déjà entendu parler de vous. Vous faites partie de ceux qui ont recréé la Société des Fleurs!

Du Barrail regarda le détective avec ahurissement.

— La Société des Fleurs?! répéta-t-il.

Max Engel regarda le député avec sévérité.

— Parlez moins fort, en fait ne parlez pas du tout! Ces choses-là sont confidentielles.

Mirepoix haussa les épaules.

— Les sociétés secrètes sont ainsi nommées parce que tout le monde connaît le nom de leurs adhérents!

Le détective se détendit brusquement comme un diable sortant de sa boîte.

— Décidément, vous parlez trop, ce n'est pas à vous que je confierai les clés du Grand Soir!

*

Les deux hommes sortirent et remontèrent la rue Mazarine jusqu'aux quais de Seine. Sous leurs yeux s'étalaient à perte de vue, scellées au parapet, les boîtes à livres des bouquinistes. Le teint hâlé, boucanés par le soleil et la pluie, ceux-ci fumaient calmement leur pipe ou lisaient, s'interrompant lorsqu'un éventuel client s'attardait devant leur étalage. On vendait là, bien sûr, des livres anciens mais aussi des gravures, des estampes, des timbres ou des cartes postales. Une faune variée piétinait, constituée d'habitués qui furetaient et fouinaient avec des mines exaltées, des bourgeois promenant leur petite famille, des touristes ou des étudiants.

Max Engel s'arrêta à un kiosque. Tendant le cou, du Barrail vit qu'il achetait *L'Assiette au beurre*, une revue anarchisante qui, non contente de s'en prendre à l'État et aux privilégiés, fustigeait allègrement la mouvance radicale qu'elle surnommait "la radicaille". Du Barrail comprit alors mieux l'antipathie naturelle de Max Engel envers Mirepoix.

— Je n'approuve pas les méthodes violentes, soupira le détective, mais enfin quelque part je peux comprendre pourquoi des gens comme Auguste Vaillant lancent une bombe à la Chambre des députés !

— Il a été guillotiné pour ça, la violence génère toujours un nouveau cycle de violence, fit le psychanalyste réprobateur.

— Oui, malgré tout le refus du commandement et l'idée de droit naturel me plaisent bien.

— Le système anarchiste repose sur l'idée que l'homme est pur et bon par nature, répliqua du Barrail, sinon il ne peut pas s'appliquer. Or, croyez-moi l'homme ne naît pas forcément bon. J'en ai l'expérience.

La dureté de son ton surprit le détective qui se mit à le considérer avec attention. Le psychanalyste s'empressa de détourner la conversation.

— Mirepoix a parlé d'une société secrète à laquelle vous apparteniez, la Société des Fleurs. Pouvez-vous m'expliquer cela ?

— La Société des Fleurs, soupira Max Engel, c'est le nom d'une association ouvrière lyonnaise des canuts fondée en 1848. Chacun de nous porte le nom d'une fleur ou d'une plante.

— Quel est le vôtre?

Le détective se rembrunit légèrement.

— Myosotis… Pourquoi souriez-vous?

— Ce n'est rien, pouffa du Barrail, ce n'est rien! Connaissez-vous le nom commun des myosotis? Oreille-de-souris!

Max Engel serra les dents.

— Ah! c'est ça, moquez-vous! Vous n'avez pas connu le temps des révoltes des canuts. À cette époque, l'ouvrier sortait de chez lui avec son fusil pour rejoindre la barricade et recommandait à sa femme de laisser les fenêtres ouvertes au cas où les soldats tireraient. Eh oui! un carreau ça coûtait treize sous…

Le regard de Max Engel brillait de mille feux.

— Après s'être emparé de l'hôtel de ville de Lyon, le meneur des émeutiers s'est avancé au balcon de l'hôtel de ville pour haranguer la foule: *Il faut donner au peuple autant de pièces de cent sous qu'il y a de pavés dans la rue et autant de pavés d'enlevés qu'il y aura de pièces de cent sous.*

— Logique…

Le détective s'arrêta de marcher et toisa du Barrail avec le plus profond mépris.

— Monsieur, ne vous moquez pas du peuple.

— Personne moins que moi ne se moque du peuple, protesta le psychanalyste indigné.

— Bon, bon, fit Max Engel conciliant. Et si nous allions déjeuner ?

— Il est un peu tôt et j'ai un patient dans moins d'une heure.

— Dommage, je connais un petit restaurant pas très loin qui fait une de ces fricassées de ris de veau aux morilles…

— Revenons-en à nos affaires, voulez-vous ?

Le détective eut un haussement d'épaules fataliste.

— Je vais faire surveiller le bureau de poste et si la Dame en vert vient elle-même relever la boîte, tout ira bien. Sinon, nous n'aurons fait qu'apprendre que le gros député a couché avec elle mais il n'est pas le seul, même votre serviteur s'y est essayé.

— Quoi ?!

Du Barrail s'était arrêté net.

— Elle a couché avec vous ?

— Avec qui n'a-t-elle pas couché ? demanda Engel d'un ton ennuyé.

— Ce n'est pas ce que je vous demande, répondit sèchement du Barrail. Oui ou non avez-vous couché avec elle ?

— Eh bien ! je n'ai pas eu le temps de vous raconter comment j'ai essayé de la pincer au cours d'une réception qui devait réunir selon moi toutes les mondaines de Paris. Elle m'a joué un sale tour mais, malheureusement, nous ne sommes guère allés plus loin que les préliminaires…

Le visage du psychanalyste devint livide.

— Vous avez trahi ma confiance. Je ne veux plus rien avoir à faire avec vous.

Le détective le fixa stupéfait.

— Vous me renvoyez après tout ce que j'ai fait pour vous ?!

— Je ne vous avais pas demandé de coucher avec elle !

— Mon Dieu, on ne peut pas vraiment dire que j'ai couché avec elle. À peine quelques jeux érotiques… Mais dites-moi docteur, explorez donc votre Inconscient et répondez-moi : ne seriez-vous pas un peu jaloux ? Oh ! c'est un sentiment humain après tout. Vous êtes le chantre de l'analyse objective mais vous restez un homme avec ses désirs, refoulés peut-être, et ses instincts…

— Je ne désire pas la Dame en vert.

— Croyez-vous donc que je ne me rappelle pas notre entrevue le soir où vous vous êtes vus. Vous en étiez encore tout tremblant !

Il se passa alors quelque chose de tout à fait imprévisible. Sous le coup de la fureur, du Barrail repoussa durement Max Engel. Celui-ci pâlit. Il avait senti le coup sur sa poitrine. La colère commença à le gagner à son tour.

— Ne me refaites plus jamais ça !

— Cela n'arrivera plus : je n'ai plus besoin de vos services !

— Allez au diable avec votre enquête et débrouillez-vous tout seul…

— Dieu me garde de mes amis, je me garderai de mes ennemis !

*

Mathias Adendorff et sa femme se regardaient en chiens de faïence tandis que le maître d'hôtel leur présentait un poisson en sauce.

— Nous faisons de piètres révolutionnaires, ironisa le maître de maison. Si Bakounine nous voyait en train de déguster des filets de soles dans des assiettes en porcelaine de Sèvres...

Aniela Adendorff s'immobilisa, la fourchette à la main.

— Je m'en passerai bien, moi, de ces déjeuners guindés ! Elle reposa doucement son couvert. Je m'ennuie Mathias et j'ai l'impression d'être inutile. Je regrette le temps où je travaillais pour un journal.

— Une feuille de chou distribuée à la sauvette !

— C'est grâce à elle que je vous ai rencontré, lui fit-elle remarquer d'un ton acerbe.

— Laissons cela, dit-il rapidement, vous avez des amies...

— Les épouses de nos fréquentations ? Que voulez-vous que je fasse avec ces femmes-là ? Leurs maris gagnent de l'argent qu'elles ne songent qu'à dépenser. Elles passent leurs après-midi en visites protocolaires ou en préparation de dîners d'apparat. Elles n'ont pas d'opinion sinon qu'il ne faut rien changer au monde qui les entoure. L'été, elles vont tremper leurs pieds à l'océan, une bonne derrière elles un peignoir à la main. Je ne vous ai pas épousé pour cela. Il y a dix ans, nous avions d'autres ambitions...

Mathias Adendorff soupira et repoussa son assiette.

— Oui, il y a quelques années, les journaux titraient : *Vers la révolution sociale*. J'ai quitté les voies de la révolution pour celle-ci et pour aboutir à quoi ? Mes banques financent le développement ferroviaire en Russie ou en Amérique du Sud et dans les Balkans. Elles aident aussi au progrès de l'industrie lourde, mangeuse d'hommes, et des travaux publics partout dans le monde. Quant à mon argent personnel, il s'engloutit dans des instituts de charité, des partis stériles ou des syndicats obtus qui ne font jamais rien progresser…

— Vous avez contribué au changement, c'est déjà beaucoup.

— Nous avons accompli bien des choses mais regardez ce qui va arriver : les nostalgiques de l'ordre ancien, les antisémites et les populistes vont finalement prendre le dessus. Ne vous y trompez pas, la peur de l'avenir va pousser les nations à se replier sur elles-mêmes et chercher au-dehors un bouc émissaire à chacun de ses problèmes.

— Vous ne les laisserez pas faire ! dit-elle ardemment.

Surpris, il leva les yeux sur elle. La jeune femme retrouvait cette expression exaltée qui l'avait tant enchanté dans les premiers temps.

— Ainsi, vous croyez encore en moi ? fit-il, troublé.

Il se reprit et pondéra.

— Au moins pour ça…

Un pli d'amertume se dessina progressivement sur ses lèvres.

— Mais c'est peine perdue dans ce monde, c'est peine perdue!

— Allons Mathias!

Elle s'était levée et avait fait le tour de la table. Sa main fraîche se posa sur la sienne avec l'effet d'un baume sur son cœur.

— Vous m'aimez donc encore un peu? demanda-t-il.

Elle resta un moment interdite. Son cœur battait à se rompre et elle essaya de dissimuler son trouble.

— Je vous ai toujours admiré.

De fureur, le poing de Mathias Adendorff s'abattit sur la table, fracassant la vaisselle.

— Vous ne m'avez jamais aimé, pas comme Hugo Lucca en tout cas!

Aniela se figea sur place, pétrifiée, le regard au loin.

— Vous m'avez fait suivre, murmura-t-elle atterrée.

Sans un mot, il se leva et, bousculant au passage son serviteur qui se précipitait dans la pièce, sortit en claquant la porte.

*

Hugo Lucca reçut du Barrail dans son appartement de marin, tout briqué et lustré, brillant de propreté. D'un commun accord, ils décidèrent de se livrer à une séance face à face. Hugo Lucca parla. Sa vie déroulait une suite d'échecs que l'ancien marin avait plus ou moins assumés depuis le départ de sa Toscane riante pour chercher l'aventure. Il s'avéra que, très tôt orphelin, il était en quête de la figure paternelle. Sans le brusquer, du Barrail l'amena adroitement à reparler du roi qu'il avait vu, perdu dans la forêt.

Cette fois, le psychanalyste avait en main un journal économique dans lequel un article était consacré à Mathias Adendorff avec sa photo. Il en vint tout de suite aux faits.

— N'est-ce pas le roi perdu dans la forêt de vos rêves ?

Hugo Lucca lui ôta le journal des mains et devint livide.

— Le Loup, murmura-t-il.

Le journal s'échappa de ses doigts. En le ramassant, du Barrail vit que l'article était intitulé : *Le loup de la finance.* Le psychanalyste avait désormais fait le lien entre l'amnésique et Mathias Adendorff mais il savait qu'il faudrait encore du temps et de la patience avant d'amener la parole à libérer le jeune homme de son trouble.

*

Il n'avait pas été possible de tirer un mot de plus de Hugo Lucca. Les pensées de du Barrail le ramenant à la Dame en vert, il résolut de lui écrire. La chose était simple puisqu'il avait recopié l'adresse de la boîte postale révélée par Mirepoix. Seul à sa table de travail, une carafe de vin posée devant lui, il prit sa plume et, après un long moment de réflexion, écrivit d'une traite.

Chère Dame en vert,

Pardonnez-moi de vous écrire ainsi mais, ma foi, je me sens d'autant moins coupable que c'est vous qui êtes venue à moi la première, d'abord pour me voler, ensuite pour me séduire. Je ne vous en veux pas. Si toutes les voleuses vous ressemblaient, il serait difficile de ne pas abandonner tous ses biens entre leurs mains.

Non, rassurez-vous, je ne vous écris pas pour vous faire la leçon. Je vous devine trop pour penser un seul instant que vous êtes à même d'accepter qu'un homme vous dicte sa loi ou vous fasse entendre raison. Freud le dit : "À une personne déraisonnable, on ne peut dicter une conduite raisonnable."

J'ignore beaucoup de choses sur vous mais je n'éprouve aucune hostilité à votre égard. Je sais d'expérience que vous avez toutes les bonnes raisons du monde d'être ce que vous êtes et je serais fou de vouloir y changer quelque chose.

Un homme est mort toutefois. J'ai du mal à vous en croire la cause mais nul doute que vous êtes liée d'une manière ou d'une autre à ce crime. Il est toutefois encore temps pour vous de ne pas aller plus loin.

Je ne vous demande que quelques minutes de votre temps pour en parler.

Dites-moi où et quand vous rencontrer, je viendrai seul.

Votre bien dévoué,

Du Barrail

*

Si du Barrail ignorait une chose, c'était que, même renvoyé, Max Engel n'abandonnait jamais une enquête en cours. Le détective n'avait pas perdu de temps. Une enquête serrée autour de la maison de campagne de Mathias Adendorff faisait état d'étranges réunions la nuit, un certain nombre d'années auparavant. Des descriptions faites par l'ancien jardinier, moyennant un certain nombre de billets, il reconnut Mirepoix et un vieil anarchiste, membre comme lui de la Société des Fleurs.

Il était bientôt midi, et le détective cherchait son chemin à travers un dédale de rues entre la porte Saint-Denis et le boulevard Magenta. Le quartier était populeux et encombré de voitures de quatre-saisons et de camions des commissionnaires de marchandises. Des ouvriers et des emballeurs sortaient de leur sac de toile de grosses tranches de pain sur lesquels ils mettaient un beau morceau de bouilli ou de lard. À cette vue, le détective saliva. Son appétit était proportionnellement inverse à sa taille et, dans la nature, il aurait indubitablement fait partie de ces petites créatures qui en avalent de plus grosses. Lorsque sonnait l'heure du repas, il se sentait toujours prêt à avaler la terre entière.

Il aboutit dans un capharnaüm de passages voûtés, escaliers, couloirs, terrasses, plates-formes ou jardins accumulés au mépris des lois de la pesanteur comme de l'architecture. Arrivé rue du Château-d'Eau, devant la porte basse d'un logis insignifiant, il frappa le signal convenu. Presque aussitôt, il entendit un pas léger et sentit une présence méfiante de l'autre côté.

— C'est Myosotis, chuchota-t-il.

— Qui ?

Le vieux se faisait sourd. Surveillant autour de lui, Engel répéta plus fort :

— Myosotis ! Et ne me fais pas répéter une troisième fois ce surnom ridicule !

On tira un verrou et la porte s'ouvrit bruyamment. Un vieillard frêle et sec, au visage taillé à coups de serpe, leva les bras en l'air.

— Ce vieux Myosotis !

Ils se donnèrent une brève accolade. Max Engel savait qu'il avait devant lui une légende vivante et le fils d'un meneur du mouvement des Voraces de 1831.

— Entre vite ! fit le vieil homme.

Avec une vigueur étonnante pour son âge, il le tira littéralement par le col et referma la porte.

— Ça pullule toujours de mouches, expliqua-t-il. Les flics sont partout autour de nous comme au bon vieux temps !

Le vieux Vorace l'invita d'un geste à s'asseoir à une grande table, au milieu d'une pièce austère aux murs chaulés, et apporta une bouteille d'un vin un peu vert. Il aimait à rappeler le temps glorieux de son père à la tête de ces ouvriers canuts de Lyon qui, en 1831 avec leurs chefs d'atelier, s'étaient révoltés contre leurs patrons et avaient fait le coup de fusil contre l'armée chargée de les réprimer.

— Ils voulaient la justice et le bon droit, fit le vieux en vidant consciencieusement son verre jusqu'à la dernière goutte, ne volaient rien et respectaient les personnes, brûlant simplement les métiers à tisser qui coupaient les bras des honnêtes travailleurs.

Engel savait qu'en novembre 1831, ils avaient organisé à Lyon, pendant une quinzaine de jours, un véritable pouvoir parallèle, parfaitement maîtrisé, fondé sur les idées de la République et du mutualisme, allant même jusqu'à organiser une entente avec les ouvriers du textile de Manchester. Mais le vieil homme rappela à juste titre qu'une de leur revendication de l'époque était que l'on continue de vendre le vin sur table au litre car il était indécent que le négociant spécule sur la misère des ouvriers laborieux pour s'enrichir et que le débitant serve du vin frelaté ou en moindre quantité. Au surnom de Vorace, amené par leur appétit d'avantages sociaux, se mêlait ainsi le soin d'avoir des débiteurs de vin aux mesures plus généreuses.

Le vieux avait participé à dix-sept ans au nouveau soulèvement des Voraces lors de la révolution de 1848. C'était un octogénaire étonnamment alerte et plein de verve. On le respectait car les canuts avaient été les pionniers de l'organisation ouvrière et lui-même gardait toujours en lui cet idéal d'un nouvel ordre social.

— J'allais me mettre à table, cela te dit ?

— Et comment, j'ai une faim que je la vois courir !

— Sacré vieux Myosotis, commenta l'autre, tu n'as pas changé : toujours autant d'appétit mais toujours aussi maigre!

Le Vorace sortit d'un buffet des œufs et du jambon fumé. Il entreprit de couper de fines tranches dans le jambon tandis que Max Engel préparait une omelette moelleuse.

— Quelle époque où l'on donne au peuple comme seules valeurs les vertus nationalistes et colonialistes! fit Engel en les servant.

— Tu l'as dit mon ami, surenchérit le vieux, pendant que le peuple travaille et s'efforce d'épargner, on comptait cinq cents valets de pied à la crémaillère des de Castellane. Trois cent mille francs or dépensés en une seule soirée! Et sais-tu combien de teintes ont les marbres de l'hôtel *Potocki*? Huit! Comme le voulait la comtesse!

Pour lui faire plaisir, Max Engel le laissa conter ses hauts faits d'armes, dans la clandestinité d'abord puis avec les premiers mouvements politiques socialistes, connaissant toutes ces histoires par cœur mais hochant la tête d'un air entendu, s'exclamant ou réclamant plus de précisions aux bons moments. Les heures passèrent rapidement sans que le détective ne brusque son interlocuteur. Le vieux Vorace parla de tout, de rien, des anciennes luttes, de la bière réchauffée au pique-feu rougi plongé dans la chope pour éviter les refroidissements l'été. Il revint ensuite à la politique, ayant été approché par de jeunes révolutionnaires pour intégrer une Bourse du travail.

— Ils applaudissent quand on prononce le mot *anarchie* mais qu'est-ce qu'ils comprennent à l'anarchie ces abrutis? Ils parlent du peuple mais quand ils sont au lit avec leur femme, ils disent : *Classe laborieuse, classe dangereuse!*

Il tapa du poing sur la table et conclut :

— Au bout d'un moment, je me suis levé, je leur ai dit qu'ils étaient tous des cons et je suis sorti en claquant la porte!

Il se renversa contre son dossier, but un coup et claqua sa langue contre son palais. Au bout d'un moment, il regarda en coin Max Engel et fit d'un ton amusé.

— Dis donc Myosotis, tu dois être vraiment dans la mouise pour supporter sans broncher mon laïus tout un après-midi! Et si on en venait maintenant au but de ta visite?

Le détective réprima un sourire, le vieux Vorace avait encore toute sa tête.

— Peux-tu me parler de Mirepoix?

L'autre eut une grimace significative.

— Mirepoix, bof! Il a débuté au service du peuple pour passer à celui de ses propres intérêts. Mirepoix est un beau parleur qui aime ajouter sur sa carte de visite des hauts faits auxquels il n'a participé que de loin. On appelle ça *fumer ses terres.* Bref, il fait plus de bruit que de besogne.

— Et Mathias Adendorff?

Le vieux Vorace siffla doucement entre ses dents jaunies.

— Holà! mon ami, doucement… Mathias Adendorff, ce n'est pas le même acabit.

Il jeta un coup d'œil autour de lui comme s'ils étaient dans un lieu public et qu'il vérifiait que personne n'écoutait.

— Mathias Adendorff, continua-t-il d'une voix plus basse, quel homme! Une volonté de fer qui faisait tout plier devant lui. Et des moyens… C'était lui qui finançait tout le mouvement à cette époque…

— Quel mouvement?

— Ah! il y a plus de quinze ans, nous voulions révolutionner le monde, et Mathias Adendorff rêvait de dynamiter l'Empire austro-hongrois de son grand-père pour redonner aux peuples leur liberté et leurs droits. Cela était conciliable avec notre esprit de justice et d'équité. Après tout, nous sommes tous frères, tous citoyens du monde entier. Mathias Adendorff a soudain tout abandonné, j'ignore pourquoi. Il nous a fuis comme la peste, sauf Mirepoix qui lui doit son siège de député. Mais on ne doit plus parler de cela aujourd'hui, même à toi Myosotis, excuse-moi…

— Quand même, grommela le détective, j'ai du mal à comprendre comment un homme qui appartient aujourd'hui au Jockey Club et à l'Automobile Club ou fréquente les salons de la comtesse Greffulhe a été un anarchiste… Qui y avait-il encore à ces réunions?

— Une femme qu'il a épousée…

Les yeux du vieux Vorace brillèrent à ce souvenir.

— Elle était belle comme la nuit et très impliquée dans le journalisme pour défendre les droits des femmes.

— Aniela Adendorff! Qui d'autre encore?

— Un type qui est mort à cette époque, noyé vraisemblablement. Il n'était d'ailleurs pas très aimable. Deux autres ont émigré à l'étranger pour soutenir la cause, un est en prison pour ses opinions. Il reste moi, Mirepoix, Paliser, notre imprimeur, et puis un jeune, un certain Hugo Lucca…

Le détective resta immobile un instant.

— Je vois qui c'est.

Il réfléchit rapidement.

— Tu as gardé des contacts avec ces gens-là?

— Tu rigoles, des gars comme Mirepoix ou Adendorff ne me connaissent plus! Je ne suis pas de la haute, moi!

— Et Paliser, où peut-on le trouver?

L'autre eut un soupir fataliste.

— Dans tous les bars à Filles de Reuilly, spécialement vers les entrepôts de Bercy. Il n'a pas spécialement bien tourné. Sans les largesses de Mathias Adendorff, son imprimerie a dû fermer. D'imprimeur il est devenu ouvrier typographe. On murmure aussi qu'il est mouchard de la police.

Il balaya toutes ces images du passé d'un revers de main.

— Tu veux que je me renseigne sur qui?

— Juste Paliser, les autres je les ai bien en vue!

Le Vorace eut une moue dubitative.

— Je ne sais pas ce que je vais pouvoir te ramener après tout ce temps… L'homme est rusé et secret…

Max Engel leva la main.

— N'allons pas nous attirer des ennuis, prends juste ce qui vient comme information.

Le vieux acquiesça.

— Allons, un dernier coup pour la route ?

Avec des gestes précis, il ôta le bouchon d'une bouteille de rouge et le versa religieusement dans leur verre.

— À la tienne, un de moins que les autres n'auront pas !

Max Engel leva solennellement son verre et déclara :

— Que les classes dirigeantes tremblent devant la révolution communiste ! Les prolétaires n'ont rien d'autre à perdre que leurs chaînes. Ils ont un monde à gagner !

*

Hugo Lucca titubait, ivre d'alcool et de solitude. Il entra dans un bar pour noyer celle-ci mais au moment de payer il ne put jamais retrouver son portefeuille, se souvenant vaguement qu'un mauvais garçon avec une casquette l'avait bousculé dans la rue. Il sentit alors une main puissante le saisir au collet et eut l'impression de voltiger dans l'air tiède. Les lumières s'éteignirent brusquement et il alla s'abattre contre un trottoir bordé d'étoiles.

Il y eut une exclamation étouffée et un bruissement de soie dans la nuit. Émerveillé, il entendit son nom.

— Hugo !

Un corps élancé était venu soutenir le sien dans sa lutte pour se remettre debout. D'un coup, il reconnut le mystère de ces yeux plus sombres que la nuit.

— Vous !

— Réveillez-vous ! Vous dormez depuis si long-temps !

Il sentit vaguement qu'on le giflait et sa langue goûta à son sang qui envahissait sa bouche. Anelia Adendorff le lâcha brutalement et il se sentit orphelin, le palais gorgé de sang et d'alcool.

— Ne restez pas ici, Mathias Adendorff vous a retrouvé !

Explosion sans nom de douleur dans son cerveau sans âge, sa mémoire trouée comme une passoire. Il entendit l'écho de ses pas se répercuter entre les murs endormis et vit sa silhouette se fondre, absorbée par les ombres de la ville.

Adendorff ! Mathias Adendorff ! Une douleur glacée l'irradia de la tête aux pieds. Il pensa à Adendorff comme à la mort et se mit à son tour à courir à perdre haleine dans les rues de Paris.

VIII

PAUL POIRIER, COUTURIER
ET FÉTICHISTE

Désormais seul, du Barrail décida de continuer son enquête. Le dernier des patients suspectés de la mort du docteur Gernereau était Paul Poirier, couturier, soigné pour des symptômes liés au fétichisme du pied. Il avait lu les notes en fronçant les sourcils. La plume de Gernereau était vive et drôle avec une prise de recul presque choquante, comme s'il ne s'agissait pour lui que de parler d'une aimable fantaisie.

Cet homme exerce le plus beau métier du monde : les plus merveilleuses femmes de Paris lui passent entre les mains sans que rien de cela ne lui en coûte. Il peut les palper sous toutes leurs coutures sans qu'elles disent un mot, poser la main sur leurs hanches, réajuster leur chemisier, ébouriffer leur chevelure et passer une journée à leurs pieds. Il est grand couturier.

Son monde est peuplé des objets et des modèles les plus exquis et ne voilà-t-il pas que la vue d'une cheville de femme fait apparaître une contracture du bras droit. Celle-ci disparaît lorsque le malade arrive à détacher son regard de l'objet adoré. Nous avons plongé dans son passé à la recherche du traumatisme qui a généré ce symptôme. Peine perdue. L'analyse prendra longtemps, j'en ai peur.

Cette fixation est-elle vraiment gênante? Tant que la mode reste longue, je ne crois pas. Il lui suffit donc de ne pas raccourcir les robes et de garder le regard droit!

Adorer ainsi le pied! Est-ce bien? Est-ce mal? Je ne juge pas, j'essaie simplement de comprendre. Et il y a tant de choses que je ne comprends pas.

Du Barrail était surpris par la désinvolture de Gernereau. Il agissait comme si le cas était mineur et devait être traité sans y prêter trop d'attention. Pour du Barrail, il n'existait pas de cas mineur. Il considéra la lettre que Freud lui avait écrite en apprenant qu'il allait rendre visite au fétichiste.

Mon cher ami,

Le fétiche n'est rien d'autre qu'une protection contre l'angoisse de la castration. Souvent, le fétichiste obtient satisfaction avec le pied et la chaussure. C'est d'en bas que le petit garçon aperçoit le sexe maternel dépourvu de pénis. Le pied remplace alors le phallus manquant de la mère car il est difficile à l'enfant d'accepter ou de nier la castration féminine.

[...]

Je vous renvoie aux travaux de Binet à ce sujet. Le fétichisme n'a pas de caractère héréditaire. Il me conforte dans mon opinion qu'on en revient souvent à ses premières

amours. La fixation du fétichisme sur un objet a sa source
dans de précoces impressions d'enfance.
[…]
Votre bien dévoué.

Sigmund Freud

*

On l'introduisit dans l'atelier du faubourg Saint-Honoré où officiaient les petites mains de Paul Poirier. Sur de grandes tables se déroulaient les étoffes les plus diverses et les pots d'épingles devenaient autant de sébiles dans lesquelles piocher. Les mains agiles des ouvrières couraient sur la mousseline et la soie, froissant, cousant ou empoignant fermement les pinces à laiton. Du Barrail, choqué, vit que les mannequins à exposer avaient les pieds nus.

Paul Poirier était plutôt grand et robuste avec une légère tendance à l'embonpoint. Son visage, barré d'une moustache fine et soignée, était bonhomme mais son regard brillait d'un éclat malicieux. Du Barrail le remercia vivement de l'avoir reçu. Son entrevue avec la Dame aux Loups lui avait permis de peaufiner son histoire : Gernereau lui avait adressé ses notes sur le fétichiste peu avant sa mort pour lui demander conseil, à présent, du Barrail ne savait que faire. Il venait proposer soit de poursuivre le traitement avec lui, soit de détruire ces notes. Le couturier s'empressa de l'amener à son logement à l'étage.

— Je voudrais écrire un livre sur la cheville, fit-il en

238

l'invitant à entrer dans un appartement vaste et clair. Pendant l'Antiquité, elle est le point d'attache des ailes et donc symbole d'envol. Seule la légèreté permet de voler, c'est dire si la cheville permet l'allégement du corps et de l'âme. En un mot, la cheville sublime tout.

D'un léger hochement de tête, du Barrail exprima toute son attention.

— J'ai discuté récemment avec la comtesse de Noailles, continua le couturier en se frisant la moustache. Elle venait de recevoir d'un romancier, un certain Proust, une longue lettre dont une page entière consacrée à ses pieds nus. Il les comparait à des colombes posées près de ses sandales. Vous voyez que je ne suis pas le seul à me mettre dans tous mes états à la vue de ces petites choses.

Le couturier semblait rechercher une absolution à ce qu'il craignait être un vice ou une perversion. Il fit entrer le psychanalyste dans son bureau. Sur une étagère trônaient des chaussures de femmes ayant traversé les siècles : *pédila* grecque, une sandale dont les lanières de cuir passaient entre le pouce et les autres doigts de pied pour se nouer autour de la cheville, *endromide* qui revêtait les pieds de la Diane chasseresse, talons hauts de cinq pouces du XVIIe siècle, talons rouges parés de dentelles ou chaussures à bout pointu ou courbe avec rubans et boucles pour le XVIIIe siècle, chaussures à bout carré du XIXe siècle…

— Je voudrais collectionner des pieds de femme, s'excusa Paul Poirier, il est plus sage de collectionner leurs chaussures, ne croyez-vous pas ?

Mis en confiance par le sourire de connivence que lui réserva du Barrail, le couturier poursuivit :

— Le corps des femmes souffre dans les corsets et sous les rembourrages. Est-il naturel de l'ensevelir sous des dentelles et des dessous à n'en plus finir ? Est-il humain de le casser en deux à l'aide d'un corset ? Heureusement, cet instrument de torture va disparaître ! Le corps féminin a été trop longtemps brimé, caché et déformé. Mon confrère Poiret l'a compris le premier en s'inspirant de la mode du Directoire : taille haute, robes montées sur de hautes ceintures renforcées par des baleines.

Il esquissa un geste de haut en bas.

— Vous ôtez le corset et la robe tombe en se resserrant vers le bas, le mouvement ne venant plus modifier la ligne de corps. La forme droite mon cher, la forme droite…

Il s'interrompit et proposa un rafraîchissement à du Barrail.

— Rien ? Alors un verre d'eau peut-être ? Celle que je bois a une saveur caillouteuse et même parfois ferrugineuse. Il faut dire que je la conserve dans un récipient à clous. Savez-vous que l'eau qu'on boit à Paris les jours pairs est silicatée ? Je vous en offre ?

Du Barrail refusa poliment. Partant sur une autre idée, le couturier commença à faire les cent pas.

— Voyez-vous, l'Art nouveau nous fait vivre dans un monde qui ignore lignes droites et angles droits. Nous vivons dans un monde tordu, je veux le redresser.

Triomphant, il se tourna vers du Barrail.

— Le redresser et le raccourcir. Les chaussures sont invisibles, la cheville reste un mystère. Il me faut la dévoiler. Glorifier le corps, docteur, voilà ce que je veux : glorifier le corps.

Tout à coup, il s'assit, abattu.

— Mais je ne le pourrai pas, la tâche est trop ardue. Il m'a suffi de soulever une robe pour découvrir l'horreur.

— L'horreur?

— Mes premiers symptômes. La simple vue d'un pied provoque chez moi une contracture du bras. Comment voulez-vous que j'accomplisse ma mission dans ces conditions? Et pourtant, de gens comme moi dépend l'avenir de la femme dans ce nouveau siècle !

Le couturier alla jusqu'à la fenêtre et s'abîma dans la contemplation des grands arbres qui bordaient la place. Un long silence s'ensuivit que du Barrail se garda de rompre car il savait d'expérience que celui-ci précédait la parole. Lentement, Paul Poirier se retourna.

— Voyez-vous docteur, j'ai un secret. Le corps de la femme est au cœur de mes préoccupations. Je veux le délivrer. Vous délivrez les âmes, je délivre les corps. Et si j'y réussis, vous aurez peut-être beaucoup moins de clientèle féminine à l'avenir, vous autres psychanalystes…

Du Barrail rit de bon cœur.

— C'est bien possible, oui.

Il considéra un instant le couturier, ne pouvant s'empêcher d'éprouver une sympathie presque instinctive pour l'homme et sa croisade. Il se rappelait aussi les mots de Jung : *Il n'y a pas seulement le passé infantile comme le pense trop généralement Freud mais également des conflits actuels. Si Gernereau n'a rien trouvé dans le passé de notre fétichiste, c'est peut-être tout simplement parce qu'il n'y avait rien à découvrir.*

Lentement, il lui parla.

— Je ne pense pas que vous soyez véritablement un fétichiste. Avec Freud, nous pensons que le fétichiste privilégie une partie du corps du partenaire. Ceci devient une perversion seulement lorsque vous ne pouvez plus avoir d'excitation sexuelle sans cette partie du corps ou un objet qui s'y rapporte. Nous n'en sommes pas là, monsieur Poirier.

Du Barrail regarda tout autour de lui ce temple voué à la femme et prit une profonde inspiration.

— Vous voulez opérer dans votre métier une véritable révolution culturelle et une part inconsciente de vous s'y oppose. Je crois que tout le poids des interdits de la société d'aujourd'hui s'oppose à ce que vous raccourcissiez les robes pour révéler le pied qu'elles dissimulent. Pour vous l'ôter, nous tenterons une expérience qui m'est venue à l'esprit.

*

Du Barrail hésita, le doigt sur la sonnette de la porte. Et puis il pensa que l'amour-propre est un des fardeaux les plus pénibles de l'humanité et sonna. La porte s'ouvrit. Max Engel recula d'un pas en le voyant.

— Je suppose que vous venez me présenter vos excuses, maugréa-t-il.

Le psychanalyste respira un grand coup.

— Oui, j'ai eu tort. Cette femme m'a fait perdre la tête.

Le détective s'effaça pour le laisser passer.

— Pour tout vous dire, à moi aussi ! soupira-t-il. À moi aussi ! Allons, n'y pensons plus. L'adversité est la pierre de touche de l'amitié…

À l'intérieur, du Barrail fut de nouveau surpris par cet appartement qui, loin de refléter les aspirations marxistes de son occupant, n'était que longues et sinueuses courbes végétales et arabesques légères. Il ne pouvait s'empêcher de trouver cet intérieur baroque un peu surchargé. Et puis, en réfléchissant il comprit le lien de ces peintures qui exaltaient d'un seul trait flore et corps de femme avec le détective : c'était l'élan vital. Et en observant Max Engel, débordant d'énergie, il se dit que finalement c'était bien ainsi.

— Puis-je faire quelque chose pour vous ?

— Euh… j'ai besoin d'une femme…

— D'une femme ? répéta Max Engel abasourdi.

— Pas n'importe quelle femme, expliqua nerveusement du Barrail, j'ai besoin d'une prostituée.

La bouche du détective s'arrondit encore un peu plus.

— Ça alors, moi qui vous croyais puritain, vous me demandez de vous ramener une grue ! Pour qui me prenez-vous, un souteneur ?

— Ce n'est pas pour moi, se défendit le psychanalyste, c'est pour un client. Et ce n'est pas pour ce
que vous pensez, j'ai simplement besoin de ses pieds.

Engel secoua la tête d'un air dégoûté.

— Vous êtes un grand malade mais expliquez-moi
toujours votre histoire.

Lorsque du Barrail lui eut succinctement raconté
le problème de Paul Poirier, le détective marxiste sautilla joyeusement sur place.

— Le fétichiste, oui! Je me souviens de notre discussion! Encore un qui a une araignée au plafond!

— Cette pathologie commence lorsque l'amour
d'un détail en vient à effacer tous les autres. Si vous
comparez cela à une pièce de théâtre, cela revient à
dire qu'un personnage de troisième ordre devient l'ac-
teur principal. Ce personnage chez lui, c'est le pied.

— Que suggérez-vous? s'impatienta Max Engel.

— Un traitement brutal!

*

Lorsque Paul Poirier ouvrit la porte, il se trouva face
à du Barrail et à une jeune femme toute menue au
visage pâle, presque anémié et plein de taches de rousseur, au milieu duquel un petit nez en trompette semblait sonner la charge. Un simple ruban retenait ses
cheveux qui s'en échappaient en boucles flottantes.
Son allure assez désinvolte frisait l'impertinence mais
elle semblait vive et souriante. Paul Poirier recula d'un
pas et la jaugea d'un œil légèrement désapprobateur.

— Mademoiselle… Docteur…

D'un geste courtois il les invita à entrer et se tint un instant hésitant dans le hall.

— Mademoiselle vient pour l'expérience dont je vous ai fait part, s'empressa d'expliquer du Barrail.

— Déjà? s'étonna le couturier. C'est que… euh… je ne me sens pas prêt…

La jeune fille le considéra d'un air méfiant et se tourna vers du Barrail.

— Cela fera dix billets de plus! Pouvez-vous me payer tout de suite s'il vous plaît? Nous sommes donc d'accord, monsieur va adorer mes pieds.

Une fois qu'elle eut empoché les billets, du Barrail dit doucement :

— Mademoiselle, voulez-vous je vous prie poser votre pied sur ce pouf?

Puis se tournant vers le fétichiste, il dit :

— Voilà, ces pieds vous sont livrés sans merci. Touchez-les, adorez-les, serrez-les contre vous. En un mot, aimez-les. Il le faut!

La jeune fille soupira en haussant les épaules. Les yeux écarquillés, le couturier contemplait fixement ce pied à la cambrure émouvante, lui trouvant une légèreté aérienne et un équilibre parfait.

— Mademoiselle, fit du Barrail, voulez-vous je vous prie fermer les yeux, mon ami est intimidé.

Ainsi encouragé, Paul Poirier fit un pas en avant. Ses mains frôlèrent d'abord la soie des bas et se retirèrent aussitôt comme sous le coup d'une décharge électrique.

— Allons, allons, le gourmanda du Barrail, attentif.

Les mains du couturier plongèrent alors de nouveau vers leur proie soyeuse, l'effleurant d'abord puis, s'enhardissant, en épousèrent les contours.

— Mademoiselle, fit le fétichiste, Voltaire semble avoir écrit pour vous ces quelques vers :

Je me mets à vos pieds
J'ai sur eux des desseins…

La prostituée rit et rouvrit les yeux.

— Vous êtes vraiment deux grands malades tous les deux!

Gêné, du Barrail leva la main.

— Je vous en prie, fermez les yeux et ne dites rien.

Ces paroles avaient en effet troublé le fétichiste qui s'était reculé sans toutefois pouvoir détacher son regard de l'objet désiré.

— Allons…

À genou, le couturier caressait maintenant la chaussure, du talon à la pointe, en un rituel défini avant d'aller envelopper la cheville. Aucun signe de contracture n'était apparu.

— Pouvez-vous enlever votre chaussure, mademoiselle? demanda timidement l'homme.

La jeune femme émit un nouveau rire. À la surprise de du Barrail, ce rire n'avait rien de vulgaire ou de moqueur, comme si elle venait de comprendre toute la portée de ce rituel. Elle se pencha doucement mais, au moment de dénouer la lanière, le fétichiste la devança et elle dut s'appuyer sur lui pour ne pas tomber. Rassurée, elle garda sa main sur son épaule tandis qu'il lui ôtait son escarpin comme il l'aurait fait d'un vêtement.

— Permettez-moi de m'asseoir, dit-elle gentiment, ce sera plus pratique.

— Faites, mademoiselle.

Au spectacle des jambes gainées de noir qui venaient maintenant s'ébattre sur le visage du couturier, du Barrail jugea qu'il était temps de sortir mais ne bougea pas d'un pouce. Ce ne fut que lorsque l'homme demanda à la jeune femme d'enlever ses bas pour goûter au délice de ses petits pieds nus que du Barrail s'arracha à sa fascination et sortit en se traitant d'âne bâté. Il marcha un long moment sur les trottoirs inondés de soleil, retrouvant peu à peu ses esprits mais sans pouvoir chasser totalement son trouble. Finalement, il revint à l'appartement et frappa timidement. Le couturier lui ouvrit en personne et d'un grand sourire l'invita à entrer. Au soulagement de du Barrail, la jeune femme avait remis bas et chaussures et contemplait le soleil noyer ses derniers rayons dans la Seine. En l'entendant, elle se retourna et lui adressa le plus adorable des regards pour lui proposer d'un ton candide :

— Voulez-vous également goûter au délice de mes petits pieds nus ?

*

Du Barrail rejoignit Max Engel à la terrasse d'un café où ils s'étaient donné rendez-vous.

— Eh bien! où est la jeune femme que je vous ai dégottée? J'espère qu'on ne lui a pas fait de mal!

Très mal à l'aise, du Barrail soupira.

— Je crois qu'elle va rester quelque temps avec mon patient.

Un large sourire illumina le visage du détective.

— Oui, je vois : une espèce de garde-malade!

— Détrompez-vous, je crois que M. Poirier est un homme bon et qu'il souhaite la récompenser. Il a besoin de modèle… Cela permettra à cette jeune femme de quitter le plus vieux métier du monde…

Max Engel siffla doucement.

— Holà! j'ai l'impression de marcher aux côtés de saint Vincent de Paul! Mais voulez-vous me raconter un peu cette histoire édifiante?

Du Barrail lui narra tout puis conclut :

— Freud a découvert la psychanalyse en s'intéressant à un confrère médecin qui a traité un cas similaire, celui d'Anna O. Cette jeune femme exprimait un dégoût surprenant devant toute boisson. Après l'avoir hypnotisé, le docteur Breuer lui a fait raconter un événement pendant lequel le petit chien de sa gouvernante avait bu dans son verre. Au réveil, la jeune fille réclama à boire. Elle s'était libérée d'une émotion violente enfouie dans son Inconscient grâce à la parole. En grec, le phénomène s'appelle *catharsis*. J'estime qu'à mon tour j'ai libéré cet homme, cette fois non par la parole mais par la réalisation d'un acte défendu par son Inconscient.

Le détective hocha la tête.

— Bien, vous me confiez vos petits secrets, je vais vous livrer les miens!

Ils commandèrent de l'absinthe. Du Barrail remarqua avec amusement que les hommes attablés lorgnaient en direction des passantes dans l'espoir d'apercevoir leurs chevilles lorsqu'elles marchaient en remontant légèrement d'une main leur longue robe.

Les deux hommes sacrifièrent au cérémonial du sucre sur la cuillère puis le détective lui raconta tout, des réunions secrètes dans la maison de campagne de Mathias Adendorff aux révélations du vieux Vorace.

— Mathias Adendorff un anarchiste! s'exclama du Barrail avant de baisser le ton sous le regard réprobateur de Màx Engel. Vous y croyez vraiment?

— Nous ne parlons pas de Ravachol qui assassine les riches, d'Émile Henry qui pose une bombe au café *Terminus* de la gare Saint-Lazare ou de Caserio qui poignarde le président Carnot en criant : *Vive la révolution, vive l'anarchie!* Nous sommes dans le cas d'un intellectuel comme Bakounine ou Kropotkine, plus bavard que véritablement actif. Et puis, n'oubliez pas que le grand-père d'Adendorff, républicain lui aussi, s'est fait condamner et spolier par la monarchie austro-hongroise. Cet homme voulait la liberté de son peuple…

Et en disant cela, il souriait, vaguement admiratif.

— Qu'allez-vous faire maintenant? demanda du Barrail un peu dépassé par les événements.

— Je vais essayer de retrouver Paliser, avec l'aide d'un vieil ami, et continuer à creuser tout ceci, Mathias

Adendorff m'étonne de plus en plus! Il serait donc le roi perdu des rêves de Hugo Lucca. À vous de jouer : à moi les faits et à vous les enquêtes introspectives! Au fait, comment va Marie Adendorff?

Du Barrail fronça les sourcils et sembla réfléchir longuement.

— Je ne sais pas trop…

Max Engel le considéra avec attention.

— Je ne vous ai pas demandé quels sont vos sentiments pour elle à l'instant mais simplement comment elle allait…

— Oh! euh… elle m'a invité demain à une fête que donne un de ses amis peintres.

Le détective lui tapota l'épaule.

— C'est bien, c'est bien… Allez-y et amusez-vous, vous travaillez trop, cela vous fera du bien de sortir! Un soir je vous amènerai au cabaret. Avez-vous vu danser Nini Patte en l'Air?

Il soupira en repensant à ses cuisses gainées de noir qui jaillissaient de ses jupons.

— Comme elle levait haut la gambette!

*

L'enquête du détective prenait une tournure trop politique pour intéresser encore du Barrail. Ses pensées s'éloignaient de Mirepoix et des Voraces pour se focaliser sur les paroles du couturier qui avaient été une vraie révélation. D'un coup, s'imposait à lui une vision quasi jungienne de l'Inconscient collectif masculin, tout entier occupé à assurer sa domination sur la femme en l'enserrant dans un corset, en mutilant sa silhouette pour en estomper les formes trop animales et s'en conserver l'unique privilège. Ligotée et enterrée vivante sous de multiples couches de vêtement, brimée dans sa liberté de mouvement, respirant au rythme qu'on lui imposait, la femme enfin domptée ne représentait plus aucun danger pour l'homme.

Il résolut d'écrire un article qu'il intitulerait *Modes et psychanalyses*. Jung enthousiaste l'y encouragea et, une fois de plus, marqua sa distance avec Freud :

— Pas de rapport à l'enfance chez ce fétichiste mais bien un rapport au monde et à l'Inconscient collectif. Qu'est-ce que la mode, sinon un mouvement collectif et qu'est-ce qui nous fait suivre la mode sinon, encore une fois, l'Inconscient collectif?

Troublé mais loyal vis-à-vis de Freud, du Barrail avait ramené la discussion sur l'évolution de la mode à travers les époques puis sur les grands créateurs.

— Intéressant, très intéressant ce Paul Poirier, avait dit Jung. Vous savez que souvent, dans les contes de fées, un personnage est paré d'un vêtement magique ou d'une peau d'animal qui le transforme ou modifie son comportement. Que sont-ils donc sinon un masque derrière lequel il se cache?

Et pointant le doigt en l'air, il avait annoncé :

— La Dame en vert se cache elle aussi! Et si elle se cache, cela signifie qu'elle n'est pas au fond ce qu'elle croit être ou voudrait être.

*

Jung rentrait en Suisse, dans sa maison de Küsnacht. Avant de partir, il rendit visite à du Barrail. Cette fois, le Suisse vit les soldats de plomb de la Grande Armée gisant sur le tapis comme après une bataille. Perplexe, il fixa du Barrail qui soutint son regard non sans appréhension.

Sans un mot, ils passèrent dans le couloir pour se rendre au salon et du Barrail, qui précédait son visiteur, hâta le pas pour refermer sèchement une porte légèrement entrebâillée devant eux. Jung sentit une odeur de bonbon flotter dans l'air et une illumination subite le frappa.

— Avez-vous été enfant unique, mon ami?

Du Barrail se troubla.

— Oui.

— Aviez-vous des amis?

— Aucun.

Jung hocha lentement la tête.

— J'ai eu une enfance solitaire, moi aussi, mais lorsque je m'amusais avec mes petits camarades de village, je devenais un autre enfant. Ils m'entraînaient et me contraignaient à être différent de ce que je croyais être.

Il regarda dans le vide, cherchant à rassembler ses souvenirs comme un chien tenterait de rassembler un troupeau de moutons dispersés.

— J'avais coutume de m'asseoir sur une pierre et de penser à la place de celle-ci. Je me disais : *Suis-je celui*

252

qui est assis sur la pierre ou suis-je la pierre sur laquelle il est assis ? À la fin, j'en arrivais à me demander *qui est qui ?* Vingt ans plus tard, je retrouvai cette pierre et m'y assis par jeu. Toute ma vie actuelle me sembla alors étrangère. Je compris que le monde de mon enfance dans lequel je venais d'être replongé était éternel. J'en avais été arraché et précipité dans un temps qui s'écoulait sans arrêt et qui s'éloignait de tout. Il fallut que je me fasse violence pour me détourner de ce lieu.

Du Barrail ne dit mot mais une larme coula le long de sa joue. La main de Jung enserra fermement son poignet. C'était la main d'un ami.

— Je comprends que vous aussi vous avez été précipité trop tôt dans la vie. Voulez-vous m'en parler ?

L'autre secoua la tête. Jung soupira.

— Je décèle chez vous une tendance à la dissociation de soi. Je l'ai vécu moi aussi. Prenez garde, vous risquez de compromettre toute votre vie si vous n'arrivez pas à passer outre ce sentiment de désunion.

*

Du Barrail accompagna Jung à la gare. Là, à la grande surprise du jeune homme, le Suisse l'étreignit avant de monter dans son train. En rentrant à son domicile, le jeune psychanalyste eut la surprise d'y trouver la réponse de la Dame en vert à sa lettre. Il contempla un long moment les caractères souples et déliés qui noircissaient la feuille.

Cher Docteur du Barrail,

Vous lire a été un plaisir. Je devine en vous un être qui gagne à être connu. Vous le voyez, moi aussi, je peux me projeter pour vous deviner!

J'accepte vos hommages, ils semblent sincères même s'ils ne sont pas dénués d'arrière-pensées. Nous ne nous connaissons pas assez pour tenter tout de suite de nous revoir. Eh oui! j'ai à me plaindre de vous! Je dois vous avouer avoir été assez mal reçue lors de notre précédente entrevue. Je vous ai beaucoup parlé mais vous n'avez rien voulu entendre, je vous ai alors beaucoup proposé mais vous n'avez rien voulu prendre. Comment notre monde économique pourrait-il vivre s'il n'existait que des gens comme vous?!

Si vous avez changé d'avis, ceci est une autre affaire mais, sur ce point, je ne peux vous deviner.

Vous m'avez donné un conseil amical. Je ne peux moins faire. Mon conseil sera celui de la prudence. Vous vous êtes engagé imprudemment dans quelque chose qui vous dépasse. Prenez garde et n'allez pas plus loin. Une fois passé un certain point, il est très difficile de retourner en arrière.

Vous me trouvez trop protectrice et riez de mon inquiétude? Vous avez tort, elle est réelle. Les choses peuvent être très simples ou très compliquées. Le choix est entre vos mains.

Une dernière chose avant de vous quitter. Ah! mon ami, souffrez cet aveu impudique. J'ai savouré notre baiser comme je ne l'avais pas imaginé. Oui, je sais, je vous ai un peu forcé mais malgré tout vous y avez bien participé…

Voilà enfin un souvenir qui vient un peu pimenter notre amitié naissante.

La Dame en vert

P.-S. : Ne tentez pas de me convertir, c'est sans espoir !

L'ironie de la Dame en vert ne lui déplut pas. Elle était signe d'intelligence et sœur d'impertinence. Il commença à écrire une réponse.

Chère Marie-Madeleine, pécheresse et tentatrice,
Je n'essaie pas de vous convertir mais savez-vous que le Christ avait un comportement très en avance sur son temps avec les femmes ? Il leur parlait, ce qui ne se faisait pas, défendait leurs droits et en faisait parfois ses amies intimes.
J'aimerais faire de même avec vous car votre solitude n'est sans doute pas pire que la mienne et peut tout au moins nous rapprocher l'un de l'autre. [...]

Du Barrail pensait désormais à Marie-Madeleine comme à une femme victime de son époque et qui avait choisi la voie la plus simple et la plus rapide pour exister. Il la voyait brave, courageuse et imprudente. Il savait qu'elle n'avait pas abandonné sa dignité sur les matelas car seule la perd celle qui a accepté de s'en séparer. Sa défense, c'était son habit, toutes ses couches superposées et serrées. C'était en même temps un carcan dont elle était prisonnière. Il lui suffirait d'un homme pour le lui ôter et la libérer, tout comme, au contact du Christ, Marie-Madeleine…

C'était peut-être d'ailleurs ce qu'elle souhaitait inconsciemment en s'offrant à lui. Il brûlait d'être ce chevalier servant libérateur.

Et puis quand il réfléchissait, il se traitait de fou.

*

Mathias Adendorff parcourut d'un regard fatigué, presque dégoûté, la ruche qui bourdonnait à l'intérieur du bâtiment de la Bourse de Paris. C'était un temple, celui de l'argent, avec frontons et colonnades. On y accédait par de vastes perrons encadrés par les statues de l'Abondance, de la Fortune, de la Prudence et de la Justice. Seulement, voilà, pensa Adendorff, en temps d'abondance, pour faire plus vite fortune on en oublie la prudence et la justice. Il jeta un dernier coup d'œil aux agents de change qui, accoudés à la rampe circulaire de velours rouge cramoisi, transmettaient leurs ordres aux grouillots, s'interrompant par moments pour cracher dans des vasques remplies de sable fin à leurs pieds.

Tout cet argent qui se créait puis disparaissait sans véritablement se matérialiser n'était-il pas le fruit d'une hallucination collective? se demanda-t-il.

Il laissa derrière lui les cris du marché en banque pour se retrouver rue Vivienne, au milieu des drapiers et des rubaniers. Une silhouette rondouillarde lui fit joyeusement signe et il rejoignit Mirepoix.

Le député commanda à boire en terrasse tandis que Mathias Adendorff regardait d'un air morne les Camelots du roi de l'Action française qui entretenaient l'agitation sur le boulevard. Tendant l'oreille, il les entendit dénoncer l'anti-France, constituée pour eux par les quatre états confédérés : les protestants, les Juifs, les francs-maçons et les métèques. Quelques mois plus tôt, ils étaient entrés à la Comédie-Française pour saboter la pièce d'Henry Bernstein qu'ils appelaient *le Juif déserteur*.

— Canailles ! siffla Adendorff entre ses dents.

Mirepoix haussa pacifiquement les épaules.

— Ces gens-là ne représentent rien…

— Vous croyez ?

Mathias Adendorff s'était vivement retourné vers lui.

— Ils sont réactionnaires et nationalistes, ils nous jetteront bientôt dans la guerre si on les laisse faire !

De nouveau, il écouta. Cette fois les Camelots se lamentaient car la République interdisait la production d'hommes supérieurs.

— Allons, allons, pontifia Mirepoix d'un ton satisfait, ils ne représentent rien à la chambre et le Bloc des gauches est très solide.

— Et divisé : socialistes, républicains socialistes, radicaux-socialistes, gauche démocratique, gauche radicale… C'est à se demander comment il y a autant de personnes pour si peu d'idées ! Il y a encore vingt ans, les radicaux siégeaient à l'extrême gauche de l'Assemblée, ils sont maintenant au centre…

Mathias Adendorff tendit de nouveau l'oreille pour entendre les Camelots du roi crier en chœur :

— La République est le gouvernement de ces étrangers plus ou moins naturalisés, ces métèques qui disputent aux travailleurs de sang français leur juste salaire !

De colère, il en renversa une partie de son verre.

— Mon cher, soupira Mirepoix, vous êtes un éternel insatisfait. La République existe, elle est là et c'est une réalité, notre réalité !

— Elle est bienvenue après tous ces mauvais gouvernements et ces gens qui s'approprient le pouvoir par la force ou par le droit du sang coulant dans leurs veines. Mais elle n'est pas exemplaire. C'est elle qui a envoyé Dreyfus aux travaux forcés. Il y a seulement cinq ans que le jugement de Rennes le condamnant a été cassé.

— Tout ira pour le mieux dans l'avenir.

— C'est vous qui le dites ! Cette République enverra comme les autres régimes nos jeunes se faire tuer à la guerre pour prendre sa revanche sur l'Allemagne.

— Encore votre côté pacifique ! Vous ne l'avez pas toujours été pourtant…

— C'est le passé, nous étions jeunes, nous voulions mettre le monde en pièces pour le rebâtir meilleur…

Mirepoix secoua la tête avec ravissement.

— Toute une époque.

Mathias Adendorff lui jeta un regard dur.

— Vous vous souvenez de nos petits rendez-vous à la campagne ?

Mirepoix s'agita, mal à l'aise.

— Non pas trop, aujourd'hui je suis un élu du peuple, plus un anarchiste.

— On me dit que ce détective est allé voir le vieux Vorace.

— Il n'a plus toute sa tête, fit le député en regardant nerveusement autour de lui.

Mathias Adendorff lui jeta un regard glacé.

— Il en sait suffisamment pour nous faire pendre!

— Oh! voyons, fit Mirepoix, tout ceci est du passé. Nous étions de jeunes idéalistes et nous sommes devenus des gens respectables. Qui croira encore que lorsque nous étions jeunes, nous voulions poser des bombes pour changer le monde? De toute manière, nous n'avons tué personne, n'est-ce pas? Et vous avez employé votre argent à faire avancer le progrès social…

— Je ne sais pas, fit lentement Mathias Adendorff. À vous je peux bien le dire : si pour tous ma réussite est exemplaire, alors comment se fait-il que j'ai l'impression d'avoir tout échoué?

Son regard se fit flou. En remontant l'avenue, les Camelots du roi hurlaient en conclusion de leur discours :

— La République, c'est le mal! Jetez à bas le mal! Jetez à bas la République! Proclamez le duc d'Orléans!

*

La Dame en vert se glissa dans le confessionnal et ferma les yeux, troublée par l'atmosphère du lieu. En entrant, son regard avait glissé sur un Christ et s'était attardé sur ses côtes efflanquées, ses paumes percées, émue malgré elle par l'image de ce fils de Dieu, flagellé, insulté puis couronné d'épines avant qu'on le crucifie. Existait-il beaucoup de religions dans lesquelles un dieu acceptait cette infamie tout en continuant d'aimer ceux qui le mettaient à mort ?

Elle joignit les mains mais ne pria pas. Elle s'en trouvait tout simplement incapable. Ses pensées se tournaient vers le sens de l'amour, longtemps cherché dans ce chaud et parfois lumineux échange charnel. De cette expérience, elle avait conscience d'avoir beaucoup donné et peu reçu en retour. Les hommes étaient habitués à prendre et pas à donner. Parfois pourtant, elle avait connu des moments délicieux où l'on se préoccupait d'elle et de son plaisir. Elle avait aussi inspiré, en plus du désir de son corps, de nombreuses passions aussitôt fuies, redoutant ce qu'il pouvait en résulter : une cage dorée. Réalisant soudain sa faim jamais satisfaite, l'idée lui vint d'un désir nouveau réunissant le corps et le cœur, la volupté et la bonté. Était-ce cela l'amour ?

Quelqu'un se glissa de l'autre côté du confessionnal.

— Je vous écoute ma fille, fit une voix masculine derrière la cloison.

Elle serra les dents et avec défi jeta :

— Pardonnez-moi mon père parce que j'ai beaucoup péché.

— Et il vous sera beaucoup pardonné, murmura ironiquement la voix.

— Je n'aime pas cet endroit, des gens comme nous n'ont pas leur place ici…

— Vous avez tort, répliqua la voix étouffée par les ténèbres, c'est le lieu le plus discret que je connaisse. Le seul risque pour moi, c'est d'avoir encore à confesser quelques pécheresses dans votre genre.

— Et que leur diriez-vous? demanda la Dame en vert en rentrant malgré elle dans son jeu.

— Cela dépend de leur degré d'innocence. À certaines je dirai *Oubliez-vous et laissez faire.* Je les ferai s'agenouiller sur un prie-Dieu et les remplirai du bonheur éternel qui leur est promis.

— Comment cela?

— Avec l'intromission de mon terrible engin par la route canonique!

La Dame en vert frissonna malgré elle.

Pourvu qu'il ne me demande pas de coucher avec lui, supplia-t-elle en silence.

— Vous avez désiré me voir, se hâta-t-elle de dire pour échapper à la perversité dont il teintait une fois de plus leur échange.

— Je suis mécontent de vous, expliqua-t-il dans un murmure, entretenant toujours l'illusion qu'il la confessait. Vous me donnez peu de nouvelles de notre affaire et je ne vois rien avancer. Les notes du docteur Gernereau sont toujours dans la nature, chez je ne sais qui, et leur copie en possession de du Barrail. Où en êtes-vous désormais?

— Il m'écrit.

— Quoi?!

— Du Barrail m'écrit, cela m'amuse.

— Comment a-t-il su où vous contacter ? demanda la voix où perçait l'inquiétude.

— Je l'ignore mais il s'agit de mon ancienne boîte postale. Je ne la fais relever que très rarement.

— Pourquoi ne pas l'avoir fermée ? C'est stupide et imprudent !

Devant cette colère soudaine, d'autant plus surprenante qu'il gardait habituellement une parfaite maîtrise de lui, la Dame en vert tenta de se justifier.

— J'ai quelques anciens clients qui voyagent beaucoup et dont je ne voulais pas perdre la fréquentation. J'aime les grands voyageurs, c'est curieux comme ils reviennent toujours des pays qu'ils visitent avec de nouvelles perversions !

— Vous ne m'amusez pas, fit l'autre d'une voix glacée. Souvenez-vous de ce qui pourrait vous arriver si quelqu'un allait plus loin dans cette affaire. Les choses tourneraient très mal pour vous…

Ce n'était pas la première fois qu'il la menaçait mais jamais aussi directement. La Dame en vert chercha une échappatoire. Elle se sentait soudain prisonnière du confessionnal et n'avait désormais plus qu'une idée en tête : quitter ce lieu sombre et froid.

— Vos agissements me semblent futiles et dépourvus de sens, reprit l'homme dans l'ombre avec un accent de plus en plus irrité. Vos jeux littéraires m'importent peu. Si vous ne parvenez pas à me récupérer ces satanées notes, je vais faire agir votre complice du train et son homme de main. Ils n'ont toutefois pas votre délicatesse…

— Ne pensez pas que je perde mon temps, dit-elle précipitamment. Au fil de ses lettres, nous établissons une certaine complicité. Vous savez ce qu'il en est, lorsque nous écrivons, les choses sont parfois plus faciles à dire et l'on se laisse plus facilement prendre au jeu. Laissez-moi manœuvrer et vous aurez ce que vous voulez.

Elle sentit sur elle le regard brutal et chaud de l'animal et vit par les interstices ses lèvres minces s'écarter à peine pour laisser perler dans un filet de voix glacé ces deux mots définitifs :

— Faites vite !

D'un bond, elle fut dehors comme un oiseau qui s'enfuit de sa cage. La vision fugitive du Christ en Croix lui rappela la blessure de Dieu. Elle s'enfuit. Dehors, le ciel bleu l'accueillit dans ses bras et elle respira plus doucement.

*

Van Dongen s'était installé dans un atelier très froid, en ciment armé, dont il avait peint le sol et le plafond en vert et en rouge. Il recevait torse nu ses invités, de petits rubans bleus et roses noués dans sa barbe. Marie Adendorff, comme d'autres personnes, était également invitée à la soirée de Brunelleschi, sur le thème de la commedia dell'arte, rue Boissonnade. Il s'ensuivit un va-et-vient bruyant entre les deux fêtes.

Tradition et modernité se côtoyaient chez Van Dongen avec toutefois un net penchant pour les avant-gardistes. Les futuristes italiens de la revue *Lacerba* frayaient avec ceux de la revue berlinoise *Der Sturm*. Apollinaire, l'homme qui déniait la ponctuation, conversait avec Anatole France. Les écrivains de la NRF, la *Nouvelle Revue française*, étaient là, autour de Gaston Gallimard, le gérant de la maison d'édition : Paul Valéry, Jules Renard, Roger Martin du Gard, Alain-Fournier et, bien entendu, Gide, hésitant entre joie sensuelle et attrait du vide.

Du Barrail éprouvait une tendresse particulière pour Anatole France dont les détracteurs, nationalistes et antisémites, écrivaient : *Ses livres sont le bréviaire favori des femmes divorcées, le livre de chevet des Juives du quartier de l'Étoile et le missel des filles des marchands de porc de Chicago !* Mais pour du Barrail, Anatole France était l'homme qui s'était écrié : *Quand on étudie l'histoire des hommes, on s'aperçoit qu'ils s'entremassacrèrent sans relâche à travers les siècles pour n'avoir pas su douter. Nous croirons en doutant, nous douterons en croyant. Ne souhaitons pas que les autres pensent forcément comme nous.*

— Comment trouvez-vous ce tableau ? le pressa Marie Adendorff en le traînant de force vers une composition colorée au fond de l'atelier.

— Je ne sais trop quoi vous en dire, balbutia du Barrail dépassé par ces tombereaux de couleurs jetés pêle-mêle sur la toile.

— Lorsque la matière interfère avec la pensée, fit Marie Adendorff d'un ton moqueur, vous autres, pauvres intellectuels, êtes perdus.

La jeune femme attirait irrésistiblement les regards. Elle portait une robe tout en soie et à son cou brillait un pendentif en or et émaux à jour. Du Barrail se trouvait pour sa part raide et engoncé dans son costume trop lourd. Alors qu'ils picoraient à grand-peine quelques canapés tant la foule se pressait autour des buffets, tous deux furent pris à parti par un peintre cubiste et le psychanalyste fut sommé de donner son avis sur le fauvisme.

On a jeté un pot de peinture à la face du public, avait écrit un critique d'art en découvrant des toiles de Matisse, Vlaminck et Derain. Du Barrail s'excusa timidement.

— Je connais plus l'art figuratif que l'art abstrait…

— Ah! fit l'autre avec dédain. Toutes ces femmes aux flancs rétrécis… Que voulez-vous donc que je dessine? Dans le temps, au moins, elles avaient des hanches à peindre!

Et il leur tourna le dos sans plus de manière. Du Barrail soupira.

— Vos amis sont surprenants…

— Vous ne les appréciez pas? regretta Marie.

— Je ne les comprends pas. Qu'aimez-vous en eux?

— Leur énergie!

— Ils en ont à revendre!

Marie sourit.

— En tant que psychanalyste, vous êtes un héros de la modernité. C'est aussi pour cela que je vous admire.

Elle rougit fugitivement.

— Allons, ajouta-t-elle, oubliez tous vos repères, oubliez tout et amusez-vous. C'est la fête, ce soir.

Elle s'empara de son bras.

— Venez, offrez-moi donc un verre.

— Ne pourrions-nous pas aller le boire ailleurs ? Je ne me sens guère dans mon élément ici.

Marie regarda les joues pâles du jeune homme, signe d'épuisement ou d'anémie.

— Vous n'avez pas dû vous amuser beaucoup quand vous étiez plus jeune…

— Non… pas trop.

Il ajouta comme pour s'excuser :

— Je n'en ai pas eu l'occasion. Il m'a fallu mobiliser toute mon énergie pour réussir mes études de médecine. J'avais tellement de retard…

— On a peine à le croire !

Un groupe particulièrement exubérant vociférait près d'eux.

— Qui sont ces gens ?

— La bande à Picasso. Ils aiment bien mettre le désordre.

Un homme éméché obligea sa compagne à monter sur une table pour organiser une adoration perpétuelle de la Vierge.

— C'est Apollinaire, le poète, le flâneur des deux rives comme on l'appelle. Il est parfois un peu cruel… Là, vous voyez Henri Rousseau, qu'on appelle le Douanier Rousseau. Sa peinture me fait rire. Ses tableaux sont tellement minutieux dans sa naïveté.

— Chérie, on te voit si peu! fit l'un d'eux sans prêter la moindre attention à du Barrail. Sais-tu que nous revenons d'Égypte. Crois-moi, c'est la *high life*! Whisky et cocaïne face aux pyramides! Allez, on déjeune ensemble bientôt…

Du Barrail remua, indigné, l'homme ne l'avait pas salué, en fait il ne l'avait même pas vu. Jamais encore il n'avait eu si peu l'impression d'exister. Marie Adendorff n'en semblait ni surprise ni choquée.

— Ils sont nombreux comme lui, commenta-t-elle amusée. Ils passent l'automne à Venise, l'hiver en Suisse ou à Monte-Carlo pour jouer à la roulette, au printemps sur les planches de Deauville, au *Plaza* de New York, toujours en train de boire, s'amuser, s'aimer…

— Qui peuvent-ils aimer à part eux-mêmes?

Elle le dévisagea, ses yeux brillaient comme des gemmes sous les lumières.

— Et nous, qui aimons-nous?

Du Barrail se troubla.

— Peut-être des choses qui n'existent pas.

— À quoi pensez-vous?

— À un mythe…

Le regard de Marie Adendorff jeta des éclairs.

— C'est la Dame en vert, n'est-ce pas? Vous ne pensez plus qu'à elle!

Du Barrail se mordit les lèvres. Il aurait voulu répondre par la négative. Une réelle affection était née en lui pour Marie Adendorff et il aurait souhaité l'aimer et la protéger pour le restant de sa vie mais l'image de la Dame en vert penchée sur lui, ses lèvres offertes pour un baiser de rêve, l'obsédait encore et encore. Le visage de Marie Adendorff se referma. Tout son sang sembla refluer vers quelques contrées lointaines, la laissant livide et tremblante.

— Je vais rentrer, dit piteusement du Barrail, puis-je vous raccompagner ?

— Ce n'est pas la peine, répondit-elle sèchement, je reste.

IX

DES LENDEMAINS SANS FÊTE

Le vieux Vorace avait fait porter un message à Max Engel, lui apprenant que le dénommé Paliser travaillait ces temps-ci vers la gare de Lyon, boulevard Diderot, à la foire au pain d'épice.

Cette foire commençait à Pâques et se poursuivait pendant trois semaines. On y vendait du pain d'épice par respect de la tradition, car elle exhibait désormais tous les attributs d'une fête foraine : théâtres, ménageries, chevaux de bois, montagnes russes, galeries des glaces, diseuses de bonne aventure et baraques de tir. Des lutteurs aux corps noueux et musclés s'affrontaient même sur des estrades.

Le détective parcourut deux fois de suite la foire sans y reconnaître la silhouette de Paliser. Il se dirigea alors vers les brasseries alentour où les serveuses avaient la particularité de solliciter les clients. Près de là, un joueur d'orgue de Barbarie jouait sa ritournelle obsédante. Max Engel ne lui prêta aucune attention. Trop curieux au goût de certaines Filles, le détective finit par se retrouver environné de quatre travailleuses de la nuit, menées par une matrone à la poitrine trop généreuse.

— Paliser, c'est lui! répondit-elle en désignant le joueur d'orgue de Barbarie à la tête énorme.

Puis elle se tourna vers les autres femmes.

— Allons les filles, il est temps que nous donnions au peuple quelque chose en échange de son argent!

C'était une sage décision, pensa Max Engel. Le peuple avait droit lui aussi à son café du pauvre. Un peu de bonheur sur l'oreiller et le monde ne s'en porterait pas plus mal!

Le joueur d'orgue s'éloignait lentement, scandant son éternelle ritournelle par une toux glaireuse. Max Engel frissonna. Il traversa à sa suite des quartiers où les enfants d'Afrique vendaient des dattes bien grasses tout en jouant aux cartes. Après avoir parcouru une rue où les autochtones commerçaient dans d'obscures boutiques des racines noires pour la bonne santé des gencives, il arriva devant le port vinicole de Bercy au bord de la Seine, regorgeant de vin, d'alcool et de vinaigre. Il aperçut, comme la flamme d'un feu follet, la lueur d'une lanterne et la suivit des yeux. Elle disparut, traversant le quai de la Rapée et descendant vers la Seine avant d'être happée par un des bâtiments abandonnés qui surplombaient le fleuve. Les notes s'estompaient doucement. À son tour, Max Engel gagna l'endroit. Des hangars immenses l'entouraient, entre eux des endroits bourrés d'ombres épaisses.

Le détective aperçut soudain l'orgue seul, devant un escalier extérieur qui menait à l'étage d'un entrepôt. Trop facile. Il regarda autour de lui. Seule une bande de gamin errait dans le coin, cherchant semble-t-il à pêcher avec une mauvaise canne. Il leur fit signe en agitant un billet.

— Un message à porter chez quelqu'un qui vous donnera deux autres billets à réception ! Voilà l'adresse. Allez-y le plus vite possible si vous voulez avoir votre argent. D'accord ? Je vais l'attendre ici.

Les enfants s'entre-regardèrent puis, sans un mot, l'un d'eux se saisit du billet et du message. Le détective tâta la crosse de son revolver sous l'épaisseur de sa veste. Le contact familier le rassura. Paliser n'était pas forcément un client facile. Toute cette bande-là avait réuni des anarchistes sans doute plus ou moins tentés par la violence. Qui savait comment ce bonhomme-là avait évolué ? Qui pouvait dire si sa propre rencontre avec le vieux Vorace était restée secrète ?

Au bout d'un moment, ces pensées l'aiguillonnèrent comme le dard de l'abeille. Il venait d'adresser un billet à du Barrail et s'en inquiétait. La bagarre, c'était son métier, pas celui du psychanalyste. Celui-ci risquait juste de lui citer Homère : *Les dieux fortunés n'aiment pas la violence.* Il valait finalement mieux agir avant qu'il n'arrive.

Le détective s'approcha du bâtiment désert. Pas un signe de vie mais toutes les fenêtres semblaient darder sur lui leur regard, seul qu'il était au milieu de cette friche. Il s'approcha de l'escalier extérieur devant lequel le narguait l'orgue de Barbarie. Sa main était moite sur la rampe froide. Il tira son revolver avant de continuer plus loin. À l'étage, il lui sembla qu'un rai de lumière passait sous la porte. Il tourna doucement la poignée

271

et, constatant qu'aucun verrou n'était actionné, il fit un pas en avant. Un sifflement le fit se retourner. Avec une précision glacée, il vit le pommeau incrusté d'une canne s'abattre sur son front et le sang brouiller sa vue. Une fois à genou, un coup de pied l'atteignit dans la mâchoire, causant une douleur aiguë qui se répandit comme une traînée de poudre jusqu'au cerveau. Une chape de brume se forma derrière ses yeux. Un autre coup de pied le toucha encore au plexus alors qu'il essayait de se relever.

Clignant des paupières, il tenta de réassocier des fragments d'images colorées. Il était entré arrogant et sûr de lui et voilà qu'en quelques secondes il était à l'article de la mort. Une furieuse détermination l'avait toutefois aidé à ne pas lâcher son revolver. En hurlant, il tira au jugé sur une silhouette floue.

Les coups cessèrent. Il entendit un bruit de verre cassé. La porte claqua, une clé tourna dans une serrure puis une chose pesante tomba au-dehors. Tout son corps n'était que douleur. Ruisselant de sang, il se leva en titubant. Les murs flous dansaient autour de lui. Ajustant progressivement sa vision, il comprit que ce qu'il voyait bouger et onduler était des flammes.

Un court instant, il s'était cru sauvé alors que sa situation devenait catastrophique. La lanterne brisée au sol avait mis le feu à la pièce. Il alla à la porte, elle était fermée et ses coups de pied ne l'ébranlèrent même pas. La pièce ne disposait d'aucune fenêtre. Le détective vida son barillet dans la serrure et donna un grand coup de pied dans la porte qui rebondit alors sur quelque chose de lourd. On avait barricadé le passage de l'extérieur. Il traversa les flammes pour gagner l'autre coin de la pièce où se trouvait une seconde issue. Après des coups d'épaule infructueux contre la porte, il pointa son revolver sur la serrure. Il y eut un clic. Les munitions étaient épuisées. Avec tristesse, il lâcha son arme et considéra froidement la situation. Le feu avait maintenant gagné la pièce, il était piégé comme un rat… Il fit alors la seule chose qui lui parut convenable et entonna son chant préféré.

*

C'est la lutte finale, groupons-nous et demain,
L'Internationale sauvera le genre humain…

Du Barrail dressa l'oreille. Le chant lui parvenait à travers le mur de flammes.
— Max!
Le psychanalyste comprit d'un coup d'œil la situation. Son ami était coincé dans le bâtiment en feu. Il grimpa rapidement l'escalier de secours et arriva à l'étage, brisant le verre d'une fenêtre avec le coude et, se pliant en deux, entra dans une pièce enfumée, faiblement éclairée par la lune qui se glissait à travers les carreaux sales d'une grande baie vitrée. Le chant résonnait derrière une porte. Les yeux larmoyants, il regarda tout autour de lui et aperçut une barre de fer dans un coin. Il s'en saisit et commença méthodiquement à

défoncer la porte qui le séparait du détective. Lorsque celle-ci céda, il chut brutalement.

Quelqu'un le tira à lui et, de nouveau, il tomba, entraînant dans sa chute l'homme. L'appel d'air avait avivé le feu. Un rideau de flammes leur barrait maintenant toute retraite. Max Engel le saisit fermement par le bras et, avec un sourire désespéré, lui demanda en haussant la voix :

— Vous savez nager ?

— Oui, hurla du Barrail, mais pourquoi ?

— Parce que nous n'avons plus qu'une solution !

Et en hurlant, il entraîna du Barrail avec lui à travers la grande baie vitrée qui donnait sur la Seine. Les morceaux de verre volèrent autour d'eux. Baissant la tête, ils virent les reflets de la ville se précipiter vers eux.

Dans les abysses, le temps sembla se rétracter. À moitié sonné par l'impact du contact avec l'eau, du Barrail n'en finissait pas de s'enfoncer. Au fur et à mesure de cette descente, une angoissante question envahissait son esprit : quand allait-il remonter ? Le temps fluctua doucement, sans se décider entre la vie et la mort. Il eut l'impression que ses poumons explosaient.

Pas mourir !

L'analyste des profondeurs et le pourfendeur du capitalisme émergèrent en même temps à la surface noire de l'eau, toussant et crachant. D'un même geste ils avalèrent goulûment l'air frais de la nuit. Autour d'eux, les flammes dansaient et léchaient le ciel.

— Archimède, hoqueta du Barrail, tout corps plongé dans un liquide…

— Vous êtes un grand malade, acheva Engel.

Alors, le souffle court, battant des pieds pour se maintenir à la surface, les deux hommes se regardèrent et éclatèrent de rire.

*

Lorsqu'il se réveilla en plein milieu de la nuit, le clair de lune dessinait des ombres chinoises sur les murs. L'une d'elle semblait dotée d'une vie propre. Hugo Lucca regarda les murs de son appartement comme s'il les voyait pour la première fois. La pièce était toute blanche comme la cabine d'un transatlantique avec une large glace et une armoire d'acajou. Il ferma les yeux et un instant pensa qu'il allait prendre la mer pour de bon comme il avait toujours rêvé de le faire. Égaré dans les fils enchevêtrés de sa mémoire, il trouva l'image de la Dame de la nuit. Et soudain, il se redressa.

— Comment êtes-vous entrée?

— La porte n'était pas fermée, murmura-t-elle.

Elle eut un doux sourire, un peu triste lui sembla-t-il.

— Peut-être est-ce ce que les psychanalystes appellent un lapsus… un acte manqué. Inconsciemment, vous attendiez ma venue. Je l'espère, du moins.

Il admira le scintillement de ses yeux sombres.

— Que faisiez-vous?

— Je vous regardais dormir.

— J'ai dû rêver…

— Vous parliez d'un roi perdu, chuchota-t-elle.

— Je rêve souvent de lui… et de vous…

— De moi?

Elle s'était penchée sur lui, attentive.

— Vous ai-je aimée? demanda-t-il doucement.

— C'est vous qui pouvez me le dire.

— Et vous, m'avez-vous aimé?

Le visage d'Aniela s'illumina et un instant tous ces traits s'adoucirent.

— Oui, de tout mon cœur et de toute mon âme même si c'est la première fois que je vous le dis.

— Ainsi, nous n'avons pas…

Elle le rassura d'un geste.

— Jamais. Nous ne pouvions le trahir alors nous avons lutté contre nos sentiments.

Son regard prit une teinte mélancolique.

— Et plus nous luttions, plus nos sentiments s'exaspéraient…

Il l'écoutait religieusement, toujours couché sur le dos, les poings serrés comme un enfant.

— Dites-m'en plus, la supplia-t-il.

Elle se pencha sur lui. Il crut qu'elle allait l'embrasser mais ce ne fut pas le cas.

— Que vous dire de plus? Je vous avais perdu, je vous ai retrouvé.

Un soupir plaintif s'échappa de sa poitrine.

— Et j'ignore où tout ceci va nous mener…

La Dame de la nuit se redressa dans un bruissement d'étoffes étourdissant. De nouveau, Hugo Lucca admira les lignes épurées de son visage et l'éclat de ses yeux. Un dernier sourire vint fleurir sur ses lèvres. Comme dans un conte de fées, elle lui dit d'un ton maternel :

— Bonne nuit Hugo, dormez bien.

D'un geste, il la retint.

— Rappelez-moi votre nom…

Elle le regarda gravement.

— Aniela… Aniela Adendorff.

Un frisson convulsif parcourut le corps de Lucca.

— Qu'y a-t-il Hugo ?

Il passa sa langue sur ses lèvres desséchées et murmura :

— Quand je pense à Mathias Adendorff, je pense à la mort.

*

Du Barrail et Max Engel traversèrent la rue en courant, échappant de peu à la charge furieuse de la carriole du laitier pressé de terminer sa tournée. À peine sorti de l'eau, le détective avait entraîné son compagnon chez lui afin de se sécher et de changer de vêtements. À l'aube, il l'avait amené dans un quartier populaire au milieu du tintamarre des charrettes du matin, des chanteurs de rues, de rémouleurs, chiffonniers ou marchands des quatre-saisons. Déjà, des Filles des rues aux vêtements rapiécés arpentaient tristement le trottoir.

— Et vous n'avez pas visité les fortifs ! s'exclama Engel. Des baraques en planches avec des toiles goudronnées comme toit. Voilà où logent les nouveaux esclaves de la société industrielle. Il serait temps de leur redonner leur dignité d'être humain !

Il l'entraîna jusque chez le vieux Vorace et, après de brèves présentations, le mit rapidement au courant des derniers événements. Le vieil anarchiste hocha la tête d'un air entendu.

— C'est un coup de Paliser, pour sûr. Venez près du poêle, il fait frisquet ce matin.

Il fourra une bûche et un petit fagot de genêt dans le poêle à bois et tisonna, suivant des yeux la danse gracieuse des flammes. Le fagot s'effondra soudain, faisant voler dans l'air un tourbillon d'étincelles.

— Le bois est trop sec, fit-il en refermant le poêle. Paliser, donc… Cette bête-là est dangereuse. Je ne comprends pas comment quelqu'un comme Mathias Adendorff s'est acoquiné avec cette engeance.

— On l'aurait prévenu de ma visite ?

— Les gens parlent et dans le coin il doit se trouver bien des indics.

Il redressa son vieux dos voûté et dit avec satisfaction :

— On sait qui je suis à la préfecture de police !

Le détective sourit. Un instant plus tard, la surprise put se lire sur son visage à la vue du fatras étalé sur la table du Vorace.

— Je regardais de vieilles photos, expliqua celui-ci un peu embarrassé. Que veux-tu, j'ai eu un brin de nostalgie après ta visite, Myosotis.

Max Engel jeta un coup d'œil prudent à du Barrail, s'attendant à le voir sourire à ce surnom si peu viril mais le psychanalyste avait pointé un doigt tremblant vers une photo.

— Qui est cet homme à gauche?

— Mais justement, jeune homme, c'est Paliser.

— Où diable l'avez-vous rencontré? s'étonna le détective.

— Ce Paliser est l'homme que j'ai aperçu dans le train avec Jung. C'est le complice de la Dame en vert! Je le reconnais!

Max Engel leva la main pour réclamer l'attention.

— Mener une enquête, dit-il d'un ton docte, c'est comme apprendre une langue étrangère sans connaître toute la signification des lettres.

Il fit une pause théâtrale.

— Nous avons un élément supplémentaire à charge de Mathias Adendorff. L'étau se resserre autour du Loup.

*

Mathias Adendorff était au chevet de sa fille, rue Dessus, les sourcils froncés et le front soucieux. La jeune femme gardait les yeux fermés et respirait doucement. Son teint était affreusement pâle et elle avait les lèvres en sang. À côté du lit virevoltait un homme replet et au front bombé qui commentait à voix haute tout ce qu'il faisait et pensait.

— Pardon, fit du Barrail en enlevant son chapeau, j'étais venu rendre visite à Marie et l'on m'a annoncé qu'elle était malade.

Mathias Adendorff le toisa un moment, impavide et glacé, puis finit par grommeler :

— Ma fille a toujours été fragile des nerfs.

— C'est le propre des femmes d'être ainsi soumise à des excitations soudaines et à des dépressions sans cause sérieuse, renchérit d'un ton docte le bon docteur à ses côtés. L'hystérie est une expression du caractère féminin. La femme a des vapeurs, elle a les nerfs fragiles. Sa sensibilité est exacerbée, c'est dans sa nature…

— Que me chantez-vous là ? s'écria du Barrail. L'hystérie n'a rien à voir avec la nature féminine.

— Mais si, mais si. Grasset l'a dit : l'hystérie n'est rien d'autre que l'exagération du tempérament féminin.

Les deux hommes se firent face. Le bon docteur le jaugeait comme un maître de classe à qui l'on a envoyé un garnement à instruire.

— Vous ne comprenez rien, gronda du Barrail rageur, il y a toujours une cause à tout et celle-ci ne réside pas dans le simple fait d'être un homme ou une femme ! Les femmes ne sont pas condamnées à l'hystérie parce qu'elles sont des femmes, c'est le monde que vous leur fabriquez qui les rend parfois hystériques !

— Quelle thèse absurde ! gronda le médecin.

— J'ai entendu des médecins comme vous prescrire à des malades de boire trois gouttes d'urine d'enfant avant de dormir ou de prendre du repos en écoutant de l'accordéon ! Je suppose que vous estimez également que la vogue des bains de mer prouve l'état de décadence de notre société…

— Mais bien évidemment, tout comme les chemins de fer donnent d'abominables migraines et mettent en danger les gens qui les empruntent !

Le médecin s'était mis à gesticuler et à vociférer en même temps. Cela eut pour seul résultat d'énerver un peu plus du Barrail.

— Vous êtes comme certains de vos confrères arriérés qui conseillent encore aux mères de famille de lier étroitement pendant la nuit les mains de leurs filles, à la puberté, pour éviter qu'elles se touchent entre les jambes !

— Monsieur, quelle impudicité !

Du Barrail s'avança vers le médecin d'un air si menaçant que celui-ci, malgré lui, recula.

— Les gens de votre espèce sont cause de tant de malheurs et de souffrances que j'en ai honte devant l'humanité…

Le docteur suffoqua d'indignation. Alors Mathias Adendorff se leva et dit d'un ton sans réplique à du Barrail :

— Votre conduite est inqualifiable. Je dois vous demander de quitter immédiatement le domicile de ma fille.

*

Mathias Adendorff s'était assoupi dans un fauteuil. C'était un homme dur avec lui-même, qui ne prenait que quatre ou cinq heures de repos par nuit, mais l'inquiétude et la fatigue avaient eu raison de sa résistance.

Le sentiment d'un regard sur lui l'éveilla soudain. Sa fille avait ouvert les yeux et le regardait.

— Je suis navrée, père, de vous causer tant de soucis.

Il se saisit doucement de sa main.

— N'aie crainte, mon enfant, tu sais comme je t'aime et comme je suis prêt à tout pour toi.

— Je sais, père, je sais.

Elle le regarda et des larmes brillaient dans ses yeux.

— Pourquoi sommes-nous si malheureux tous les deux?

Il ferma les yeux.

— Je ne sais pas, Marie, je ne sais pas.

*

De retour chez lui, du Barrail lut la lettre les sourcils froncés.

Cher du Barrail,

Je prends sur moi pour vous écrire cette lettre. Ce faisant, j'encours d'énormes risques pour ma personne. J'espère que ma confiance en vous n'est pas vaine et que je m'adresse à un homme d'honneur. Je vous supplie donc, une fois lu, de brûler immédiatement ce courrier.

Vous êtes en danger. Les investigations de votre ami détective l'ont conduit trop loin et trop vite, dans des milieux où il n'est jamais bon de mettre les pieds.

Cessez immédiatement votre enquête et laissez la justice ne pas s'accomplir. Ce qui est fait est fait et ne se reproduira plus. Il est également impossible de revenir en arrière. Aussi, vous n'avez aucun intérêt particulier à mener plus loin cette affaire. Je vous conjure de ne pas continuer dans cette voie, vous ignorez à quel prédateur vous donnez la chasse.

Croyez-le ou non, je serai fâchée s'il vous arrivait malheur. J'en appelle à votre raison sinon à votre intelligence.

Vous voyez, il y a au moins une personne sur terre qui s'intéresse à vous et s'inquiète pour votre personne.

Vous êtes, il est vrai, un être assez unique en son genre. Il existe peu de gens comme vous, tâchons de tout faire pour en garder quelques spécimens!

Au fait, mon ami, je me suis posé il y a peu une question surprenante dans une église. Je me pose d'ailleurs beaucoup trop de questions tous ces derniers temps. Qu'est-ce que l'amour? Sauriez-vous y répondre? Je suis prête pour ma part à en discuter avec vous.

Bien à vous.

La Dame en vert

La lettre était datée de la veille. L'avertissement venait trop tard mais révélait tout de même l'évolution des réflexions de la Dame en vert, à moins que tout ceci ne fût qu'une manipulation. Du Barrail était toutefois ainsi fait que, sans illusion aucune sur l'humanité, il restait souvent prêt à faire confiance à son prochain.

*

Du Barrail retrouva le détective chez lui. Celui-ci était radieux et savourait son triomphe en mastiquant l'une de ses fameuses coucougnettes du Vert Galant.

— Qu'est-ce qui vous rend si joyeux? demanda sobrement du Barrail.

— J'ai laissé un gamin de mes connaissances surveiller l'appartement d'Hugo Lucca. Savez-vous qui s'y est rendu ce matin?

— Mathias Adendorff, le roi perdu?

— Manqué! Mme Anelia Adendorff, son épouse. Elle et Hugo Lucca partagent sans doute un sentiment amoureux. Hugo Lucca était un disciple révolutionnaire de Mathias Adendorff et a peut-être découvert que celui-ci violait sa fille, ce qui expliquerait son trouble. Voir son mentor et maître ravalé au rang de violeur, voilà qui explique le roi perdu de son rêve. Si en plus, il était amoureux de sa femme…

Troublé, du Barrail réfléchissait, les yeux mi-clos.

— Je ne sais pas…

— Que vous faut-il de plus?

— Des preuves, non? Ce qui est affirmé sans preuve peut être nié sans preuve!

Le détective se renfrogna.

— Des preuves! Dans une affaire comme celle-là, comment en trouver? Je mène mon enquête dans le passé, moi, pas dans les profondeurs des esprits!

Du Barrail hésita.

— Je ne sais… Depuis le début, j'ai l'impression de passer à côté de l'essentiel. Une nuit, j'ai rêvé de cet élément manquant mais au matin j'avais tout oublié.

— Je suis sûr, grommela Max Engel, que votre Inconscient a déjà résolu notre énigme.

Un de ses rares sourires illumina le visage de l'austère psychanalyste.

— Peut-être bien, mon ami, peut-être bien… *L'esprit dans le sommeil a de claires visions…*

— Freud?

— Non, Eschyle, ve siècle avant Jésus-Christ!

Du Barrail redevint soucieux.

— Je vais aller voir Freud. Quelque chose nous a échappé, j'ai besoin de lui.

X

FREUD

Vienne! Rêve déchu mais ville fascinante, pensa du Barrail en traversant les rues de la vieille capitale. Une ville étouffante également…

Il savait que Freud était né en Moravie mais que, alors qu'il avait trois ans, son père avait amené sa famille à Vienne. C'est dans cette Vienne cosmopolite et antisémite qu'il avait toujours vécu, auprès d'un géniteur beaucoup plus âgé que sa mère.

Du Barrail marcha le long du Danube, à l'ombre des saules pleureurs, avant de remonter la Berggasse, une rue très raide. Il s'arrêta bientôt devant une pelouse soigneusement entretenue et des parterres fleuris. Dans une cour intérieure, une niche abritait une fontaine et la statue d'une petite fille.

On introduisit du Barrail dans une entrée dallée de marbre. La maison était charmante, remplie de bibelots, de statuettes et de porcelaine de Saxe.

Un homme barbu, la cinquantaine passée, se présenta. Il portait un costume gris, une cravate de soie noire passée sur un col rigide et, sous sa veste, on entrevoyait une chaîne en or. De taille moyenne, la mine sévère, il avait l'autorité d'un prêtre.

— Bonjour, docteur Freud, fit du Barrail.

*

Pendant que son train l'emportait et que le regard des hommes dans le compartiment s'alourdissait sur elle, la Dame en vert relut une nouvelle fois la lettre qu'elle venait de recevoir du docteur du Barrail.

Chère et mystérieuse Dame en vert,

Merci pour vos avertissements, même s'ils sont venus trop tardivement pour nous éviter un bain dans la Seine. Pouvez-vous m'en dire plus sur ceux qui en ont ainsi après moi? Vous savez que je suis un homme paisible et que je ne cours qu'après la vérité.

Avec votre esprit, vous allez me répondre par une question : qu'est-ce que la vérité? Je sais que le monde n'est pas si simple et qu'il existe des vérités plutôt qu'une seule. Les Égyptiens disent toutefois que la force de la vérité est qu'elle dure… Vous la reconnaîtrez peut-être à cela.

Qu'est-ce que l'amour? J'aurais pu vous répondre bien des bêtises : un ancien a écrit autrefois que l'amour est nu mais masqué. Cela nécessite quelques explications : dans l'amour le corps est nu mais l'âme serait insaisissable. Seulement, vous étiez dans une église, m'avez-vous dit. Je vous répondrai donc "agapè". J'aime bien ce mot car il n'a pas d'équivalence et n'est finalement pas traduisible sinon que de dire que l'amour est en nous et autour de nous. Il n'y a que l'amour.

Je dois vous sembler très obscur. Vous connaissez bien évidemment éros, je vous souhaite de découvrir agapè. Je ne peux pour ma part vous aider, ne connaissant ni l'un ni l'autre !

Votre bien dévoué.

Du Barrail

*

Freud l'invita à s'asseoir. Du Barrail remarqua sur un coffre bas une réplique en marbre du Captif de Michel-Ange, certainement un souvenir d'un des voyages de Freud en Italie.

— Je suis désolé *Herr Doktor*, fit du Barrail en prenant place dans un fauteuil. J'ai échoué dans la mission que vous m'aviez confiée.

Freud l'enveloppa d'un regard inquisiteur puis lâcha finalement :

— Ce n'est pas très grave.

— Pardon ?

Freud plissa les yeux et le regarda à travers la fumée de son cigare.

— Cette affaire n'a pas fait la une des journaux et maintenant tout est retombé comme un soufflé. Quant à mes lettres, Dieu seul sait où elles sont désormais. Peut-être simplement détruites. Et en fin de compte, tout cela n'a pas beaucoup d'importance.

Il se reprit.

— Hormis pour notre ami Gernereau, bien entendu. Il s'interrompit et lui jeta un regard pénétrant.

— Et comment va Carl ? J'ai appris qu'il est resté un moment à Paris. Vous l'avez rencontré.

— Souvent, répondit du Barrail sans réfléchir.

Freud haussa un sourcil.

— Vous avez donc vu Jung à Paris… À quoi réfléchit-il actuellement ? Il est si… actif.

Du Barrail fronça les sourcils, cherchant la réponse adéquate.

— Il cherche à répondre à cette question essentielle : *Qui sommes-nous dans l'obscurité ?*

Il y eut un silence. Freud continua à tirer sur son cigare sans un mot et sans un battement de cils. Ses yeux sombres, très enfoncés dans leur orbite, avaient pris une intensité perçante. Soudain, il se pencha légèrement en avant, comme pour une confidence.

— Savez-vous d'où vient ma vocation ? Une nuit, je me réveillai dans l'obscurité et j'eus peur. J'appelai mais personne ne vint. Au lieu de me laisser aller à la panique, je me dis la chose suivante : *Désormais, je serai Freud, une lumière, faible et tremblotante, mais une lumière quand même au milieu de l'obscurité !*

Ému de cet aveu, du Barrail s'agita, mal à l'aise.

— J'ai reçu une lettre de Carl hier, reprit le maître viennois. Cet homme me surprendra toujours…

Du Barrail marmonna quelques paroles sans intérêt, légèrement choqué par la désinvolture de Freud sur son enquête. Après tout, c'était ce dernier qui l'en avait chargé à son corps défendant, l'entraînant beaucoup plus loin qu'il n'aurait souhaité aller. Seulement, voilà, le centre d'intérêt de Freud s'était maintenant déplacé. Quelque chose rongeait l'esprit du maître, non plus la mort du jeune Gernereau mais le manque d'orthodoxie de son disciple préféré : Jung!

— Jung me raconte des choses bizarres dans sa lettre, continua Freud qui semblait déçu que du Barrail ne le questionne pas. Il y parle du poids du passé de l'humanité sur les individus…

Il releva la tête, le regard soudain vif comme au souvenir de jours heureux.

— Nous nous écrivons souvent, savez-vous ? Jung et moi nous nous sommes trouvés il y a cinq ans. Il est venu à moi à un moment où j'étais seul contre tous. La première fois où nous nous sommes rencontrés, nous avons discuté ensemble treize heures de suite. Ce fut littéralement un coup de foudre pour nous deux! Nous avons échangé ces dernières années plus de trois cent cinquante lettres. La rencontre avec Jung a été pour moi des plus importantes, elle m'a ouvert un nouveau continent : la psychose. Avec lui, j'ai pu faire sortir la science psychanalytique du ghetto de la judéité de notre école viennoise. Je pensais qu'il pourrait poursuivre mon œuvre et même aller au-delà de ce qu'aujourd'hui j'imagine…

Un brin de tristesse avait accompagné sa dernière phrase. Freud se reprit.

— Je pense qu'il le veut encore, n'est-ce pas ?

Du Barrail hocha la tête, la gorge serrée.

— Vous n'imaginez pas les sacrifices qu'il m'a fallu accepter, continua Freud imperturbable, ce que j'ai dû imposer à mes premiers disciples.

Du Barrail le savait. Il se souvenait des paroles qu'on lui avait rapportées lorsque Freud avait réuni ses amis viennois pour les convaincre d'élire Jung à la présidence de l'Association psychanalytique internationale : *Je soupçonne les Suisses d'arrière-pensées mais ils se contiennent. De toute manière, nous autres Juifs devons faire preuve d'un peu de masochisme et être disposés à nous laisser faire un peu de tort. Il en va ainsi.*

Du Barrail mesura le chemin parcouru depuis le début de ce siècle. Seul au départ, Freud était maintenant solidement entouré mais, en contrepartie, il ne régnait plus en maître par le poids de ses découvertes et de son prestige. D'autres voix osaient s'élever. La puissance intellectuelle de certains de ses disciples s'accommodait mal de son dogmatisme intransigeant. Le maître viennois portait une réelle affection à Jung qui l'admirait en retour mais le poids de Freud sur la psychanalyse était trop lourd. Jung cherchait simplement à exister.

Le regard du jeune psychanalyste glissa sur le bureau de Freud. Un petit buste de Janus et des statuettes égyptiennes lui servaient de presse-papier. Cet intérêt pour les époques reculées aurait pu le rapprocher de Jung.

— Bien sûr, nous sommes très différents, continua le maître d'un air absent.

— Complémentaires, osa du Barrail.

— Jung confond souvent raison et déraison.

— Il aime à manier l'histoire et les histoires…

Freud se leva brusquement.

— Je regrette l'intérêt que porte Jung aux sciences occultes et à ces tables qui tournent. Il se pose des tas de questions. *Pourquoi les animaux pressentent-ils l'orage et les tremblements de terre ? Pourquoi des horloges s'arrêtent-elles au moment de la mort de leur propriétaire ? Pourquoi avons-nous des rêves prémonitoires ?*

Freud parlait d'une voix calme mais progressivement le ton se faisait plus sévère et plus tranchant.

— Je l'ai choqué en lui répondant : *Pourquoi perdre son temps avec ces questions sans intérêt ?*

Le maître viennois eut un geste exaspéré.

— Et maintenant, il m'écrit en me parlant d'Inconscient collectif ! On ne bâtit pas une science sur l'interprétation de mythes. Jung est un oiseau plongeur. Il remonte à la surface beaucoup trop de trésors oubliés pour une si jeune science. S'il continue, il finira par élaborer une théorie psychique tout à fait étrangère à notre système.

Du Barrail ne put retenir son mécontentement tant l'emportement du maître viennois lui semblait déplacé. Il dit alors à Freud ce que peu de personnes auraient osé dire.

— La psychanalyse est une science en perpétuel mouvement et changement. Elle a encore à grandir et à s'enrichir. Il serait dangereux d'en écarter trop tôt ceux qui explorent des voies nouvelles.

Freud le regarda sans mot dire. Il était impossible de lire sur son visage ou de déchiffrer dans ses yeux ce qu'il pensait.

— Venez, fit-il enfin, nous allons prendre le thé au salon. Ma femme ne me pardonnerait pas d'aussi mal traiter mes invités.

Il le conduisit à sa bibliothèque où il lui offrit un très bon cigare que du Barrail refusa poliment. Freud en fumait pour sa part une bonne vingtaine par jour, importés de La Havane. Sa femme, Martha, avait de grands yeux gris-bleu, aussi tranquilles et profonds qu'un lac de montagne. Du Barrail reporta son regard sur Freud, debout à côté d'elle. Il contempla son costume sombre et lourd, guère à la mode, et ne put s'empêcher de penser qu'à côté des Jung, les Freud faisaient un couple bien ordinaire, un peu étroit…

— Allons, fit Freud lorsque la fumée du thé brûlant s'échappa des tasses, parlez-moi donc de votre enquête.

Son regard fixe sembla plonger dans celui de du Barrail pour fouiller son esprit.

— Car c'est bien de cela dont vous êtes venu me parler, mon jeune ami ? Il y a quelque chose qui vous arrête aujourd'hui et vous ne savez pas quoi.

Vaguement émerveillé par la perspicacité du maître, du Barrail l'admit. Tout en buvant son thé, il lui narra son histoire, escamotant au passage la présence de Jung à ses côtés. Appuyé contre le dossier de son siège, les doigts croisés sur son gilet, Freud réfléchissait tranquillement.

— Ces patients ne se connaissent pas mais il y a forcément un lien entre eux. L'avez-vous trouvé?

— Non, avoua humblement du Barrail.

— Vous vous trompez, dit Freud d'un ton assuré, il y a le sexe. Le sexe toujours! Marie Adendorff violée, Mathias Adendorff violeur, la Dame en vert prostituée de luxe, Paul Poirier excité par le pied des femmes. Quant à Hugo Lucca, n'a-t-il pas réprimé son désir sexuel pour Anelia Adendorff?

Il leva le doigt d'un air docte.

— Le sexe! répéta-t-il en notant au passage le tressaillement du jeune du Barrail. Je n'ai pas désiré mettre en évidence le problème sexuel, c'est lui qui est sorti tout seul de l'abîme! La névrose est causée par un désir sexuel qui, ne pouvant s'accomplir, se transforme en rétention ou en inhibition et pèse de tout son poids sur notre vie psychique.

Il repoussa sa chaise et poursuivit sur un ton passionné.

— Dans ma jeunesse, le professeur Chrobak m'a envoyé une hystérique restée vierge après dix-huit ans de mariage en me prévenant discrètement qu'il lui suffirait d'un pénis normal pour se guérir. Mon cher maître Charcot à Paris me l'a dit le premier lors d'une discussion sur l'origine des maladies nerveuses : "Mais c'est toujours la chose sexuelle, toujours!"

Du Barrail était surpris de l'état d'excitation dans laquelle se mettait Freud, si calme et pondéré d'ordinaire, lorsqu'il abordait sa théorie sexuelle.

— Vous allez me demander pourquoi, s'ils le savaient,

ils n'ouvraient pas la boîte de Pandore? demanda Freud les yeux brillants.

— Pourquoi? fit docilement du Barrail qui connaissait d'avance la réponse.

Le maître viennois eut un sourire triomphant.

— Ils n'osaient pas le dire ou l'écrire car ils savaient qu'ils se heurteraient à la société tout entière! Il n'est pas agréable pour celle-ci de constater que, malgré son degré de civilisation, l'instinct sexuel domine encore l'individu. Devant le hochement de tête prudent de du Barrail qui pouvait passer pour un geste appréciateur, Freud se calma et se rassit. Il but une gorgée de thé et sembla se rappeler la raison de la venue de son jeune confrère.

— Pourquoi avez-vous enquêté sur Marie Adendorff ou la Dame aux Loups, la Dame en vert, Hugo Lucca et Paul Poirier? demanda-t-il en concentrant de nouveau toute son attention sur son invité.

— Mais parce qu'ils étaient patients du docteur Gernereau et interrogés par la police parce qu'ils n'avaient pas d'alibi, sauf la Dame en vert bien entendu.

Le regard de Freud se fit encore plus perçant.

— Ce n'est pas parce qu'on a un alibi qu'on n'est pas coupable!

Et, devant la surprise de du Barrail, il ajouta :

— J'ai pensé en me relisant à une autre patiente, bien étrange celle-là aussi. Le docteur Gernereau l'appelait la Dame de la nuit. Au terme de trois séances, elle n'est pas revenue. Je n'avais pas fait le lien avant que vous ne me parliez de Hugo Lucca et d'Aniela Adendorff.

Du Barrail se laissa pratiquement choir dans son fauteuil. Il y aurait donc une troisième femme tout comme Jung l'avait prédit !

— Je vous accable plus qu'autre chose avec ce nouvel élément ? observa Freud qui ne l'avait pas lâché du regard.

— Non, non, finit par dire du Barrail en portant la main à son front. Les pièces du puzzle commencent à s'imbriquer. Si seulement j'avais consacré plus de temps à Hugo Lucca…

— Nous avons à apprendre tous les jours, fit Freud. Au début, j'écoutais toujours mes patients assis en face d'eux. Un jour, une patiente s'est détournée pour me parler et j'ai pu constater qu'elle s'exprimait beaucoup plus facilement. Aujourd'hui, nous sommes à peu près tous intimement convaincus que sans divan il ne peut y avoir d'analyse.

Il se leva comme pour signifier que leur entretien était terminé.

— Encore une chose, du Barrail. C'est étonnant mais, si vous connaissez les suspects, vous ignorez à peu près tout de la victime…

Du Barrail était sorti de la maison et marchait lentement dans la rue inondée de soleil. Le sentiment d'une présence familière le fit regarder alentour. Avec un choc indescriptible, il aperçut la silhouette de la Dame en vert. Elle tenait à la main une ombrelle ajourée au manche d'ivoire sculpté. Lentement, sans le quitter des yeux, elle se dirigea vers un banc, à l'ombre d'un marronnier. Il alla docilement la re-joindre.

— Madame…

Il avait porté la main à son chapeau et attendait. Elle eut un geste de courtoise invitation.

— Asseyez-vous docteur, je vous en prie.

Du Barrail s'assit auprès d'elle, troublé par son parfum qui se mêlait aux senteurs de printemps mais aussi par l'éclat de sa peau et la grâce de son corps. Il repéra aussitôt deux hommes au teint mat et au regard dur qui le fixait de l'autre côté de la rue.

— Qui sont ces brutes qui nous surveillent? demanda-t-il doucement.

— Ce sont des hommes de main. Ils ont pour consigne de veiller à ce que vous me laissiez partir à la fin de notre entretien et que vous ne me suiviez pas ensuite. Est-ce que vous acceptez ces deux conditions?

— Oui, répondit du Barrail sans hésiter. Que voulez-vous?

Elle haussa négligemment les épaules.

— Vous le savez bien : les notes. Vous devez les connaître par cœur maintenant. Qu'avez-vous à perdre à vous en départir?

— Et vous?

— Oh! pour moi mon contrat sera terminé et je pourrai enfin m'en aller.

Du Barrail l'examina soigneusement. Il était difficile de lire ses traits sous sa voilette mais tout dans son attitude révélait qu'elle était maintenant pressée d'en finir avec cette histoire.

— Je veux connaître la vérité, insista-t-il.

— Ah! oui, la vérité. J'ai relu votre lettre. *La vérité est aux oreilles ce que la fumée est aux yeux et le vinaigre aux dents!* Êtes-vous bien certain de vouloir l'entendre?

— Oui.

La Dame en vert le considéra avec gravité.

— Il n'y a que trois sortes de personnes qui disent la vérité : les sots, les enfants et les ivrognes. Je ne suis aucune d'elle.

Elle eut un frisson soudain.

— Rien n'a un goût plus amer que la vérité. Ne me forcez pas! Ne me forcez pas!

Son visage se leva tout à coup vers la maison que du Barrail venait de quitter. À une fenêtre, Freud venait de paraître et les regardait fixement, sans un geste. Elle se tourna de nouveau vers du Barrail.

— J'ai aimé votre lettre, vous me dites des choses sans contrainte et vous me révélez beaucoup de vous sans le paraître. Merci de votre confiance. Je dois vous avouer que, sur le coup, je n'ai pas compris vos explications sur agapè. Et puis, je suis rentrée à nouveau dans une église. Il y avait une messe et j'ai clairement entendu ces mots de saint Paul : *Quand bien même je parlerais la langue des hommes et des anges, si je n'ai pas l'amour, je ne suis plus qu'airain qui sonne ou cymbale qui retentit.* Alors, j'ai compris agapè et découvert comme j'en étais loin.

Elle l'observa en catimini.

— Avez-vous découvert agapè, du Barrail?

— Non.

— Alors, nous sommes deux. Je ne sais pas pourquoi mais je crois que nous nous ressemblons beaucoup.

Comme surprise par sa propre découverte, elle le regarda avec une curiosité accrue.

— Je vais vous faire une confidence. Je peux bien le faire après tout, vous êtes le premier homme à me parler d'agapè!

Par réflexe professionnel, du Barrail se rejeta en arrière afin que la Dame en vert oublie son interlocuteur.

— Savez-vous, continua-t-elle pensivement, que lorsque je fus à quelques minutes de commettre l'acte de chair pour la première fois, en échange d'une poignée de billets, je me suis posé la question de Dieu. Je pensai à Adam et Ève créés par Dieu directement et donc exempts du péché. Deux créatures parfaites... Alors pourquoi avaient-ils commis ce premier péché?

Du Barrail écoutait, fasciné par cet étrange aveu.

— Tout naturellement la réponse me vint à l'esprit : ils avaient commis ce premier péché parce que telle était l'intention de Dieu. Je pensai dès lors qu'il en était de même pour moi. Dieu m'avait faite telle que j'étais, soumise aux caprices des hommes. Dieu m'avait ordonné de m'enfuir et me remettait de nouveau entre les mains des hommes. *Quand je me laverais dans de l'eau de neige / Tu me plongerais dans de la fange.* Livre de Job, chapitre IX. Tel était mon destin et sa volonté.

Du Barrail ne sut que répondre. Il aurait simplement voulu dire : *Je connais votre solitude, je la partage,* mais aucun mot ne réussissait à sortir de sa gorge serrée.

— Vous voyez donc…

Elle se tourna entièrement vers lui, l'obligeant à la regarder en face.

— Vous voyez donc que je suis ce que je dois être.

Du Barrail réfléchit un instant. Lorsqu'il parla, sa voix était plus basse et plus grave que d'habitude et elle l'écouta avec avidité.

— Jung m'a raconté qu'il avait fait un rêve étrange. C'était la nuit, il se trouvait dans un endroit inconnu et inquiétant où régnait le plus profond brouillard. Il tenait entre ses mains une petite lumière dont il protégeait la flamme contre la tempête qui soufflait. Une gigantesque forme noire avançait vers lui. Jung se dit qu'il devait à tout prix sauver cette petite flamme car tout dépendait d'elle.

Il se pencha vers la Dame en vert.

— Votre conscience est la seule lumière que vous possédez. Elle est infiniment petite et fragile comparée aux puissances de l'ombre mais c'est la seule que vous possédez. Ne laissez pas le vent l'éteindre! Ne laissez personne l'éteindre!

XI

MAIS QUI EST LA VICTIME ?

L'hôtel Drouot dressait sa masse imposante et disgra-
cieuse en plein Paris. Les temps étaient durs. La clientèle riche le désertait maintenant au profit des salles
du musée Galliera pour les ventes des grandes collections. Drouot offrait toutefois, avec ses dix-huit salles
et son propre service de banque, de nombreux avantages. Les veilles d'enchères, des expositions publiques
permettaient aux futurs enchérisseurs de voir les objets
à vendre et de se renseigner sur leur valeur et leur origine.

S'il avait été dans ces lieux un acheteur effréné pour
sa collection de chaussures, Paul Poirier franchit ce
jour-là les portes de l'hôtel Drouot pour un motif tout
à fait différent. Le couturier avait entrepris de mettre
en valeur les courbes du corps féminin. Cette préoc-
cupation occupait ses jours et ses nuits. Il cherchait les
tissus les plus souples et adaptables au corps, épousant
au lieu de contraindre. Il dessinait, cherchant à exprimer, à travers des jeux de coutures et de pinces, toute
la fluidité de la femme. Il en rêvait la nuit. Un ami
lui parla de croquis forts intéressants qui l'aideraient

dans sa compréhension de la féminité. Son intérêt le poussa donc à sortir de son atelier et de ses appartements pour se rendre à Drouot.

— Vous ici ! s'exclama du Barrail en voyant le couturier déambuler le nez en l'air à travers les salles.

Paul Poirier eut un sourire hésitant. Il était vêtu d'un somptueux complet veston, portait des gants en chevreau et tenait en main une canne dont la pomme contenait une montre à répétition entourée de brillants.

— Je suis venu pour… oh ! et puis je peux bien vous le dire, il n'y a pas de honte, la collection de dessins d'Egon Schiele m'attire.

Il jeta un regard suppliant au psychanalyste.

— Ne me dites pas que je devrais éviter…

Du Barrail se mit à rire et, comme à chaque fois que cela se produisait, c'est-à-dire rarement, son interlocuteur découvrait un autre homme.

— Non, n'ayez crainte monsieur Poirier. Vous avez parlé d'une collection de dessins d'Egon Schiele ? Je ne suis guère au goût du jour, qui est ce Schiele ?

— C'est un jeune artiste viennois surdoué et méconnu. Je dois vous prévenir qu'il a aussi la réputation d'une obsession allant jusqu'à l'obscénité.

Du Barrail le suivit jusqu'à la salle où l'on exposait les dessins. Il fut fasciné par les corps représentés, dénudés ou à demi vêtus, croqués avec exaltation dans toutes les positions : debout, accroupi, agenouillé, assis, allongé sur le dos, le flanc ou le ventre. Il pensa un instant à une marionnette de bois qu'un forcené s'efforçait de tordre dans tous les sens. Egon Schiele désirait-il prendre ces femmes dans ces postures, habillées ou déshabillées ?

Il s'approcha pour étudier les croquis plus en détail. Avec Egon Schiele, le corps rimait avec souffrance. Du Barrail se rappelait la compassion de Poirier pour ce corps féminin si mal traité. Schiele était un pur produit de son temps : même dévêtu par le privilège de l'art, le corps de la femme était encore torturé par l'homme.

Pensivement, il caressa du doigt un corps désaxé, vêtu pour tout de deux bottines délacées. Une jambe repliée et l'autre écartée, la femme s'offrait à lui, mains derrière la nuque et poitrine en avant. Il déglutit péniblement et, pour cacher son trouble devant cette chorégraphie de la douleur corporelle, se frotta le menton comme il en avait l'habitude le matin après avoir subi le feu du rasoir.

— Mon Dieu, murmura-t-il, que c'est bête de ma part. Que c'est bête…

Il crut entendre dans sa tête la voix sèche et précise de Freud : *Le sexe, mon jeune ami, on en revient toujours au sexe !*

— Excusez-moi, fit le couturier, j'aperçois une de mes clientes. Elle se vexerait si je n'allais pas lui présenter mes hommages !

Resté seul, du Barrail flâna à travers les différentes pièces, admirant au passage un vase de Henri Husson représentant des aristoloches, cette mauvaise herbe aux feuilles vert pâle et aux fleurs jaunes. L'époque était avide des plantes montantes et ployant au vent. Monter et s'enrouler, telle devait être la devise de ce siècle naissant. Il songea que l'on s'enroulait bien souvent autour du vide mais se rappela à temps la devise du lierre : *Je m'enroule où je meurs.*

— Vous voilà enfin ! s'exclama une voix familière.

Du Barrail se retourna pour se trouver face à face avec le petit homme sautillant et agité.

— J'en ai autant à votre service ! s'écria le psychanalyste. J'ai reçu votre message en revenant de Vienne. Me direz-vous enfin pourquoi vous m'avez fait venir ici ?

— Je fais mon métier, répondit Max Engel d'un ton pédant. Je m'intéresse à la victime, je suis un enquêteur, moi !

Bouche bée, du Barrail le regarda.

— Qu'avez-vous à me regarder en ouvrant la bouche comme une carpe ? demanda le détective.

— Freud m'a dit la même chose…

— Que vous étiez une carpe ?

— Non, que j'avais oublié de penser à la victime.

— Nous étions deux alors ! Je vous ai fait venir car j'ai lu dans le journal qu'une vente aux enchères de la collection de feu le docteur Gernereau allait se dérouler à l'hôtel Drouot.

— Sa collection ?

Le détective prit un air supérieur.

— Eh oui ! j'ai appris en enquêtant qu'il était grand amateur de tableau, sanguines et dessins…

— Gernereau ?! s'exclama du Barrail au comble de l'étonnement.

— Eh oui… Après avoir jeté un coup d'œil à toute la vente, j'ai la nette conviction que le docteur Gernereau vivait bien au-dessus de ses moyens. Tenez, prenez cette collection de pommeaux de cannes en argent.

Il désigna ceux-ci du doigt. Ils représentaient généralement des femmes à moitié nues, le corps voluptueusement étiré pour épouser la forme de la paume des messieurs. Des femmes soumises…

Dans ces conditions, prendre une canne c'était comme prendre une femme, songea du Barrail.

— Autant de vices, autant de maîtres, murmura-t-il pensivement. Le docteur Gernereau devait souffrir d'une fascination morbide pour le sexe. Je pense qu'il tentait de l'assouvir par des œuvres obscènes ou des prostituées prêtes à tout, même à des jeux extrêmes. Cette passion a dû être ruineuse pour lui.

— Et d'où tirait-il ses revenus ? De son métier d'analyste ?

Du Barrail eut un sourire sarcastique.

— Je doute que ceux-ci aient été suffisants !

Max Engel le regarda fixement.

— Pensez-vous qu'il ait fait chanter un de ses malades ?

— Ou le parent d'un de ses malades !

Ils restèrent un instant pensifs, songeant tous deux à la farouche détermination de Mathias Adendorff.

— Gernereau l'aurait-il fait chanter ? demanda Max Engel.

Paul Poirier revint à ce moment. Du Barrail le présenta à son ami qui le considéra avec méfiance jusqu'à ce que le couturier lâche au détour de la conversation :

— Le vêtement est la barrière entre les différentes classes sociales de la société.

Max Engel sautilla alors joyeusement sur ses pieds.

— Oh! j'aime! La théorie est audacieuse mais, comme toutes les théories, parfaitement recevable! Continuez, je vous prie.

— Eh bien! regardez notre ami.

Le couturier se tourna vers du Barrail qui portait un costume noir, un gilet, un col dur et une cravate d'une grande sobriété.

— En le regardant, on voit tout de suite que le docteur du Barrail est un travailleur. Il ne recherche pas une élégance trop affectée comme ceux qui vivent de leur argent sans rien faire! Passons côté soirée, l'habit et le haut-de-forme vont distinguer l'homme du monde du commun des mortels.

— Quant aux femmes…

Paul Poirier s'agita.

— Les femmes aisées changent de robe pour l'après-midi et font de même lorsqu'elles reçoivent pour le thé. Elles ont encore une robe de dîner et une robe du soir pour le spectacle. Oui, vraiment, le vêtement est facteur de différenciation sociale! Pour ma part, je compte lancer une mode sans corset, à la taille haute et aux hanches étroites, en déplaçant le centre de gravité de la taille aux épaules.

— Avec des robes droites, donc? s'intéressa le détective.

— Oui, resserrées vers le bas.

— Les femmes vont être obligées de faire de petits pas étriqués…

— Très juste! s'exclama le couturier d'un ton passionné, mais, en fendant la robe, nous pourrions lui redonner de la liberté de mouvement!

— Comme vous y allez mon cher, comme vous y allez!

Ils s'étaient lancés dans une discussion animée mais du Barrail n'écoutait plus. Toute son attention s'était concentrée sur une silhouette grande et mince qui venait de se dresser près du pupitre des monnaies anciennes. L'homme se dirigeait résolument vers eux, une expression de curiosité peinte sur son visage décharné. Lentement, laissant ses deux compagnons poursuivre leur conversation animée, le jeune psychanalyste fit deux pas en avant dans sa direction.

— Monsieur… fit l'inconnu d'une voix sèche et usée.

C'était un septuagénaire à l'allure alerte mais, de près, sa peau couleur de vieux parchemin était tendue à craquer sur ses os. Ses yeux profondément enfoncés dans leurs orbites étaient vitreux et morts comme ceux des poissons. Du Barrail se raidit. Malgré ses cheveux blancs et son air digne, l'homme balançait nonchalamment une canne dans sa main, comme s'il s'apprêtait à frapper quelqu'un. Du Barrail remarqua que le pommeau représentait une pieuvre qui étirait ses tentacules pour s'enrouler autour du jonc de la canne.

Nature sinueuse, pensa aussitôt le psychanalyste.

— Pardon de vous aborder ainsi, fit l'inconnu en portant la main à son chapeau, mais j'ai cru comprendre que vous vous intéressiez beaucoup aux œuvres en vente, monsieur ?

— Docteur du Barrail, psychanalyste.

— Je suis maître Gernereau, notaire, le père du docteur Gernereau. Vous étiez un collègue de mon fils, n'est-ce pas ?

— C'est exact même si finalement je l'ai peu connu.

— Il me semblait en effet avoir entendu parler de vous par mon fils regretté, fit le notaire en fronçant les sourcils comme pour mieux se souvenir.

Le ton semblait légèrement désapprobateur. Il y eut un silence lourd. Maître Gernereau plissa les narines en regardant autour de lui.

— Je n'ai pas pu me résoudre à garder toutes ces œuvres. Ma morale n'est pas en accord avec ce qu'elles représentent. N'y voyez là aucune critique, je ne suis pas dans l'air du temps. Certains pourraient même me qualifier de rétrograde.

Il s'interrompit pour le fixer avec plus d'attention.

— Pardonnez-moi d'être importun mais j'ai l'impression que nous nous sommes déjà rencontrés…

Inexplicablement, du Barrail pâlit considérablement.

— Je suis désolé mais vous faites erreur.

Il sentit aussitôt sur lui tout le poids du regard inquisiteur de maître Gernereau.

— Ah ! fit celui-ci.

Il porta de nouveau la main à son chapeau.

— Bonne journée, docteur, ravi de vous avoir rencontré.

À son ton, il n'en pensait pas un mot et du Barrail fut si soulagé de le voir partir qu'il en oublia de le saluer.

— Qui était-ce? demanda Max Engel qui s'était faufilé sans bruit à ses côtés. Vous aviez l'air d'un gamin apeuré devant lui…

*

Ce jour-là, tout l'immeuble sentait l'urine et les légumes bouillis. Des silhouettes blafardes se faufilaient dans le dédale des escaliers. En bas, dans les cours, des enfants rachitiques jouaient aux billes. Max Engel tambourina en vain à la porte du vieux Vorace. Était-il sorti? Il résolut de lui glisser un mot sous la porte lorsqu'il aperçut une figure blanche comme la craie à une fenêtre en face.

— C'est toi, La Science? demanda-t-il.

Des yeux charbonneux et caves se posèrent sur lui. L'intéressé mit un doigt sur la bouche pour lui intimer le silence avant de lui faire signe de le rejoindre. Le détective maugréa, descendit un escalier, longea un palier, reprit un autre escalier avant de se retrouver devant une porte entrebâillée.

— Entre vite, ne nous faisons pas repérer, fit le dénommé La Science.

Il avait la figure plate, le regard oblique et l'air d'un faux témoin. Les habitants du quartier le considéraient comme une encyclopédie vivante, les policiers comme un receleur.

— Le vieux est mort, expliqua La Science. C'est sa nièce qui l'a trouvé ce matin, la pauvrette!

Le détective blêmit.

— Non, ce n'est pas possible!

— Si, je te dis!

Max Engel poussa un soupir qui venait du fond du cœur.

— Tant d'effort pour bâtir une cité juste et fraternelle que personne n'habitera jamais!

Un soupçon soudain l'envahit.

— Il est bien mort de mort naturelle?

La Science eut un bref ricanement.

— Si se frotter la gorge de gauche à droite sur la lame d'un couteau est naturel, oui.

Sans ménagement, le détective l'attrapa au collet.

— Raconte-moi tout!

— Holà! doucement, fit La Science d'une voix pitoyable. *La colère n'est bonne à rien, elle vous conduit comme un chien aveugle…*

— Raconte!

— Lâche-moi d'abord! Ah! Darwin a raison quand il dit que *la nature veut le triomphe du plus fort!*

La Science retomba sur ses pattes.

— Voilà qui est mieux, *l'homme a deux pieds, c'est pour le porter!* Ne t'énerve pas! Le vieux a été saigné à blanc chez lui et…

— Et? fit le détective, le cœur battant.

— Il a été roué de coups, il n'a pas eu une belle mort.

— Torturé ?! s'exclama Max Engel. Mais pourquoi ?

La Science lui jeta un regard oblique.

— Ça c'est à toi qu'il faut le demander, tu es venu deux fois le visiter dernièrement alors qu'on ne t'avait pas vu depuis près d'un an !

Le détective encaissa sans broncher.

— Tu sais encore quelque chose ? questionna-t-il.

La Science hocha la tête.

— On a vu deux types rôder dans le passage. Ici, quand quelqu'un n'est pas de l'immeuble on le repère vite. L'un avait une tête énorme et l'autre une cicatrice toute fraîche à la figure.

Accablé, Max Engel baissa la tête. La prochaine fois, il surveillerait ses arrières !

*

Du Barrail sortit une clé de son trousseau et ouvrit la porte de la pièce de son appartement qui demeurait toujours fermée à clé. C'était la chambre d'un enfant avec tout ce que celui-ci pouvait rêver de posséder : des jouets en bois, des ours en peluche, des cerceaux à faire tourner et, sur les murs, des pierrots lunaires pour inciter au rêve. Il y régnait une douce odeur de propre, d'orange et de bonbons anglais. Silencieusement, du Barrail entra sans allumer. Il y avait un lit d'enfant bien bordé. Le lit était vide mais, sur l'oreiller, une photo dans un médaillon révélait le portrait d'un petit garçon au sourire angélique. Du Barrail la considéra avec une tendresse mêlée de compassion comme si quelqu'un était effectivement plongé dans le noir et avait peur de l'obscurité.

Cet enfant, c'était lui.

Du Barrail tira une chaise et s'assit près du lit, contemplant longuement l'image. Il se souvenait d'une confidence de Jung sur sa propre enfance. Celui-ci était épouvanté lorsque la nuit venait et que la lumière était éteinte. Sa mère lui avait alors appris une prière qu'il récitait chaque soir pour se protéger :

> *Étends tes deux ailes*
> *Ô Jésus ma joie*
> *Et prends ton poussin en toi*
> *Si Satan veut l'engloutir*
> *Fais chanter les angelots*
> *Cet enfant doit rester indemne.*

Doucement, parce qu'il était de nouveau cet enfant seul au monde contre lequel le sort s'acharnait, du Barrail répéta à haute voix cette prière et soudain il crut entendre sa mère à lui.

XII

UN PETIT TOUR EN SUISSE

Jung vivait à Küsnacht, un petit village près de Zurich. Il habitait une belle demeure, spacieuse et claire, au bord du lac. Cette maison, il en avait rédigé tous les plans et supervisé la construction deux ans auparavant.

Du Barrail remonta jusqu'au perron une longue allée toute droite, bordée de jeunes arbres. Emma Jung et son mari l'accueillirent dans un vaste hall, dominé par un majestueux escalier flanqué d'une rampe en bois magnifiquement sculptée. Ils le conduisirent dans un grand salon qui surplombait le lac pour y prendre une boisson rafraîchissante. La maison au style XVIIIᵉ siècle était chaleureuse et accueillante. Une de ses ailes était dédiée à Carl Jung. Elle comprenait un salon d'attente, une salle de consultation et un bureau dans lequel il écrivait. Ces pièces donnaient toutes sur une prairie verdoyante qui descendait vers le lac.

Dans la salle où Jung recevait ses patients, du Barrail remarqua des vitraux de couleur qui éclairaient la pièce d'une douce lueur irisée. Les patients s'installaient dans un confortable fauteuil, face à Jung de l'autre côté du bureau. C'était là encore une différence flagrante des pratiques du Suisse par rapport à son maître viennois.

— Voulez-vous jeter un coup d'œil à mon bateau? demanda Jung plein d'espoir.

— Volontiers, s'entendit répondre du Barrail qui n'y connaissait pourtant rien en navigation.

Ils descendirent jusqu'à l'abri à bateau dans lequel Jung remisait avec amour le voilier qu'il venait de se faire construire. Il s'adonnait souvent à sa passion de la voile et expliqua à du Barrail sa fascination pour l'eau :

— Un de mes plus anciens souvenirs remonte à un voyage que je fis avec ma mère jusqu'au lac de Constance. C'était merveilleux de voir le soleil scintiller sur cette immensité. J'en fus si saisi que je décidais plus tard de vivre au bord d'un lac. Je pense qu'on ne peut exister véritablement qu'au voisinage de l'eau.

Ils remontèrent jusqu'au jardin potager dont Jung faisait aussi ses délices.

— Je cultive souvent mon jardin. Cultiver son jardin apaise l'esprit et fortifie l'âme. C'est la chose qui me plaît le plus ici. Un jardin, c'est un retour.

— Un retour vers quoi? interrogea du Barrail.

— Le retour vers des choses essentielles que l'homme a progressivement perdues de vue.

Ils restèrent un instant silencieux, méditant cette phrase jusqu'à ce qu'Emma les appelle pour se mettre à table. Le déjeuner fut gai et animé. On leur servit ensuite thé et café dans un salon de musique au décor baroque. Emma se mit au piano. Du Barrail observa sa silhouette se détachant des soieries turquoise qui ornaient le mur.

— J'aime ce salon et sa décoration, fit Jung. Il appelle aux voyages. J'ai déjà visité un certain nombre de pays mais, si j'avais plus de temps, j'irais en Afrique noire.

— En Afrique noire?

Jung sourit.

— J'appartiens bien déjà au continent noir de l'esprit! Et puis, Léonard de Vinci a prophétisé qu'un jour tous les hommes se réfugieront en Afrique. Toujours le mirage du sud…

Il écouta pensivement la mélodie joliment jouée par son épouse et, de nouveau, son esprit sauta à un autre sujet.

— Savez-vous, lui chuchota-t-il, qu'une légende tenace fait de moi un descendant de Goethe? Mon grand-père paternel en aurait été le fils naturel, suite à une liaison adultérine de sa mère avec lui. Mon grand-père maternel de son côté était pasteur mais s'adonnait au spiritisme. Je vous avouerai m'y être mis plus tard avec ma mère et ma cousine Hélène.

Jung remarqua aussitôt le regard désapprobateur de du Barrail.

— Esprit cartésien!

Du Barrail soupira. Il était à vrai dire décontenancé par le monde intérieur de Jung peuplé de rêves et d'une quête de soi qui l'amenait à l'introspection comme aux mondes merveilleux ou aux choses occultes. Jung partit d'un éclat de rire homérique.

— Freud aussi me considère sévèrement lorsque je lui en parle. Il m'a choisi comme un fils pour prendre sa suite à la tête de son mouvement. Cela dit, il aurait souhaité un fils différent! Je vous fais grâce de tous les sermons paternels dont il m'a abreuvé!

Il s'interrompit, conscient du regard de reproche que lui lançait Emma tout en laissant courir ses doigts sur le piano. Du Barrail comprit que Jung devait déjà s'être plaint de Freud à son épouse et que celle-ci s'était efforcée de réunir les deux hommes plutôt que de les séparer.

— Lors de notre voyage aux États-Unis il y a deux ans, reprit Jung plus doucement en se penchant vers lui, Freud et moi avions pris l'habitude d'analyser nos rêves. Je lui révélai les miens. Je pense que, d'une certaine manière, cela lui permettait d'asseoir son autorité sur moi. Oh! du Barrail, vous me voyez maintenant comme un personnage subversif. C'est un peu votre faute…

Il jeta un coup d'œil furtif à Emma de nouveau concentrée sur sa musique.

— Votre enquête m'a fait réfléchir et prendre conscience de choses auxquelles je pensais sans oser les formuler jusqu'à présent. J'en discute et vous, vous m'écoutez avec intérêt. Vous parlez peu mais je sens bien que vous m'écoutez réellement et que mes paroles font leur chemin en vous. Déjà, vous aussi, inconsciemment (on en revient toujours là!), vous avez modifié votre attitude et votre schéma de pensée…

Du Barrail s'agita sur son siège. Il redoutait désormais ce qui allait suivre. Freud avait été réellement le premier dans la vie à lui tendre une main bienveillante mais désormais toutes ses pensées, son intérêt et son affection se tournaient vers Jung.

Si Freud était le père spirituel du jeune psychanalyste, celui qui lui avait révélé la voie à suivre et donné en quelque sorte la vie, du Barrail éprouvait un irrésistible attrait à suivre la pensée parfois dissidente de Jung. Et puis, toute science mise à part, il y avait parfois dans le regard de Jung des résurgences d'un monde passé, une espèce de mélancolie historique, qui le troublait plus qu'il n'aurait su le dire. Son sens de l'honneur était donc mis à mal lorsque celui-ci prenait ainsi ses distances avec Freud. Il était toutefois écrit que Jung ne s'en tiendrait pas là.

— Un jour, Freud m'a raconté un rêve, difficile à analyser sans autre élément. Je lui demandai quelques renseignements qui auraient pu me permettre d'en trouver les clés. Il refusa.

Jung serra ses mains puissantes entre ses genoux.

— Vous rendez-vous compte, du Barrail ? Je le considérais comme un père. Et voilà qu'il refuse tout net et, soudain plein de méfiance, me répond : *Je ne puis pourtant pas risquer mon autorité !*

Il secoua la tête et reprit d'une voix lasse :

— Cette autorité sur moi, il la perdit une fois qu'il eut prononcé ces mots.

Il contempla d'un œil morne les soieries au mur.

— J'ai rencontré Freud mais ce n'est pas lui qui m'a ouvert à la psychanalyse. Je travaillais déjà avec le plus grand psychiatre du moment, Bleuler. Le test d'association verbale que j'avais développé m'avait amené du côté de la psychanalyse.

Il se versa un peu de thé. Le suave arôme du darjeeling ne le calma pas pour autant.

— Je voulais mesurer avec Freud la pertinence de mes idées…

Il s'était levé et tout à coup éclatait de nouveau l'impatience du disciple.

— J'étais en désaccord avec la conception freudienne de la sexualité infantile, du complexe d'Œdipe et de la libido. Je l'ai d'ailleurs dit à Freud dès notre première rencontre et cela ne nous a pas empêché, notez-le bien du Barrail, cela ne nous a pas empêché d'avoir un échange de vues d'une exceptionnelle qualité!

— Vous ne cherchiez pas une doctrine à laquelle adhérer mais plutôt un homme de votre stature avec qui échanger, fit remarquer finement du Barrail.

Il n'en dit pas plus. Tout le monde connaissait dans le cercle fermé de la psychanalyse l'intérêt marqué de Jung pour les spirites, les excentriques, les marginaux et plus généralement pour tous les personnages hors norme. Un homme aussi hors du commun que Freud ne pouvait donc que fasciner Carl Gustav Jung. Et puis, connaissant la personnalité de Jung, du Barrail devinait bien que, dans l'aventure psychanalytique, c'était surtout l'aventure qui l'intéressait.

Jung regardait maintenant le lac avec une fixité inquiétante. Du Barrail se figea, attentif.

— J'ai fait un rêve peu avant votre arrivée, dit lentement Jung. Vous voyez, vous agissez sur moi comme un catalyseur d'idée. Je vous parle comme à un fils…

Du Barrail sourit tristement, on en revenait toujours là. C'était un passage de témoin : Jung abandonnait son père spirituel pour devenir adulte. Adulte, il acquérait le statut de père et c'était lui, du Barrail, qui devenait le fils et le disciple.

— Dans ce rêve, poursuivit Jung après s'être assuré de son attention, j'arrivais un soir à la frontière austro-helvétique dans une région montagneuse. Un homme d'un certain âge, portant l'uniforme des douaniers de la monarchie, passa près de moi sans un regard. Son visage avait une expression morose et agacée. D'autres personnes près de moi me dirent que c'était l'esprit d'un employé des douanes, mort des années auparavant. *Il est de ces hommes qui ne peuvent pas mourir*, me dit-on.

Jung planta des yeux tristes dans ceux de son jeune collègue.

— Du Barrail, je crois que l'homme de mon rêve était Freud. Le contrôle pointilleux à la frontière représentait l'analyse. La frontière était le passage entre le Conscient et l'Inconscient. Dans les bagages se trouvaient en contrebande des éléments de l'Inconscient. Le vieux douanier, Freud en l'occurrence, faisait grise mine, à l'image de sa doctrine.

Du Barrail se mordit les lèvres.

Trop tard, pensa-t-il, *définitivement trop tard pour sauver quoi que ce soit*. Il comprenait les sentiments contraires de Jung, partagé entre son admiration envers le grand homme et sa volonté grandissante d'affirmer son indépendance. Jung s'était longtemps bridé en refoulant ses critiques. Ce que du Barrail avait pressenti au congrès de Weimar se réalisait. L'enquête qu'il menait avec Max Engel n'avait fait qu'accélérer ce processus.

Du Barrail sentait le poids de toute la culpabilité que portait désormais Jung sur ses seules épaules. Lorsque Jung avait raconté à Freud son rêve de la maison à plusieurs étages, il avait senti la crainte du vieux maître viennois : *Jung souhaite ma mort pour prendre ma place*. Ce n'était pas cela. Face au dogmatisme de son maître, Jung souhaitait inconsciemment la mort intellectuelle de celui-ci. Au royaume des idées, pour que vive le jeune, il faut parfois que meure l'ancien. Cette mort symbolique était présente dans l'image du fantôme de l'employé grincheux de la lourde et pesante monarchie autrichienne.

— Je tiens tant à notre collaboration, murmura soudain Jung accablé.

Emma avait cessé de jouer depuis déjà un bon moment et les écoutait, les mains jointes dans le vide comme si elle priait.

— Comme vous le savez, Carl, les rêves nous incitent à éclaircir les sujets qui nous préoccupent. Votre rêve vous recommande simplement d'avoir une attitude plus critique, le rassura du Barrail.

— Oui, murmura Jung.

Mais le ton n'était pas convaincu.

— Freud a voulu le flatter pour le faire adhérer à ses vues, dit enfin Emma. Vous n'imaginez pas tous les trésors de séduction qu'il a déployés envers Carl. Cela rendrait une épouse normale jalouse! Mais au fond de lui, Carl n'a jamais partagé toutes ses idées. Il espérait le faire changer d'avis mais n'y est pas parvenu. Aujourd'hui, il hésite encore car il a peur de perdre son amitié.

*

Le lendemain matin, l'aube trouva les deux hommes en train de jardiner énergiquement. Jung s'appuya sur sa bêche et s'étira. Sa curiosité naturelle le ramenait vers l'enquête de son confrère.

— Le Loup aurait donc envoyé la Dame en vert récupérer les notes du docteur Gernereau avant de le faire assassiner? Elle ne les trouve pas et le Loup se voit contraint de supprimer le maître chanteur avant de lancer à nouveau la Dame en vert à la recherche des notes disparues, c'est-à-dire vers vous. Nouvel échec.

Il sortit un mouchoir de sa poche pour s'essuyer le front.

— D'accord avec cet échafaudage mais ce que nous n'avons pas découvert, c'est ce qui a permis à Gernereau de trouver de quoi faire chanter sa victime!

— Pour cela, fit du Barrail d'un ton maussade, les notes de Gernereau ne nous avancent guère. D'ailleurs, elles ont sans doute été écrites avant qu'il ne comprenne réellement toute l'affaire.

— Cela, le Loup l'ignore totalement puisqu'il n'est pas arrivé à mettre la main dessus.

Jung enjamba un plant de salade.

— Je pense que je vais revenir avec vous à Paris.
Il faut à nouveau hypnotiser Marie Adendorff. C'est
la seule manière de nous remettre à la place du docteur Gernereau.

— Je peux le faire… s'empressa de proposer du
Barrail.

Jung lui jeta un regard perçant.

— Non, vous n'avez plus le recul nécessaire vis-à-
vis d'elle. Est-ce que je me trompe ?

Du Barrail se retrancha dans un silence boudeur.

— Vous savez ce qu'est la résistance d'un patient,
mon ami, insista Jung, lorsque le malade a mobilisé
toutes ses défenses pour empêcher que le souvenir
pénible remonte à la surface. Moi, je saurai percer
cette résistance !

XIII

EXPÉRIENCE DE LA RÉSISTANCE

Derrière la vitre du compartiment, le paysage défilait comme sur une toile montée, réfléchissant les mêmes paysages. Bercé par le bruit régulier du train, du Barrail referma son journal avec lassitude. À l'appel du sultan du Maroc, Mulay Hafiz, en guerre contre les tribus rebelles, les Français avaient occupé militairement Fès le 21 mai puis Meknès le 8 juin 1911. Quelle serait la réaction des Allemands et ne courait-on pas tout droit vers une guerre? Nul n'aurait su le dire mais l'exacerbation patriotique était à son comble de part et d'autre.

Du Barrail était accablé par la perspective d'un conflit, quelle qu'en soit la raison, tant il restait de choses à faire sur cette terre pour les hommes de paix. En face de lui, Jung hocha gravement la tête puis son regard fut attiré par la silhouette caparaçonnée de tissus d'une femme à l'allure charmante. À son chapeau vert, du Barrail comprit à qui Jung avait pensé.

— Qu'allez-vous faire si la Dame en vert reprend contact avec vous, demanda le Suisse en plissant les yeux.

— Que me conseillez-vous?

Jung réfléchit.

— Une femme comme elle ne pourra se détourner de sa vie que si quelqu'un ou un événement l'éveille à la conscience de quelque chose de meilleur. On ne peut abandonner une forme de vie que pour une autre forme de vie.

Le regard intense de Jung se vrilla dans le sien comme s'il avait lu ses plus secrètes pensées.

— Qu'avez-vous à offrir à la Dame en vert ?

Du Barrail le regarda droit dans les yeux et répondit simplement :

— Agapè.

*

Le vieux Vorace étant mort, la piste de la maison de campagne et des anarchistes s'arrêtait là. Paliser et son complice y avaient veillé. Le détective était resté longtemps prostré et puis, son allant habituel reprenant le dessus, il partit épuiser son énergie sur une autre piste.

Certes, Max Engel s'était intéressé, tardivement, à la victime mais pas à son géniteur, ce notaire qui avait si fortement impressionné du Barrail lors de la visite à l'hôtel Drouot. Il lui fallait toutefois être prudent. Ne voulant pas renouveler sa conduite insouciante qui avait amené les assassins sur ses traces chez le vieux Vorace, il s'adjoignit les services d'un certain *La Souris* dont le surnom ne collait en rien avec sa morphologie de lutteur, profession qu'il exerçait à la belle saison. Le détective aimait à jaspiner l'argot avec lui et il leur était arrivé de partager l'atmosphère fétide des bouges pour une enquête dans un endroit où il valait mieux être accompagné par quelqu'un de grand et fort.

Maître Gernereau était un homme de loi plutôt en vue. Sa compagnie était également fort plaisante en société et il comptait de nombreux amis et relations avec qui il fut plus ou moins facile de parler. Ce que Max Engel découvrit l'incita à continuer. Il tira ainsi un fil et, comme le fil relie tous les états d'existence entre eux, découvrit une chose puis encore une autre et une autre… Lorsqu'il arriva au point d'ancrage, il fit une découverte stupéfiante.

— Par Marx et Engels réunis! jura-t-il alors. Depuis le début, je me suis fait avoir sur toute la ligne! Il faut que j'aille voir ça par moi-même!

Le taxi laissa Max Engel dans les ruelles insalubres de la Goutte d'Or, au milieu de sa misère et de sa prostitution sordide. Là, à la lumière des réverbères, le détective s'assura qu'il n'était pas suivi avant de retrouver La Souris à un café où il lui avait donné rendez-vous. Ensemble, ils pénétrèrent dans le sombre quartier de la Chapelle, La Souris marchant une vingtaine de mètres derrière lui.

Max Engel eut alors l'impression de quitter le monde des hommes pour celui des machines. La gare de marchandises, les ateliers et hangars ainsi que les dépôts à charbon des chemins de fer encerclaient de toutes parts des habitations tristes et mornes. Les usines à gaz déversaient leurs nuages de fumée grise.

Seule la rue de la Chapelle restait une enclave encore épargnée par l'invasion du progrès. Des camions la traversaient toutefois de jour et de nuit, faisant trembler les vitrines des commerces. Il gagna la place Hébert puis la rue de Boucry, dernier repère de lumière avant la rue de l'Évangile. Rue de l'Évangile! Dieu semblait pourtant avoir abandonné cet univers. Il y avait là des immeubles et des maisons vétustes, la rue allait ensuite se perdre au milieu de champs de gazomètre. Nulle âme qui vive sur les trottoirs, même pas une Fille. Max Engel tata son revolver sous sa veste. Ses pas résonnaient avec un bruit inquiétant dans la rue déserte.

Le hall humide et sale de l'immeuble dans lequel il s'engagea était sombre et dégageait à peu près les mêmes odeurs qu'une fosse d'aisance. Le courage manquait au moment de gravir l'escalier crasseux, quelque chose vous piquait les yeux. Il arrêta le premier être indigne qui lui tomba sous la main.

Non, ce n'était pas ici mais la maison d'en face, s'entendit-il répondre. Oui, il y avait encore quelques pensionnaires et un surveillant qui pourrait probablement répondre à ses questions si on l'y incitait pécuniairement.

— C'est bien ce que je compte faire, murmura le détective en faisant signe à La Souris de le suivre.

*

Il avait fallu tout le charme, l'autorité et le pouvoir de persuasion de Jung pour amener de nouveau Marie

Adendorff sur le divan de du Barrail afin d'être hypnotisée. Le jeune homme et la Dame aux Loups s'étaient retrouvés avec une certaine émotion. Ils se sourirent de concert mais même encore, une fois allongée, la jeune femme se trouva si crispée qu'il fut impossible d'aller plus loin. Avec une autorité toute paternelle, Jung lui prit alors la main.

— Je vais vous raconter une histoire qui m'est arrivée et dont je ne me suis jamais vanté. À l'époque, je donnais des cours d'hypnose à des étudiants à Zurich. Pour cela, j'employais des malades que je présentais à mes étudiants. Une femme d'un certain âge, marchant avec des béquilles, vint. Je l'endormis avec une facilité déconcertante et elle se mit à discourir sans fin, nous racontant ses rêves les plus profonds. Au bout d'une demi-heure, je voulus la réveiller mais n'y réussis point. Je m'efforçai de cacher mon trouble aux étudiants qui m'observaient et pendant dix minutes, je tentai encore de la réveiller. Enfin, à mon grand soulagement, j'y parvins. Elle manifesta alors tous les signes de la plus extrême confusion. Je me sentis obligé de l'arrêter et de lui déclarer d'un ton péremptoire :

— Je suis le médecin et tout est en ordre !

Là-dessus, elle s'écria :

— Je suis guérie, je suis guérie !

Elle jeta ses béquilles et quitta l'estrade en marchant. Je devins rouge comme une pivoine. On aurait dit une mascarade de foire. Je n'étais pourtant pas un imposteur et je jugeais cette femme sincère. Je prévoyais donc une rechute. Celle-ci ne vint jamais.

L'année suivante, après l'annonce de la reprise de mes cours, cette femme revint pour se plaindre de vives douleurs au dos. Je l'hypnotisai de nouveau et la délivrai à l'instant de ses maux.

Je la retins pour discuter avec elle plus tard. J'appris alors qu'elle avait un fils dont elle attendait beaucoup mais qui souffrait d'une maladie mentale et était soigné dans un de mes services. Je compris petit à petit que, sans s'en rendre compte, elle avait reporté sur moi, jeune médecin qui soignait son fils, tout ce qu'elle projetait et souhaitait pour ce dernier. Ainsi, ses maux étaient venus à point nommé pour me permettre d'annoncer une guérison quasi miraculeuse et ainsi m'aider à asseoir ma réputation. Je le lui fis découvrir avec ménagement et elle accepta mes dires. Après cela, il n'y eut plus de rechute.

Je dois toutefois avouer que je lui dois ma première réputation de magicien guérisseur et que cette histoire m'amena une soudaine clientèle privée.

Il cligna malicieusement de l'œil.

— Que dites-vous de cela, jeune demoiselle ?!

La fin était si imprévisible que Marie Adendorff éclata de rire. Jung jeta un regard entendu à du Barrail et saisit les mains de la jeune femme, lui maintenant les pouces écartés. Il lui ordonna de ne plus penser à rien, sinon au sommeil et à ses paupières qui se faisaient lourdes, si lourdes… Sa voix insinuante la conduisait inéluctablement au sommeil. Quand elle cligna des paupières, Jung lui ordonna de s'endormir. Ce qu'elle fit. Du Barrail observait le Suisse avec fascination. Il émanait de l'homme une telle assurance que le patient s'en remettait complètement à lui.

Lorsque Marie Adendorff fut endormie, Jung se pencha sur elle.

— Marie, je voudrais que vous reveniez au temps de votre enfance. Quel âge avez-vous?

— Quinze ans…

— Je voudrais que vous remontiez encore plus loin. Vous avez onze ans et vous êtes dans la maison de campagne de votre père. Voyez-vous votre père?

— Oui.

— Maintenant la nuit est tombée. Êtes-vous couchée?

— Je suis dans ma chambre, répondit-elle d'une voix atone.

— Y a-t-il des loups dans votre chambre?

— Non.

Jung fronça les sourcils.

— Où êtes-vous, Marie?

— Je suis à genoux sur le sol, ma tête est sur le lit. Il m'a fait mal.

— Qui vous a fait mal? demanda Jung d'une voix très douce.

— Le loup.

Une ombre sembla troubler la clarté du jour.

— Pourquoi vous a-t-il fait mal? questionna encore Jung.

— Je ne sais pas, j'ignore pourquoi les adultes font du mal aux enfants. Je ne comprends pas. Ils me font

329

peur alors je fais ce qu'ils veulent sinon ils me disent que je suis une méchante petite fille.

Un grondement sortit de la gorge de du Barrail. D'un geste, Jung l'arrêta. Il effleura les paupières de la jeune femme du bout des doigts et continua à lui parler d'une voix rassurante.

— Marie, mon enfant, le loup est-il parti ?

— Oui.

— Êtes-vous seule à présent ?

— Non, quelqu'un est entré.

— Que fait-il ?

— Il se penche sur moi et m'aide à me relever. Comme je pleure, il me caresse la joue.

— Que vous dit-il ?

— *De quoi as-tu peur ?* Je lui réponds : *Du loup.*

— Que vous dit-il alors ? insista Jung.

— *Ma pauvre enfant, n'aie plus peur, je te protége-rai de lui.*

Le Suisse fronça les sourcils.

— Qui est cet homme qui veut vous défendre contre le loup ?

— C'est mon père, Mathias Adendorff.

Jung lança à du Barrail un regard silencieux puis de nouveau le Suisse se concentra.

— Votre père a-t-il tenu parole ? Vous a-t-il pro-tégé du loup ?

— Oui, il me l'a dit et jamais plus le loup n'est revenu.

— Et que vous a-t-il dit ? demanda Jung tendu.

— *J'ai tué le loup.*

Jung sursauta et de nouveau son regard chercha celui de du Barrail.

— Marie, dites-moi. Vous a-t-il dit comment se nommait le loup qu'il avait tué?

— Non, mais c'était un vilain monsieur.

Une larme perla au coin de la paupière de du Barrail. Jung apposa trois doigts sur chaque tempe de la jeune femme.

— Marie, vous allez dormir quelques minutes puis vous vous réveillerez lorsque je presserai votre main.

Jung expira lentement puis se tourna vers son jeune collègue qui se tenait la tête entre les mains.

— Il y a deux choses sur terre avec des épines : les roses et la vérité. Vous savez tout désormais.

— C'est ma faute, murmura du Barrail, je n'ai rien compris. Elle m'avait pourtant parlé de son père comme d'un chasseur. Je n'ai pensé qu'à la soif de tuer.

— Eh oui! dans le conte du *Petit Chaperon Rouge*, on trouve deux représentations de l'homme : le prédateur violent et égoïste qu'est le Loup et le Chasseur qui est la figure paternelle. Fort, réfléchi et responsable, c'est lui qui sauve l'enfant.

Jung considéra Marie Adendorff, pâle et inerte.

— Pauvre petite.

Il retourna son attention vers du Barrail.

— Vous vous êtes simplement trompé de conte. Quel conte est aujourd'hui inscrit dans l'imaginaire collectif du monde? Le conte de Perrault ou de Grimm? Celui où le Petit Chaperon Rouge est tué par le loup ou bien celui où il est sauvé par le chasseur?

Il sourit d'un air complice.

— Le second, mon cher, le second.

Et il ne put s'empêcher d'ajouter.

— Freud a beau dire, cela sert de connaître l'histoire et les mythes de l'humanité!

Puis, il se reprit.

— Je vais la réveiller.

Du Barrail l'arrêta.

— Attendez… Lui direz-vous tout?

Jung lui jeta un regard désapprobateur.

— Bien entendu, il le faut.

— Mais son père a tué un homme…

Jung le considéra avec gravité.

— Ceci, il ne m'appartient pas d'en juger ni de le révéler à quiconque hormis cette jeune femme. Je suis un médecin de l'âme et rien d'autre.

Du Barrail se saisit vivement de son bras.

— Vous rendez-vous compte de ce que cela signifie? Le père de Marie a sans doute tué le violeur de sa fille puis, quinze ans après, le docteur Gernereau qui avait découvert ce secret pendant ses analyses et le faisait chanter!

Jung se détacha sans effort tant sa force était grande.

— Faire chanter un chasseur n'était certes pas une bonne idée! Mais en tout état de cause, nous devons la vérité à notre patiente.

Du Barrail poussa un soupir de découragement.

— Pouvez-vous rester ici avec Marie? Je dois aller voir Max Engel.

*

Du Barrail avait retrouvé le détective chez lui, savourant dans son salon une de ses fameuses coucougnettes du Vert Galant, signe d'un succès. Il ne lui en proposa pas. Du Barrail nota au passage que son ami avait rajouté à sa collection de bibelots une femme libellule et une femme papillon, toutes les deux en fonte à la cire perdue.

L'accueil du détective fut assez froid. Il écouta sans mot dire le récit de du Barrail.

— Mon vieux, conclut-il, ce sont toujours les mêmes salades lorsqu'on vous laisse ensemble, vous autres psychanalystes. En résumé, Mathias Adendorff est toujours coupable du meurtre du docteur Gernereau mais pour une autre raison.

Il jeta un regard glacé à du Barrail.

— Avec mes méthodes traditionnelles, j'ai pour ma part avancé à pas de géant. J'ai découvert qu'une des personnes qui participaient aux réunions secrètes dans la maison de Mathias Adendorff avait été retrouvée morte à l'époque, cinq balles dans le corps, dans une rivière à cinquante kilomètres de là. J'ai enquêté. C'est probablement le soir de ce meurtre que Hugo Lucca a eu son accident de voiture. Et voilà donc le cadavre du véritable Loup, tué par le chasseur Mathias Adendorff!

— Et ce doit être pour ce meurtre-là qu'on le faisait chanter, Gernereau avait sous la main le complice ou témoin du meurtre : Hugo Lucca.

— Possible, fit le détective pensivement. Encore que… Il s'empara d'une autre coucougnette du Vert Galant.

— Encore que tout n'est pas dit…

On frappa à la porte.

— Ne bougez pas, je vais voir, fit Max Engel.

Du Barrail se replongea dans ses pensées. Il ne releva la tête qu'en entendant une exclamation étouffée puis le bruit mat d'un corps qui tombe à terre. Déjà deux hommes se précipitaient sur lui, un couteau à la main. Du Barrail aperçut confusément le détective s'agripper aux pieds de l'un d'eux, l'entraînant à terre avec lui. En un éclair, il reconnut, encore debout, Paliser, l'homme du train. L'autre était une vieille connaissance puisque son visage tuméfié portait la trace d'une statuette de don Quichotte.

Max Engel releva la tête à son tour pour juger de la situation. Il vit le psychanalyste se saisir promptement du couteau de l'assaillant tombé et s'avancer en grondant vers Paliser, qui marqua un temps d'hésitation.

— Je m'en vais te suriner, toi! gronda du Barrail. Remis de sa surprise, l'autre fit siffler sa lame en direction de la gorge du psychanalyste qui esquiva en se jetant en arrière puis, avec une maîtrise parfaite, se pencha souplement pour porter une pointe en direction de la poitrine sans défense de Paliser. L'homme s'écroula, une mousse rougeâtre aux lèvres.

— Oui! cria du Barrail.

Dans un effort désespéré, le second gredin s'extirpa de l'étreinte de Max Engel et s'enfuit. Le détective se releva péniblement et arrêta d'un geste du Barrail qui allait se lancer à sa poursuite.

— Ce n'est qu'un sous-fifre, laissez-le filer ! Seul, il n'est pas dangereux...

Du Barrail sembla se raidir puis, à pas mesurés, revint vers Engel. Celui-ci frissonna légèrement en constatant avec une pointe d'anxiété qu'il n'abaissait sa lame que très lentement en se dirigeant vers lui.

*

La police les avait longuement interrogés mais les faits semblaient clairs : des individus au lourd passé judiciaire avaient voulu cambrioler un appartement qu'ils croyaient vide. Une bagarre avait éclaté entre les truands et les occupants des lieux, qui s'étaient défendus. Le psychanalyste et le détective s'étaient ensuite séparés à la sortie du commissariat. Du Barrail devait se rendre seul à un rendez-vous. Tiraillé entre divers sentiments, Max Engel l'avait sombrement contemplé s'éloigner jusqu'à ce qu'il disparaisse dans un fiacre.

Une fois enfouis dans notre Inconscient, les souvenirs ne remontent pas aisément à la surface. En se rendant chez Hugo Lucca, du Barrail allait vivre comme psychanalyste cette expérience de la résistance à partir de laquelle Freud avait dégagé le concept du refoulement.

Il commença avec l'amnésique par les impressions les plus facilement exprimables pour continuer, en l'orientant de plus en plus précisément, vers le meurtre du violeur. Soudain, dans l'appartement propre comme un sou neuf de Lucca, une porte s'ouvrit violemment et Aniela Adendorff sortit en furie de la pièce où elle s'était réfugiée lors de l'arrivée impromptue de du Barrail.

— Arrêtez! Arrêtez immédiatement de le torturer, cria-t-elle. Je vais tout vous raconter!

*

Dans le jardin du Luxembourg, des grappes de femmes avec leur panier à ouvrage tenaient des conversations animées. Des petites filles en robe de velours rouge cerise ou bleu roi, avec des rubans dans les cheveux, jouaient au cerceau ou à la marelle. Le parc était traité en jardin à la française, hormis le long de la rue Guynemer et de la rue Auguste-Comte où serpentaient au milieu d'une végétation désordonnée des allées à l'anglaise. Là, du Barrail s'assit sur un banc, à distance prudente de la Dame de la nuit.

— J'ai aimé mon mari, dit-elle soudain très rapidement, mais maintenant c'est fini.

— Pourquoi?

Aniela Adendorff lui jeta un regard triste.

— La plus belle cage ne nourrit pas l'oiseau.

— Certains préfèrent être oiseau de cage que de bocage.

Elle eut un faible sourire.

— Vous êtes un drôle de psychanalyste.

Son regard erra sur les êtres et les choses qui peuplaient le jardin, nostalgique lorsqu'elle apercevait des signes de ce bonheur qui l'avait fui.

336

— Je travaillais dans un journal lorsque j'ai rencontré Mathias. Nous avions les mêmes valeurs, nous partagions les mêmes combats. Il était fort et n'avait peur de rien ni de personne. Je l'ai admiré, je l'ai épousé et puis, finalement, j'ai épuisé avec lui tout ce que mon cœur avait de ressources pour aimer…

Elle s'interrompit comme si elle cherchait à reprendre sa respiration.

— Je suis tombée amoureuse de Hugo au premier coup d'œil et je crois qu'il m'a aimée en retour. Nous n'avons rien échangé, sinon des regards, mais parfois des regards en disent long…

Un sourire inattendu vint fleurir sur son visage comme l'annonce du printemps.

— Qu'il est doux, remarqua-t-elle pensivement, de parler de celui qu'on aime.

Elle se ressaisit et continua d'un ton plus neutre.

— Nous étions tellement absorbés, Mathias dans ses rêves chimériques et moi dans Hugo, que nous n'avons rien vu du drame qui se déroulait. Malgré mes efforts, Marie ne m'acceptait pas comme sa mère et ne me confiait rien. Quant à son père, elle l'adorait mais de loin. Le soir où il a tout découvert, Mathias ne m'a rien dit. Ce n'est qu'après avoir abattu l'agresseur de Marie qu'il m'a tout raconté, comment Hugo l'avait aidé puis s'était blessé dans un accident de voiture en rentrant. C'était Hugo qui conduisait.

Son visage s'empourpra délicatement.

— Je me suis précipitée à son chevet mais il ne me reconnut pas, pas plus que mon mari. À ma réaction,

Mathias comprit tout. Il m'entraîna alors dans un tour du monde pour m'éloigner de mon amour. À notre retour, Hugo avait disparu. Nous ne l'avons plus revu toutes ces dernières années jusqu'à ce jour…

Ses yeux brillèrent soudain d'excitation.

— Le hasard, la Providence… Je faisais les boutiques lorsque j'aperçus Marie. Je lui fis signe et traversai la rue pour la rejoindre mais elle ne m'entendit pas. Je la vis entrer dans un immeuble. Je m'apprêtai à poursuivre mon chemin lorsque j'eus un coup au cœur en voyant sortir Hugo Lucca. Il passa devant moi sans un regard. Je me renseignai auprès de la concierge qui m'apprit que Marie et Hugo étaient tous deux des patients du docteur Gernereau.

Elle eut une petite moue.

— La suite, vous la devinez. Je suis devenue une patiente du docteur Gernereau afin de retrouver Hugo ou d'en apprendre plus sur lui. Je voyais au cours de mes séances le docteur Gernereau prendre des notes, je résolus de les lui dérober afin de connaître ce qu'il avait écrit sur Hugo. Je lui ai volé la clé de son cabinet et je suis venue un dimanche à l'aube. Par sécurité, j'ai frappé. Personne. J'ai ouvert la porte. La première chose que j'aperçus, ce furent ses pieds dépassant du divan. Il était tout nu mais avait gardé ses chaussettes.

Du Barrail sursauta.

— Le docteur Gernereau n'était pas nu!

— Quand je suis entrée, il l'était. Il n'avait que ses chaussettes et une corde au cou.

— Ce n'est pas possible, il était habillé, vous dis-je !

Elle le regarda avec surprise.

— Qu'en savez-vous ? Puisque je vous dis le contraire.

En proie à la plus vive des agitations, du Barrail se leva et fit quelques pas en s'éloignant puis, se reprenant, il revint s'asseoir encore tout agité.

— Continuez, je vous prie.

— Je suis restée pétrifiée un long moment et puis une partie de moi s'est mise à réfléchir, l'autre à agir. Sans m'en rendre compte, j'étais déjà dehors avec les notes du docteur Gernereau.

— Ainsi, c'était vous !

Du Barrail secoua la tête avec exaltation.

— Nous avons toujours buté sur ce point, qui avait volé les notes mais…

Il s'immobilisa soudain.

— Comment se peut-il que le meurtrier n'ait pas pris les notes car Gernereau était mort lorsque vous êtes arrivée, n'est-ce pas ?

— On ne peut plus mort, dit-elle froidement.

— Et le meurtrier n'a pas pris les notes ! Vous rendez-vous compte que cela innocente votre mari ?! Mais pourquoi tuer Gernereau et ne pas récupérer les notes ? Pourquoi ? Mon Dieu, pourquoi ?!

*

Jung ouvrit quelques portes, poussa quelques tiroirs puis cria à Marie Adendorff restée au salon qu'il allait préparer une omelette. La jeune femme protesta, proposant de l'aider, mais Jung refusa.

— Laissez-moi ce petit plaisir, je n'en ai jamais l'occasion à la maison alors que j'adore battre les œufs!

Marie eut un petit rire cristallin. Pendant que Jung s'affairait à la cuisine, elle s'approcha du coin bureau du jeune psychanalyste, souriant en découvrant le désordre sur le secrétaire. Elle laissa ses doigts courir sur la tranche des livres qu'il avait tant feuilletés, notant au passage qu'il venait d'acquérir une série d'ouvrages sur la mythologie grecque et romaine. Tout à coup, elle aperçut sur son bureau un livre au titre prometteur : *Considérations inactuelles*. Elle s'en saisit pour le feuilleter quand son regard fut attiré par des feuillets qui avaient été recouverts par le livre et sur lesquels courait une écriture indéniablement féminine.

Son cœur battit plus fort lorsqu'elle découvrit pour toute signature au bas d'une feuille : *La Dame en vert*. Elle jeta un coup d'œil à la porte puis déplia la première lettre de la Dame en vert à du Barrail. Au fur et à mesure de sa lecture son visage se décomposa.

Toute cette familiarité et cette complicité de ton et d'esprit la révulsèrent. Ils conversaient sur un ton insouciant, avec désinvolture, lui le prude enquêteur et elle, la prostituée et voleuse! Décidément, faire confiance aux hommes c'était se faire tuer un peu… Hormis son père, ils restaient tous des loups, fourbes et vicieux.

Jung entendit la porte d'entrée s'ouvrir et se refermer.

— Marie, êtes-vous là ?! cria-t-il.

Personne ne lui répondit. Il était désormais seul dans l'appartement de du Barrail.

*

La concierge entrouvrit sa porte avec méfiance et toisa le détective de haut en bas, ce qui lui était facile en raison de sa taille.

— Encore vous ?

Il ôta son chapeau.

— Eh oui ! pardonnez-moi camarade gardienne de ces lieux, je veux dire madame. J'aurais juste une toute petite question à vous poser et une photo à vous montrer. Puis-je entrer ?

— Il est tard, répondit la matrone d'un ton revêche.

Max Engel soupira et glissa la main à son portefeuille.

Il en retira quelques billets qu'il tendit en murmurant les mots magiques :

— Sésame, ouvre-toi !

XIV

DEMENTIA PRAECOX
(SCHIZOPHRÉNIE)

Boutonnage, laçage, agrafage, la Dame en vert pensa au temps perdu au cours de ces interminables séances d'habillage. Le corset, les dessous vaporeux et mousseux, constituaient de fait une carapace soyeuse qui l'habillait et la protégeait comme pour un tournoi des temps féodaux.

Elle revêtit une longue chemise de coton, laça par-dessus son corset qu'elle recouvrit d'un cache-corset brodé, enfila des pantalons au bas de dentelles puis une tournure, cet ensemble de réseau de baleines métalliques horizontales, soutenu par des branches verticales en dessous de la taille et portant l'ensemble des jupons.

Lorsqu'elle se vêtait, elle se considérait un peu comme un chevalier qui se pare de son armure. C'était sa guerre à elle et sa tenue de combat. Elle savait tout des réactions des hommes, rendus fous par le geste des femmes de relever très légèrement leur robe longue pour marcher. Ou encore qu'une femme qui croise les jambes, dévoilant distraitement la cheville, exacerbe les nerfs masculins.

Elle entra dans l'établissement par une porte discrète, le tenancier de la maison l'entraîna rapidement pour la mener dans la chambre d'un banquier helvétique qui lui avait préparé un matelas de billets dans la plus sûre monnaie du monde : le franc suisse. Elle monta derrière lui les escaliers et se retourna machinalement. Ce fut alors qu'elle aperçut au milieu des filles de joie, une petite nouvelle, une jeune femme au teint livide et aux yeux brillants de fièvre. C'était Marie Adendorff qui attendait un client !

*

Il était tard lorsque du Barrail lui ouvrit la porte. Lorsqu'elle entra, il fut assailli par un flot parfumé où se mêlaient des senteurs de fleurs, de fruits et de bois. Étourdi par ces effluves, il la dépouilla de son manteau. Elle s'assura qu'il ne mette pas la lumière. Lorsqu'elle s'assit sur le lit, il découvrit, dépassant des plis de la robe verte, une paire de bottines noires, lacées jusqu'en haut du mollet, qui fit battre son cœur plus vite. Délicatement, elle croisa les jambes dont il devina les formes sous l'étoffe. Lorsqu'elle les décroisa à nouveau, le froissement du tissu lui mit les nerfs à vif.

S'efforçant de faire abstraction du véritable objet de son désir, il la fixa dans les yeux. Un soupir plaintif s'échappa soudain de la poitrine de la Dame en vert. Du Barrail sentit sa raison vaciller. Il s'inclina vers elle pour trouver ses lèvres à travers le tissu mais elle détourna la tête. D'un geste, elle lui fit comprendre qu'elle voulait garder sa voilette.

> *Que veux-tu que je garde,*
> *Ma voilette, ma voilette…*

Comme sous le coup d'une déflagration intérieure, il comprit en un instant l'étendue de sa folie. Un vêtement est une architecture à lui seul. Ainsi s'exprimait le corps de la Dame en vert : une architecture de dentelle verte, un mythe de soie. C'était ce mythe qui lui avait tourné la tête. Et dans son esprit fatigué tournait et retournait cette ritournelle obsédante :

> *J'enlèverai tout*
> *Même mes bijoux*
> *Ma pudeur, mon mascara*
> *Je ne garderai que toi*
> *Toi que veux-tu que je garde ?*
> *Ta voilette, ta voilette*
> *Surtout garde ta voilette !*

Une morale culpabilisante avait refoulé dans l'Inconscient les aspirations profondes de l'homme. Les siennes étaient, il le savait maintenant, de posséder cette femme du corps à l'âme.

D'un geste, elle éteignit la lumière. Il l'aperçut encore, auréolée de lune, immobile, ses bras longs et fins enrobés de gants verts. Un sourire assuré se devinait sous la voilette. Il voulut la lui ôter mais elle l'en empêcha. Comme ce refus ne mentionnait pas le reste de son corps, les mains du psychanalyste se posèrent maladroitement sur son corsage. Il y avait là un flot de vêtements. La Dame en vert était bien prisonnière de son corps, lui-même prisonnier d'une mode et de principes étouffants et qui rendaient fou. C'était le monde entier qui avait emprisonné ce corps toujours plus serré.

Sachant tout cela, il en prit soin lorsqu'il délaça son corset et qu'il ôta un à un ses dessous. Il eut l'impression de libérer ainsi la Dame en vert d'un poids trop lourd pour elle. Et ce corps oppressé, ce corps compressé, se révéla alors incroyablement souple et sinueux. Il le prit et le reprit dans tous les sens. Il le soupesa, l'enserra, le caressa et l'embrassa. Il s'en emplit les mains et le cœur.

Longtemps après, dans l'obscurité, du Barrail ne dormait pas. Il écoutait le souffle régulier de la dormeuse à ses côtés et attendait ce qui devait arriver. Il entendit le son étouffé de quelqu'un qui cognait à sa porte, juste assez pour se faire entendre, pas assez pour réveiller. Il soupira et se leva. La porte s'ouvrit sur un flot de soie verte.

— Est-ce que Marie dort? demanda la Dame en vert.

— Oui.

Il déglutit péniblement.

— C'est donc bien vous qui l'avez conseillée et ainsi habillée?

— Oui.

Il l'entraîna jusqu'au salon.

— Mon Dieu mais pourquoi ? balbutia-t-il.

— Pourquoi pas ? Elle était tellement perdue…

— Quand l'avez-vous vue ?

— Dans un bordel ce soir, si vous voulez tout savoir. Elle était partie pour donner sa virginité au premier venu, voire à plusieurs. Et elle l'aurait fait, loup ou pas loup, après avoir découvert notre correspondance. Oui, je sais tout cela aussi, elle me l'a raconté.

Elle le regarda et sourit.

— Je l'en ai empêchée, rassurez-vous, il suffit bien d'une Dame en vert, vous ne trouvez pas ? Et je n'avais pas besoin d'un nouvel amoureux pour ma part. Puis-je m'asseoir ?

Une fois sur le divan, elle le dévisagea avec amusement.

— Vous n'êtes plus libre aujourd'hui, cela vaut mieux pour moi comme pour vous.

Sa voix se fit plus grave.

— Vous pensez sans doute que ce ne devrait pas être une expérience trop déplaisante, n'est-ce pas ? Mais vous vous trompez. Vous auriez souffert avec moi car je ne peux pas appartenir à un seul homme. Vous auriez été comme tous les autres, dévoré par la jalousie…

Du Barrail tenta de protester mais elle l'en empêcha.

— Que vouliez-vous faire ? M'adorer et mourir de douleur ? Vous auriez eu envie de me frapper, de m'abandonner mais quelque chose de trop fort vous en aurait empêché et il aurait fallu que ce soit moi qui y mette un terme. Et puis, j'aurais aussi pu vous aimer, voyez-vous, et cela je ne puis me le permettre.

D'un geste machinal, elle lissa les plis de sa robe.

— Oui, reprit-elle doucement, les yeux dans le vague, j'aurais pu vous aimer. Vous me laissez parler, si vous saviez comme c'est bon… Enfant, à table, je pouvais manger tant que je voulais mais je devais me tenir droite et ne pas prononcer un seul mot. Dans la journée, je ne pouvais m'adresser à mon père que par l'intermédiaire de ma gouvernante. Celle-ci avait l'autorisation de me fouetter et ne s'en privait pas.

Elle se redressa et un sourire glacé filtra de ses lèvres sous sa voilette.

— Lorsque j'ai retrouvé plus tard cette gouvernante, je lui ai craché au visage. Comme cela m'a fait du bien d'expurger de moi toute cette haine! Mais cela n'a pas suffi, non ça n'était pas suffisant. On n'oublie pas, on accumule…

Sa voix se mit soudain à siffler :

— Ne pas revivre ça! Non, jamais! J'ai grandi mais on me demandait comme à toute jeune fille de rester vierge jusqu'à mon mariage et de ne prendre un bain qu'une fois par mois par peur de ce que pourrait me procurer le contact avec mon corps! Ma virginité étant le plus sûr des placements pour mes parents, on m'enlaidissait des vêtements les moins seyants afin que je n'attire pas l'attention des garçons et toute coquetterie ou apparat m'était refusé.

Elle eut un sourire amer.

— Vous comprenez pourquoi j'aime tant aujour-d'hui à me parer de poudres, de parfums et de perles!

Son regard fondit de nouveau sur lui, comme un oiseau de proie.

— Vous voulez m'aider mais que savez-vous donc de moi?

Du Barrail garda le silence, les yeux fixés sur la femme qui lui faisait face, baignée de lune et gantée de vert. Il savait que la vérité est une dame que l'on replonge souvent dans le puits après l'en avoir tiré. La Dame en vert remonta le bas de sa voilette et alluma calmement une cigarette.

— On m'a vendue comme une jument. Mes parents ont négocié mon mariage à un jeune sot, fils de bourgeois de province comme eux dans les chemins de fer… La dot a été discutée. De nos jours, on dit que la dot est l'expression du bonheur! Ce ne fut que l'affaire conclue qu'on m'appela pour me présenter mon futur époux. Après les présentations, nous sommes allés signer le contrat de mariage chez le notaire avant d'aller boire le champagne.

Elle expira longuement la fumée qui emplissait ses poumons. Tous ces souvenirs lui causaient une émotion dont seule sa voix était l'expression.

— Savez-vous la suite? Nous sommes passés au trousseau. Une fois l'affaire conclue, le plus impotant était de savoir combien il y aurait de serviettes, de draps, de nappes et de lingerie dans le trousseau!

Elle portait le poids de tant de siècles d'humiliation qu'impulsivement du Barrail se saisit de sa

348

main. C'était une main fraternelle, elle ne la repoussa pas.

— J'ai vécu mon mariage dans un état second. Le banquet a duré des heures interminables. Lorsque nous nous sommes retirés pour la nuit, parmi les ricanements et les regards graveleux, mon mari était tellement ivre qu'il ne m'a pas touchée. Dix secondes après s'être allongé, il ronflait déjà, puant le cigare et la chartreuse. Heureusement! Ma mère ne m'avait rien dit. Le lendemain, cela a été une autre histoire. J'avais peur d'être pénétrée. Je n'avais jamais vu un sexe auparavant et personne ne m'avait vu nue. Il m'a prise de force comme si je lui appartenais. Je n'étais plus qu'un morceau de viande. Il m'a labourée, déchirée et s'est rendormi satisfait, un sourire béat illuminant son visage pendant que je pleurais. Nous sommes partis ensuite en voyage de noces à Venise comme cela se fait habituellement. De retour, il me trouva trop froide et sa sexualité brutale s'orienta alors vers les prostituées et les domestiques.

— Combien de temps cela a-t-il duré? demanda du Barrail.

Elle lui jeta un regard morne.

— Une année, une année de trop. Impossible de rien faire : une femme n'a pas le droit de percevoir un salaire sans l'autorisation de son mari, ni d'ouvrir un compte en banque, ni d'administrer sa dot, ni de s'inscrire à l'université… Les hommes ont tous les droits, la femme n'a que celui d'être une gouvernante! Au bout de douze mois, mon mari s'est mis en tête de donner une soirée pour fêter notre anniversaire de mariage. Dix minutes avant que les invités arrivent, je partis, comme ça, sans rien, seulement habillée de vert. Je ne l'ai jamais revu. C'est amusant, non ?

Ce récit n'avait pas égayé du Barrail. Au contraire, une ride supplémentaire venait maintenant barrer son front.

— Et vous êtes devenue la Dame en vert…

— Que pouvais-je devenir d'autre ? Je n'avais rien, je vous le rappelle. Uniquement ce corps que tout le monde désirait… Je décidais de le vendre mais très cher et pas à n'importe qui. Oh ! bien entendu, les hommes sont des hommes partout. Les riches ne sont pas plus attentionnés que les autres mais, voyez-vous, je fais quelque chose qu'aucune femme n'a le droit de faire : je les sélectionne. De leur côté, ils me désirent mais ils me craignent aussi… Face à moi, ils redeviennent des enfants !

— Pourquoi cette voilette ?

— Vous comprendriez, si vous pouviez voir dessous.

Le psychanalyste resta un instant interdit, pensant à Rousseau qui, charmé d'entendre des voix merveilleuses dans un couvent, avait souhaité voir les visages d'anges qui leur correspondaient. La vue des jeunes femmes l'avait guéri de son désir de savoir.

— Qu'a-t-il ce visage ? demanda-t-il avec une soudaine appréhension.

— Que vous semble-t-il derrière ma voilette ?

— On devine le visage d'un ange…

— C'est le visage d'un ange, confirma-t-elle froidement. Et un ange ne se conduit pas comme une prostituée de Tyr… Voulez-vous le voir ?

Du Barrail se figea et, malgré lui, son cœur battit violemment. La gorge sèche, il hocha lentement la tête et articula d'une voix rauque :

— Je pensais que vous teniez à rester un mythe.

Elle secoua la tête.

— Qui dit que je suis un mythe ?

D'un geste gracieux, elle porta la main à sa voilette et du Barrail faillit l'arrêter, à nouveau plus très sûr de lui et de sa réaction. Il resta saisi devant ce qu'il voyait. Les traits les plus purs et les plus exquis qu'il lui avait été donné de contempler. Une chevelure d'un brun chatoyant encadrait le plus joli visage du monde. Des sourcils très légèrement marqués surmontaient de grands yeux verts, soulignés d'un trait de khôl noir. Le nez était droit et délicatement modelé, les lèvres pleines et sensuelles. Tout en elle était fin et délicat, sans aucun défaut. La perfection !

Du Barrail s'efforça de reprendre la conversation, conscient de la valeur du cadeau qu'elle venait de lui faire, le seul qu'elle pouvait lui offrir.

— Je ne vous demande pas de me raconter la suite. Venons-en, voulez-vous, au jour où quelqu'un qui connaît vos talents particuliers se décide à les employer d'une autre manière et vous demande de devenir la patiente du docteur Gernereau afin de récupérer les fameuses notes de celui-ci.

— Mission que je n'ai jamais pu mener à bien,

rappela-t-elle mal à l'aise. Il était mort avant que je réussisse.

L'expérience lui ayant appris que la vérité est un fruit qui ne doit être cueilli que s'il est tout à fait mûr, du Barrail hésita un long moment avant de poser sa dernière question.

— Qui est le responsable de sa mort?

Elle se tourna vers lui et dans un élan de sincérité s'exclama :

— Mais c'est vous!

XV

DIALECTIQUE

Freud voyageait peu. C'était avant tout un Viennois et il n'appréciait finalement pas de quitter sa ville même si en retour celle-ci ne l'aimait guère. Il avait donc fallu de puissants motifs pour que le maître de Vienne, après avoir adressé un câble laconique pour le prévenir, rencontre Jung à son hôtel.

Sa théorie sexuelle constituait le fondement de son autorité personnelle. Si elle était remise en question par Jung, c'était la position même de Freud au sein de tout le mouvement psychanalytique qui serait remise en cause.

Il faut crever tout de suite l'abcès, songeait Freud.

Maintenant les deux hommes conversaient comme des conspirateurs dans un des petits salons de l'hôtel. L'ambiance paraissait tendue. C'était rien moins que le sort de la psychanalyse qui se jouait en cet instant. Jung avait exposé clairement et fermement ses points de désaccord avec Freud et commençait à exprimer ses vues.

— Il faut ramener le patient à la réalité en le libérant de ses secrets pathogènes, disait Jung. Une cure de l'âme, voilà ce dont il a besoin.

— Vous parlez comme un pasteur protestant! s'écria Freud.

— Je suis fils et petit-fils de pasteur protestant, vous le savez. Vous parlez souvent de votre judaïté.

Freud hocha la tête. Il se souvenait avec douleur des paroles qu'il avait été obligé de prononcer pour rallier ses disciples viennois autour de la candidature de Jung : *Vous êtes juif pour la plupart, et par là inaptes à gagner des amis à la doctrine nouvelle. Les Juifs doivent se contenter du modeste rôle qui consiste à préparer le terrain. Il est absolument essentiel que je forme des liens avec des milieux professionnels moins restreints. Je ne suis plus jeune et las d'être toujours sur la brèche. Nous sommes tous en danger. Les Suisses nous sauveront, ils me sauveront moi, et vous autres tout aussi bien.*

Sa judaïté ne lui avait jamais personnellement pesé. Elle lui avait même permis de s'établir au temps de sa jeunesse car la communauté médicale juive demeurait solidaire. Pourtant, au fil du temps, il avait découvert à quel point la Vienne qu'il habitait depuis son enfance était antisémite, tout comme d'autres villes dans le monde entier…

— Ma judaïté vous pèse?

— Vous voyez! protesta Jung, vous venez d'avouer que vous me croyez antisémite!

— Jamais de la vie!

— Tous vos Viennois me haïssent parce que je suis Suisse et protestant!

— Peu m'importent les religions, fit Freud d'un ton calme et détaché. Je ne suis pas loin de penser comme

Marx : *La religion est l'opium du peuple.* Je suis athée vous le savez. J'essaie juste de sortir notre jeune science de son ghetto juif.

— Vous avez raison, peu importe la religion, c'est un archétype comme les autres…

— Encore vos élucubrations d'archétype! s'agaça Freud.

— Toujours votre orthodoxie de corps de garde! Je ne suis pas d'accord avec votre psychologie uniformisante. L'enfant va de l'Inconscient collectif vers l'Inconscient individuel.

Freud secoua la tête et les mains toutes ensemble.

— Non, non, non! Pas du tout! La plupart des troubles psychiques remontent à l'enfance! Tout commence lorsque l'amour et la faim se rejoignent sur le sein de la femme.

— Pas systématiquement, s'exclama Jung, non pas systématiquement! Les maladies nerveuses peuvent avoir d'autres causes que la sexualité. Les troubles sont très souvent le fruit d'un conflit avec le monde externe. Du Barrail vous a raconté l'histoire de la Dame en vert…

— Je lui avais demandé la plus grande confidentialité, fit Freud mal à l'aise.

— Et il l'aurait gardée, je vous en assure, si le destin ne s'en était pas mêlé. Quoi qu'il en soit, les névroses de notre Dame en vert, de notre fétichiste ou de notre amnésique ne sont en rien liées à leur enfance. Pour les comprendre, il faut les replacer dans un contexte social actuel.

— Vous m'aviez pourtant juré de ne jamais remettre en cause ma théorie sexuelle.

— Ah! vous voyez!

Incapable de se contenir plus longtemps, Jung s'était levé. Grand et large d'épaules, il paraissait un colosse à côté de Freud.

— Vous m'avez fait promettre fidélité à votre théorie sexuelle parce que cela constituait pour vous une profession de foi!

— C'était nécessaire, s'écria le Viennois. Je mène un combat contre la société tout entière! Jamais un seul homme n'a été autant attaqué que moi. La société n'aime pas qu'on lui rappelle qu'elle a bridé les instincts sexuels de ses membres par une éducation rigide et une morale culpabilisante.

— Je vous ai dit que si votre théorie sexuelle était juste, elle ramenait toute l'histoire de notre civilisation à une farce grotesque. *Oui*, m'avez-vous répondu, *c'est une malédiction du destin contre laquelle nous sommes impuissants!* Je n'y crois pas. Les maladies nerveuses ont beaucoup d'autres causes!

La voix de Jung avait explosé sur une note aiguë. Freud se pétrifia.

— Moi qui vous ai traité comme un fils…

— Et moi, je vous ai considéré comme un père. Vous ne savez pas à quel point j'ai fait des efforts pour faire miennes vos opinions. Je vous avais pourtant prévenu dès le départ que, si je partageais beaucoup de vos idées, j'étais en revanche réfractaire à une origine sexuelle systématique des névroses.

— Mais vous vous êtes rangé à mes côtés…

— Oui, à un moment où vous étiez seul, rappela Jung. J'ai laissé ce point de côté en pensant que vous évolueriez. Et puis, j'avais tant à apprendre de vous. Comme j'avais peur de perdre votre amitié, je me faisais violence pour taire mes points de vue lorsqu'ils divergeaient avec les vôtres.

Il se rassit et se prit la tête entre les mains.

— Vous n'avez jamais voulu une seule fois entendre et comprendre le monde de mes pensées. À chaque fois que je vous amenais des matériaux symboliques à contenu collectif, vous vous réfugiiez dans votre doctrine. Je me disais alors : *Il est plus intelligent que toi et il a plus d'expérience, c'est toi qui as tort. Écoute-le et instruis-toi à son contact !*

Freud s'agita.

— Mais non, poursuivit Jung. Plus j'avançais et plus vous restiez campé sur vos positions. Votre athéisme vous a conduit à construire un autre dogme. Au Dieu que vous avez rejeté, vous avez substitué la déesse Sexualité. Vous avez cherché en bas ce que vous aviez perdu en haut !

D'un coup, Freud perdit son calme.

— Oui, oui, je vous entends ! gronda-t-il. Vous soulevez ce droit historique de la jeunesse à secouer les chaînes que voudrait lui imposer la vieillesse tyrannique, figée dans ses conceptions rigides !

— Je vous demande simplement d'être prêt à accueillir les idées des autres, le supplia Jung.

— Vous êtes incapable de supporter l'autorité d'un

autre! Votre ego est trop grand, c'est là tout le problème! Vous ne voulez pas rester dans l'ombre de mes découvertes, alors il vous faut être le champion d'une autre cause!

Sous l'insulte qui filtrait, Jung réagit vivement.

— Pourquoi devrions-nous supporter toujours et toujours votre autorité?

— Parce que la psychanalyse, c'est moi! hurla Freud. La psychanalyse est ma création! Pendant dix ans, j'ai été le seul à m'en occuper. Pendant dix ans, c'est sur moi que se sont abattus toutes les critiques, les injures et les blâmes. Quand j'ai commencé à publier mes travaux, le vide s'est fait autour de moi. Mes amis m'ont fui, mon ancien professeur m'a traité de magicien de foire! Je suis devenu une honte pour le corps médical et pour d'autres l'antéchrist! Lorsque j'ai parlé de sexualité infantile, on m'a traité de *mercanti en luxure et érotisme, d'individu bestial et concupiscent!* Personne, je dis bien personne, n'est mieux à même que moi de savoir ce qu'est la psychanalyse!

— Vous n'êtes plus seul, fit Jung d'un ton apaisant, et cela aussi il faut l'accepter.

— C'était donc ça, hein?

Freud se rejeta en arrière et, au bord de la syncope, respira avec difficulté.

— Finalement, vous pensez que le jeune doit tuer l'ancien!

— Plaît-il?

Jung était interloqué. Le Suisse se rappela alors que, deux ans plus tôt, rejoignant Freud à Brême pour se rendre à la Clark University, il avait marqué un vif intérêt pour les cadavres du marais dont il avait entendu parler. Certains de ces cadavres, noyés et inhumés dans ces marais du nord de l'Allemagne, dataient parfois de la préhistoire. Leurs peaux et leurs cheveux étaient tenus en parfait état de conservation par les acides végétaux que renfermait l'eau des marais. Cet intérêt de Jung, après avoir agacé Freud, avait curieusement fini par le mettre en colère. Jung avait innocemment ramené ce sujet de conversation à table et Freud était alors tombé en syncope. Plus tard, Freud lui avait avoué qu'il avait été persuadé que cette discussion signifiait que Jung souhaitait sa mort.

Voilà ce qu'il voit en moi, pensa tristement Jung, *un nouveau Brutus.*

— Voulez-vous un verre d'eau, *Herr Doktor* ? demanda Jung en voyant son ancien maître livide et les yeux hagards.

Freud ne répondit pas. Jung se leva et, les épaules basses, s'apprêtait à sortir.

— Je voulais faire de vous mon successeur, fit soudain Freud qui semblait poursuivre une autre conversation.

Jung se retourna lentement.

— Pour cela, il faudrait que je puisse défendre toutes vos opinions.

— Et vous ne le pouvez pas, constata Freud le regard dans le vague.

— Non.

La bouche du maître viennois se creusa en un pli ironique.

— À la longue, vous n'avez pas pu supporter le séjour dans le monde souterrain de la psychanalyse. Je peux comprendre cela. Une part de vous a toujours été attirée par le pays des fées! Je vous souhaite un heureux voyage sur les hauteurs! Puissent les autres terminer heureusement leur travail dans les couches profondes de ce monde…

XVI

QUI SOMMES-NOUS
DANS L'OBSCURITÉ?

Aveuglé par la lumière blanche du jour, du Barrail cligna des yeux. À côté de lui, Marie Adendorff dormait en silence. Le carillon de la porte d'entrée résonna de nouveau faiblement. Pour ne pas éveiller la jeune femme, du Barrail se hâta de revêtir une robe de chambre et alla ouvrir.

— Vous êtes bien matinal, bougonna-t-il.

Face à lui, Max Engel semblait aussi frais qu'au sortir du lit.

— Dans ma profession, on travaille souvent la nuit. Et puis, j'avais à vous parler. J'ai revu hier la concierge de l'immeuble du docteur Gernereau.

— Pour quoi faire?

Le détective lui jeta un regard sardonique.

— À votre avis?

Du Barrail hésita, soudain accablé.

— Entrez. Passons au salon. Pouvez-vous me donner une de vos cigarettes?

— Je ne vous avais jamais vu fumer…

— Non, effectivement. S'il vous plaît…

Du Barrail s'assit dans un fauteuil, prit la cigarette et se pencha sur la flamme tremblotante qu'on lui offrait. Il inspira une profonde bouffée qu'il garda longtemps dans ses poumons avant d'expirer doucement.

— Que voulez-vous me poser comme question ?

Max Engel le regarda d'un air de reproche.

— Je voulais juste vous demander votre nom.

Le psychanalyste ferma les yeux.

— Je m'en doutais.

— Du Barrail, c'est le nom de votre mère, n'est-ce pas ?

Le jeune homme resta un moment immobile, les yeux dans le vide, avant de répondre dans un souffle :

— Oui.

— Et votre père s'appelait…

— Gernereau !

— Merci de votre franchise.

Un pli amer barra le visage du psychanalyste.

— Parlons de la vôtre ! Vous le saviez, n'est-ce pas ?

— Oui.

— Comment ?

Max Engel le contempla avec de grands yeux tristes.

— À vrai dire ma curiosité a été éveillée lorsque vous m'avez coupé ma cigarette d'un coup de sabre. Ce n'est pas commun, vous avouerez… Ensuite, lorsque vous m'avez sauvé la vie dans l'entrepôt, vous avez pris des initiatives qui ne collaient pas avec la personnalité du docteur du Barrail, si tranquille et si rangé. Vous avez recommencé lorsque nous avons été attaqués.

Il eut un sourire pensif.

— Le naturel revient si vite au galop… *Je vais te suriner*… Ce ne sont pas des mots à mettre dans la bouche d'un du Barrail. Et le coup de couteau dans la poitrine du truand… Vous avez fait preuve d'un sang-froid et d'une précision étonnante. On a beau avoir des années de salle d'armes, on ne vous y apprend pas à faire couler le sang… Non, le docteur du Barrail devait avoir vécu autre chose pour être ce qu'il se révélait être au fur et à mesure de notre aventure. À force d'écouter votre jargon scientifique, j'ai pensé à ce que vous appelez *dementia praecox*, une double personnalité. La rencontre avec maître Gernereau à l'hôtel Drouot m'a mis sur la piste. J'ai fait des recherches. J'ai alors tout compris en découvrant votre état civil. Et puis, il y a eu cette école, rue de l'Évangile…

Le détective le regarda curieusement.

— J'ai parfois regretté de faire ce que je faisais. C'est souvent comme ça dans la vie : les vérités qu'on aime le moins apprendre sont celles qu'on a le plus intérêt à connaître !

D'un geste rageur, il balaya l'air de ses mains.

— Il n'y a pas deux personnalités chez vous, il y a une personnalité passée et une personnalité présente ! Le docteur du Barrail d'aujourd'hui n'a plus rien à voir avec ce qu'il a été mais il l'a été quand même ! Et ce passé remonte parfois à la surface…

Il s'interrompit et fronça les sourcils.

— J'ai l'impression de ne pas être très clair, me fais-je bien comprendre ?

— Très bien, rassurez-vous.

Du Barrail s'était planté devant la fenêtre pour éviter de regarder le détective. Lorsqu'il parla, ce fut d'une voix d'outre-tombe.

— Mes parents sont morts lorsque j'avais sept ans. Je ne conserve d'eux que quelques souvenirs mais je sais qu'ils m'aimaient. Je me suis raccroché à cela lorsque j'étais particulièrement désespéré. Enfant, j'ai été dépouillé de tous mes biens par mon oncle et tuteur, maître Gernereau. Cela lui a été d'autant plus facile qu'il était homme de loi et moi un enfant seul. Grâce à lui, je me suis retrouvé à sept ans dans un pensionnat miteux et miséreux, rue de l'Évangile bien entendu. Le premier jour, je fis de mon mieux pour m'adapter et me faire apprécier. Pour toute récompense de mes efforts, je reçus une gifle.

Il serra les dents.

— Surpris, j'ai protesté et j'en ai obtenu une autre. Savez-vous ce que j'ai dit lorsque j'ai reçu cette seconde gifle et que j'ai compris que cela allait ainsi durer des années ? J'ai dit : *Même pas mal !*

Du Barrail porta une main à sa tempe en fermant les yeux comme pour mieux se remémorer les coups.

— Un enfant ne devrait jamais dire *même pas mal.* Cette phrase a le don de mettre hors d'eux les adultes. Qu'est-ce donc qui nous pousse, nous, pauvres innocents sans défense, à provoquer ainsi la fureur des monstres ? Pourquoi cette provocation ?

Il s'interrompit pour reprendre d'un ton morne.

— On m'a humilié, terrorisé en m'enfermant dans un placard obscur des journées entières. Je hurlais de peur dans le noir sans espoir que papa ou maman viennent me chercher.

Sa voix se brisa.

— J'étais régulièrement fouetté et frappé, reprit-il. Moi, fils de riche, j'étais devenu un souffre-douleur pour ces miséreux. Un jour, j'avais treize ans, de rage j'arrachai le fouet des mains de mon maître d'école pour le cingler au visage jusqu'à le défigurer…

— Continuez…

— Je m'enfuis par peur de ce qui allait suivre. J'ai vécu dans la rue, de petits boulots, dépensant mes quelques sous pour acheter des livres. Il m'a parfois fallu mendier, parfois me battre, souvent me faire rosser. Moi à qui on avait appris à monter à poney et qui possédais une gouvernante pour moi seul, je me suis retrouvé à disputer ma pitance avec des chiens.

À travers le prisme déformant de la nostalgie, du Barrail ressuscita un court instant le souvenir des jours heureux où ses parents le serraient dans leurs bras. Une larme perla au coin de ses paupières. Ce fut d'un ton plus apaisé qu'il reprit son récit :

— Je n'ai pas eu de jeunesse mais un jour, j'avais dix-sept ans, je me suis souvenu de tout ce dont on m'avait spolié. Je suis allé jusque chez mon tuteur qui demeurait désormais dans l'ancienne maison de mes parents. Je n'espérais rien de lui, aussi ne lui ai-je rien demandé. J'ai surveillé la maison, me rappelant partiellement les lieux. C'est drôle comme les choses s'imposent aux gens : le majordome cachait la clé de la maison sous la même poterie que mes parents lorsqu'ils se trouvaient seuls et sortaient. J'ai pris les empreintes de la clé. Un dimanche d'été où seul le jardinier était resté, je me suis introduit à l'intérieur. Dans un cabinet de travail, j'ai trouvé un coffre. Je suis revenu avec une de mes mauvaises connaissances. Il y avait de grosses liasses de billets à l'intérieur ainsi que des bijoux, certains ayant appartenu à ma mère. Nous nous sommes tout partagé. C'était encore bien peu pour tout ce qui m'avait été volé : mes biens, mon enfance, ma vie... Je l'aurais tué si j'avais pu. Il y a des choses qu'on n'a pas le droit de faire à un enfant : lui voler le souvenir de ses parents, le souvenir des jours heureux, l'espoir de jours meilleurs... Et surtout, on n'a pas le droit de traiter un enfant comme on traiterait un adulte...

Quand je suis revenu dans ma mansarde, j'ai jeté cet argent en l'air. Les billets planaient dans l'air comme des papillons. C'était merveilleux : on se serait cru dans un conte de fées.

Bien géré, cet argent m'a permis de m'offrir des études de médecine et de m'établir. Ce nom de du Barrail est celui de ma mère. Je me suis offert une nouvelle vie avec ma nouvelle identité. Comme l'a écrit Blaise Cendrars, *je suis un homme qui n'a plus de passé.* Avec ce nouveau nom, j'ai choisi d'effacer tout le reste, non pas de recommencer une nouvelle vie mais de la commencer. Qui n'a pas droit à une seconde chance ? J'ai tout oublié du passé en devenant un du Barrail. Et j'ai choisi de consacrer ma vie à tous ceux qui souffrent. Me le reprocherez-vous ?

Max Engel eut une petite moue gênée.

— Vous auriez pu faire mieux qu'une cause bourgeoise et réactionnaire…

Du Barrail se retourna vivement, les poings serrés.

— Croyez-vous qu'ils soient bourgeois et réactionnaires les gens que l'on enferme dans une cellule ou qui s'enferment à double tour dans leur tête ? Lorsque l'on a été prisonnier des journées entières dans un placard, plus tard on peut songer à ceux qui sont prisonniers dans leur tête. De là est sans doute venue ma vocation de remplacer le mal que l'on m'avait fait par le bien que je pouvais apporter. Mais quelque part, peut-être avez-vous raison. J'ai enfermé dans mon Inconscient mon passé et je me suis appliqué à faire ressortir au grand jour celui des autres.

Le ton avait monté. Ils formaient un duo inconfortable, dominé par la fureur contenue de du Barrail.

— Quant à mon tuteur, je l'ai suivi à la trace pendant des années. J'aurais pu lui faire un procès et récupérer la demeure de mes parents. Mais à quoi bon reprendre une bâtisse remplie de souvenirs ? Cela ne lui aurait guère coûté. Je voulais qu'il paie plus encore. Je voulais que, arrivé au faîte de l'arrogance, il perde ce à quoi il tenait le plus : le respect de ses pairs. Je voulais qu'on se détourne avec dégoût à son passage et qu'on dise de lui qu'il pue.

— C'est pour cela que vous avez tué Victor Gernereau ? demanda doucement Max Engel.

Du Barrail tourna vers lui un visage noyé d'ombres.

— Vous m'avez pris pour un sacré imbécile, continua le détective d'un ton calme. Je suis retourné voir la concierge de l'immeuble de Victor Gernereau avec une photo de vous, celle du congrès de Weimar. Elle vous a tout de suite reconnu. Vous êtes parti pour Weimar le dimanche soir mais, dans l'après-midi, vous étiez chez Gernereau, à serrer le cou du fils pour vous venger de son satané père! C'est bien vous l'assassin derrière qui nous courons depuis des jours?

Le regard de du Barrail n'était plus de ce monde mais sa voix resta ferme quand il parla.

— Je ne suis pas un assassin, Max, j'étais seulement quelqu'un en quête d'une nouvelle identité. Tout comme vous finalement… Nous portons tous les deux un masque parce que sans lui la vie serait insupportable.

— Je vous ai posé une question, le rappela à l'ordre Max Engel.

Du Barrail eut un geste las. La fatigue accablait ses traits.

— J'ai voulu me rapprocher du fils pour découvrir un moyen de mieux atteindre le père. Enfant d'un misérable sans cœur, le docteur Gernereau n'était au mieux qu'un charlatan doublé d'un escroc. Il profitait de la misère des autres et il a essayé de se servir de la confiance de ses clients pour en tirer un bénéfice indigne. Je n'ai que du mépris pour lui. C'est un traître à notre doctrine, traître à ses patients. Il mérite ce qui lui est arrivé!

— Vous êtes bien prompt à décréter qui mérite quoi. Mais vous ne m'avez toujours pas répondu. Vous êtes venu dimanche à son cabinet et vous l'avez étranglé. Vrai ou faux?

Du Barrail se redressa de toute sa hauteur et il sembla une seconde au détective qu'il grandissait insensiblement.

— Je suis allé dimanche au cabinet pour voler les notes du docteur Gernereau. J'ignorais ce qu'elles contenaient mais il s'était ouvert à moi de sa volonté d'analyser son père et cela devenait trop tentant pour moi… Je me suis rendu au cabinet. J'ai crocheté la serrure, ce fut un jeu d'enfant. La première chose que je vis, ce fut son cadavre. Je me suis enfui aussitôt.

— Quel hasard que Freud vous confie cette enquête!

Du Barrail lui jeta un regard étrange.

— Est-ce vraiment un hasard? *Fatalitas!* J'ai bien entendu refusé mais il a tellement insisté. Après réflexion, je me suis dit que si le destin m'avait entraîné chez Gernereau le jour de sa mort et conduit à être désigné par Freud pour mener l'enquête, j'avais une mission à accomplir.

Il poussa un soupir découragé.

— J'ignorais où tout ceci me mènerait, c'était comme si mon destin me rattrapait. Je me suis laissé porter par le cours des événements…

— C'est un peu trop littéraire pour moi!

Du Barrail réprima un mouvement d'impatience.

— Ce n'est pas moi! Le docteur Gernereau n'était pas son père et quant à moi j'attache trop d'importance à la vie même à sa forme la plus dégradée!

Pour la première fois depuis le début de la conversation, Max Engel eut un mot de sympathie.

— Vous devez vous sentir bien seul, du Barrail.

369

— Pas autant que vous, mon ami.

— Plaît-il ? fit le détective estomaqué.

— Vous vous êtes bien moqué de moi, fit sourdement du Barrail en relevant la tête. Fils de négociant ! Un policier, voilà ce que vous étiez, pas un militant communiste ! Comment un flic new-yorkais finit-il dans la peau d'un détective marxiste ? Eh oui ! moi aussi je suis allé à la pêche, vous voyez !

Ce fut au tour de Max Engel d'accuser le coup. Ils se défièrent un instant du regard puis tous deux baissèrent la tête.

— Mon père était capitaine de la police new-yorkaise, fit Engel.

Il parlait très lentement et distinctement comme pour ne pas avoir à se répéter.

— Il avait l'ordre chevillé au corps. Il m'a bien entendu poussé dans cette voie. Son père était policier, son frère également. J'ai choisi la Mondaine. Taper sur les maquereaux, qui exploitaient la misère de pauvres femmes en les obligeant à faire soixante passes la journée dans des lupanars malpropres, me soulageait les nerfs. Un jour, l'un d'eux a tenté de me soudoyer en m'offrant l'équivalent de dix ans de salaire. On a dû m'assommer pour m'empêcher de le tuer.

Il s'interrompit une seconde pour reprendre son souffle. Son regard était celui d'un homme qui en a trop vu et trop fait.

— Ma maison était bien confortable mais je savais qu'à moins d'une lieue se dressaient des masures insalubres où une population ignare et mal nourrie vivait

370

sans espoir dans la saleté, s'adonnant à l'alcool et battant à son tour ses propres enfants car la misère rend fou.

Il se laissa lourdement tomber dans un fauteuil, vidé pour la première fois de sa vie de toute parcelle d'énergie.

— Maintenant, si vous voulez connaître la suite, donnez-moi du whisky, beaucoup de whisky…

*

Plus tard, du Barrail referma doucement la porte d'entrée derrière le détective. Ce fut alors qu'il sentit une présence et, relevant la tête, croisa le regard de Marie Adendorff.

— Tu as tout entendu?

Elle baissa les yeux, retenant son souffle.

— Oui.

— Tout?

— Tout.

Il hocha la tête.

— Alors, c'est bien. Je n'aurais pas été capable de raconter une seconde fois mon histoire.

— Il reste une chose, dit-elle d'une voix faible en se saisissant de sa main.

Elle le conduisit dans le couloir.

— Cette porte qui est condamnée, veux-tu me l'ouvrir? demanda Marie.

Docilement, du Barrail obéit. La jeune femme entra timidement et, d'un regard attendri, balaya toute la pièce. C'était une petite chambre bien rangée, avec une mappemonde, des soldats de plomb peinturlurés et dorés, un train mécanique, un télescope pour regarder les étoiles, des bandes dessinées… Il y avait aussi un bocal de bonbons anglais et des livres de Jules Verne.

— C'était ta chambre, n'est-ce pas ? demanda Marie en essayant de calmer les battements de son cœur. Celle que tu avais à sept ans avant la mort de tes parents…

Il baissa la tête.

— J'avais besoin de retrouver ce petit garçon que j'étais, expliqua-t-il tandis que les larmes inondaient son visage. J'avais besoin de me retrouver…

Touchée par l'émotion, Marie approcha ses lèvres des siennes et l'embrassa très délicatement.

— Cette chambre peut encore servir, dit-elle. Toutes les histoires ne se terminent pas forcément mal.

*

Qui sommes-nous dans l'obscurité ?

C'est comme si cette question avait réveillé en lui des souvenirs oubliés, suggéré de possibles réponses. Max Engel demeura un long instant sur place, immobile et abattu, puis soudain il sembla se rappeler quelque chose et releva la tête, serrant les poings le long de son corps. Jung poussa doucement son verre près de lui. Ils étaient au bar de son hôtel et les serveurs jetaient des coups d'œil inquiets en direction du petit homme prostré qui l'accompagnait en buvant des whiskys à l'heure du petit-déjeuner.

— Mon pauvre ami, nous en avons appris plus que nous le voulions, n'est-ce pas ? fit Jung.

Et en disant cela, il avait les larmes aux yeux car il avait compris l'immense nostalgie de l'enfance perdue qui habitait les deux hommes. Il en était ému et une réelle compassion l'envahit, lui qui avait tant vécu et tant vu. Quelque chose de presque palpable devait se dégager de lui car Engel se tut pour l'écouter. Jung comprit alors qu'il venait de poser à voix haute une question qui, de tout temps, le tourmentait :

— Qui sommes-nous dans l'obscurité ?

Le détective cligna brièvement des paupières.

— Vous n'avez pas voulu aller jusqu'au bout à l'époque de votre thérapie avec moi, reprit le Suisse. Je pense que c'est la dernière occasion d'expurger de vous le poison.

— Que voulez-vous que je vous dise ?

Le regard intelligent de Jung se posa sur lui et l'enveloppa. Max Engel se souvint de ce que du Barrail disait de lui : il sent les choses, il les devine…

— Avez-vous tout raconté à du Barrail ?

— Non, pas tout. J'ai essayé mais…

— Et si vous me parliez de ces enfants, laissa tomber le psychanalyste.

Max Engel serra encore plus fort les accoudoirs de son fauteuil.

— Je vous ai raconté les yeux de ces enfants en troisième classe. Ces gosses-là aux yeux brillants de larme, je les trimbale encore avec moi. Ce que je n'ai encore jamais raconté à personne, c'est cette manifestation qui dégénère et la foule sur laquelle la police a tiré : hommes, femmes et enfants… Je courais de l'un à l'autre de mes collègues en tentant de les arrêter, de leur faire baisser leurs armes. Pendant ce temps, des femmes et des enfants tombaient. Les enfants, mon Dieu, c'étaient les mêmes qu'en troisième classe sur ce bateau ! Et je n'en finissais pas de voir leurs yeux… Mon Dieu, comment avez-vous pu laisser faire ces choses ?

Il pleurait maintenant sans retenue.

— Oh ! mon Dieu, faites que cela ne se reproduise jamais, sanglota-t-il.

XVII

LES BONS COMPTES...

Le lendemain matin, Marie et Max Engel avaient tenu à accompagner du Barrail à l'étude de maître Gernereau. Un silence glacé y régnait, à l'image du maître des lieux. Des clercs terrifiés se mouvaient silencieusement entre les pupitres, jetant des regards inquiets vers la porte fermée du notaire. Au bout d'une vingtaine de minutes, on les introduisit dans le bureau de celui. Le notaire esquissa le geste de se lever mais n'alla pas plus loin et les salua d'une moue dubitative. Apparemment, il ne rangeait pas les arrivants dans la catégorie de clients privilégiés. Du Barrail vint calmement se planter devant maître Gernereau.

— On dit *bon comme un homme de loi*, paraît-il en vous voyant. Les perversités humaines ne sont pas pour moi des nouveautés remarquables. Elles appartiennent, tout comme la criminalité, au noir résidu de l'humanité. Je vous regarde et je ne vois en vous que la laideur et la stupidité de l'existence humaine.

— À quoi faites-vous allusion de si désobligeante façon? demanda maître Gernereau sans élever la voix.

Vous venez de bon matin forcer ma porte sans rendez-vous et voilà que vous m'injuriez, sous mon propre toit! Cela dépasse l'entendement!

— Je m'exprime mal. Je venais vous parler de votre neveu et comment vous l'avez traité.

Maître Gernereau sourit à s'en faire craquer les os.

— C'est beaucoup dire pour peu de chose! Et il ajouta d'un ton prudent.

— Pourquoi voulez-vous me parler de mon neveu? Il a disparu il y a fort longtemps.

— À la mort de ses parents et pour son malheur, vous avez été nommé tuteur unique de ce jeune enfant.

Le notaire leva vers lui des yeux froids et soupçonneux.

— C'est ma foi vrai.

— Et vous n'avez rien trouvé de mieux pour vous en débarrasser que de l'envoyer dans un de ces sinistres établissements où l'on martyrise les enfants et où on les laisse crever de faim.

Le notaire le fixa bien en face et dit posément :

— C'était un enfant gâté. Pour lui donner toutes les armes dont il avait besoin dans la vie, je l'ai envoyé dans un pensionnat où l'on forge des âmes de fer, à la baguette lorsqu'il le faut. Sa nature rebelle lui a valu tellement de coups de bâton qu'il s'en est enfui non sans avoir battu presque à mort un de ses professeurs. Après cela, on ne l'a plus jamais revu.

— Vous ne l'avez pas recherché?

— Pour quoi faire? C'est lui qui s'était enfui!

— Et puis c'était plus facile pour vous de garder ainsi la fortune de ses parents.

Le notaire lui jeta un regard calculateur.

— Vous êtes décidément une bien mauvaise langue mais maintenant pourrais-je savoir pourquoi vous êtes venu me parler de ce vaurien ?

— C'était moi.

— Ah…

Aucun trouble ne vint altérer les traits de maître Gernereau. Le visage du jeune du Barrail demeurait quant à lui lisse comme la pierre.

— À vrai dire, je ne suis pas tellement surpris, fit lentement l'homme de loi. Je me suis senti mal à l'aise en vous rencontrant. J'avais ce sentiment pénible qu'on éprouve en apercevant un visage qui nous semble vaguement connu.

Un silence lourd tomba sur le groupe.

— Est-ce tout ce que vous avez à me dire ? demanda Gernereau sur le ton du défi. À moins que…

Il s'interrompit comme si une idée nouvelle germait dans son esprit.

— À moins que vous ne soyez l'assassin de mon fils…

Un instant, tout le monde se figea car du Barrail ne répondait pas. Même Marie lui jeta un regard inquiet.

— Non, dit-il lentement comme à regret, ce n'est pas moi.

— Alors tout va bien ! Messieurs, serviteur !

— Un instant, fit le psychanalyste. J'attends depuis longtemps ce moment. J'étais un enfant et vous m'avez tout pris, sans autre raison que la cupidité. Quel degré de monstruosité occupez-vous donc dans la grande confrérie du vice?

Maître Gernereau poussa un soupir exaspéré.

— Ne dites pas de stupidité. Soit, vous avez eu une éducation à la dure mais ce n'était pas une raison pour vous enfuir. À votre majorité, tout vous serait revenu, j'y aurais mis mon point d'honneur.

— Croyez-vous que l'on puisse passer des années à se faire briser et humilier sans réagir? Êtes-vous venu me voir une seule fois tout au long de ces années de pension? M'avez-vous envoyé un seul cadeau, des vêtements, un mot? J'étais un enfant de sept ans et tout à coup je n'existais plus pour personne.

Le notaire haussa négligemment les épaules.

— Vous n'étiez pas mon fils, je ne vous devais rien!

— Même pas une orange pour Noël?

— Je n'en avais pas plus de mes parents, rétorqua-t-il d'une voix aigre, et je ne vois pas la nécessité de fêter la Noël avec un imbécile de neveu!

Le regard de du Barrail se détacha de lui sans regret pour fixer un point dans le vide comme s'il cherchait désespérément à se souvenir de quelque chose.

— Vous m'avez volé mon enfance, ma vie. De celle-ci, il ne me reste guère que ce souvenir : j'étais malade et ma mère me tenait la main en chantonnant. Depuis, plus personne n'a jamais chanté au-dessus de moi dans le silence de la nuit…

Une larme courut le long de la joue de Marie Adendorff qui voulut prendre la main de du Barrail.

Maître Gernereau éclata d'un rire qui ressemblait à du verre brisé.

— Pleurez petits enfants, vous aurez des moulins à vent!

Avec une joie sauvage, du Barrail le frappa à trois reprises, au ventre, dans la poitrine puis au menton. Il fallut toute la vigueur de Max Engel pour maîtriser ensuite le psychanalyste.

— Pour rouler vos associés, haleta du Barrail, vous avez investi tout l'argent de votre cabinet dans la société que dirigeaient mes parents. Mais ces actions, c'est moi qui en suis le véritable propriétaire! Mon avocat va introduire une requête contre vous. Vos avoirs vont être bloqués et ma maison, vous me la rendrez. Je ne vous laisserai rien, pas une miette. Et j'espère bien vous voir dans quelques années toquer à ma porte pour me taper de cent francs que je vous donnerai pour le plaisir de vous voir végéter quelque temps de plus!

Maître Gernereau hoquetait à terre. Doucement, les mains de Max Engel s'ouvrirent et du Barrail ne bougea pas d'un pouce, comme pétrifié sur place.

— J'ai beaucoup pensé au pardon, continua-t-il. Je me suis demandé comment je réagirais si vous me le demandiez. Heureusement, vous ne l'avez pas fait. Je ne vous l'aurais d'ailleurs pas accordé. Comme toute chose dans la vie, le pardon se mérite. Et quel intérêt de pardonner à un monstre?

XVIII

UNE FIN DE LOUP

Ils se trouvaient tous les sept réunis dans le bureau de Mathias Adendorff. Inconsciemment, ils avaient tous poussé leur siège loin de celui des autres. D'un coup d'œil, du Barrail enveloppa Mathias Adendorff, son épouse et Mirepoix.

— Nous ne nous étendrons pas sur vos anciennes activités anarchistes, leur dit-il. Je n'ai aucun jugement à porter sur elles. Toutefois, lors de vos réunions clandestines à la maison de campagne de Mathias Adendorff, un de vos membres sortait parfois prendre l'air et fumer une cigarette. Il entrait dans la chambre de Marie et la violait. Comme il faisait noir, qu'il avait une voix grave comme le père de celle-ci et portait une barbe comme lui, Marie se pliait à ses volontés. Il représentait la même autorité que son père, était un invité de celui-ci et nous savons combien un enfant est désarmé face à un adulte.

Marie pleurait doucement. Mathias Adendorff était devenu livide. La jointure de ses poignets devenait blanche à force de serrer les bras de son fauteuil. Il s'efforçait de ne pas regarder sa fille.

— J'ignore comment tout a commencé, continua le psychanalyste.

Il ferma à demi les yeux, s'efforçant d'imaginer. Seul Jung aurait été capable de sentir et d'extrapoler.

— Peut-être Marie s'est-elle aventurée seule un soir en dehors de sa chambre pour espionner ces grandes personnes avec leur drôle d'air de conspirateur. Peut-être que le violeur était là à fumer une cigarette, l'a grondé puis ramenée dans sa chambre. Et alors, la voyant si frêle et désemparée…

— Assez, gronda Mathias Adendorff d'une voix sourde. Assez !

Du Barrail se tourna vers lui.

— La suite, vous seul pouvez la raconter : comment vous avez découvert son manège et l'avez tué.

Un silence de mort tomba sur l'assemblée. Tous les regards convergèrent vers Mathias Adendorff.

— Il s'appelait Ogalvia, fit-il d'un ton glacé. Un soir, intrigué par son manège, je l'ai suivi. Je le cherchais dans le jardin jusqu'à ce que j'entende des grognements dans la chambre de ma fille. Je le vis se rhabiller et sortir. J'allai voir Marie. Elle était à genoux, la tête sur son lit…

— Qu'est devenu cet homme ? l'interrogea du Barrail.

— Je l'ai abattu, répondit Adendorff sans un battement de cils. Comme on l'aurait fait d'un loup…

— Vous n'étiez pas seul, n'est-ce pas ? Hugo Lucca vous accompagnait.

Mathias Adendorff jeta un bref regard à Lucca qui détourna les yeux.

— Je lui avais tout raconté. Il était celui en qui j'avais le plus confiance autrefois…

La rougeur envahit le visage de Hugo Lucca.

— J'avais donné rendez-vous à Ogalvia à ma maison de campagne pour des raisons secrètes, continua Adendorff. Hugo devait passer le prendre avec ma voiture et feindre une panne en chemin à un endroit convenu. J'intervins à cet instant mais l'homme se méfiait. Je ne pus que le blesser et me retrouvai en grand danger car lui aussi était armé. Hugo est venu me secourir et a pressé la détente. Ceci l'a bouleversé. En rentrant, nous avons eu un accident de voiture. En se réveillant à l'hôpital, Hugo avait perdu la mémoire. J'ai décidé de le laisser, j'avais suffisamment brisé sa vie. Et puis…

Il ne termina pas sa phrase mais son regard s'arrêta sur sa femme qui baissa la tête. Du Barrail se tourna vers l'assemblée et ouvrit les bras en guise de conclusion.

— Mathias Adendorff a fait justice. Ou plutôt, il a accompli sa justice. Par manque de chance pour Ogalvia, il était seul à abuser ce soir-là de Marie Adendorff. Il n'y avait donc personne pour faire le guet car c'est ainsi que vous procédiez, n'est-ce pas?

Il s'était tourné vers Mirepoix qui sursauta violemment.

— Vous y alliez chacun votre tour, quelqu'un surveillant les arrières. C'est cela Mirepoix? C'était plus prudent, n'est-ce pas? Je n'ai pas été assez attentif au départ mais Marie a toujours parlé des loups et non d'un seul loup.

— Pourquoi me dites-vous ça? s'exclama le député indigné.

— Vous avez compris que Mathias Adendorff venait de liquider votre comparse. Vous avez deviné également qu'il ne vous soupçonnait pas. Aussi n'avez-vous pas pris de risque et les loups ont cessé de visiter la chambre de la jeune Marie. Cela n'a pas rassuré pleinement Marie car, au fond d'elle-même, elle savait que le Chasseur n'avait tué qu'un seul loup et ce souvenir continuait de la hanter si fort qu'elle l'a refoulé pour ne plus avoir peur.

Tous les regards, en dehors de celui de Max Engel, s'étaient tournés vers Mirepoix, incrédules. Aniela avait saisi la main de Marie dont le teint était diaphane. Hugo Lucca serrait les dents. Mathias Adendorff n'avait pas remué d'un centimètre.

— Eh oui! fit du Barrail, les loups les plus dangereux sont souvent ceux qui paraissent les plus gentils.

— Vous êtes fou! hurla Mirepoix en sautant sur ses pieds. Fou à lier!

Il se tourna vers Mathias Adendorff toujours étonnamment immobile.

— Ce sont des élucubrations sans queue ni tête, il n'a pas l'ombre d'une preuve de ce qu'il avance!

— Si!

Tout le monde était suspendu aux lèvres de du Barrail, raide et sévère comme la statue du commandeur.

— En plus des souvenirs qui sont revenus à la conscience de Marie, j'ai le témoignage de la Dame en vert qui vous a désigné comme le meurtrier du docteur Gernereau. C'était vous et non Mathias Adendorff qu'il faisait chanter. C'est encore vous qui avez lancé sur nos traces Paliser et son complice lorsque vous avez paniqué de l'avancée de notre enquête.

— Non!

Le visage de Mirepoix était congestionné mais dans ses yeux brillait une lueur d'innocence perverse.

— C'est faux! Faux! Faux! Je n'ai jamais tué le docteur Gernereau! Jamais! Vous ne devez pas croire cette pute!

Max Engel fit un pas en avant.

— Il nous suffira d'examiner les retraits d'argent que vous avez effectués et de comparer les dates avec le dépôt de ces sommes sur le compte de Gernereau.

— Ce n'est pas moi qui l'ai tué! cria Mirepoix hystérique.

Il y eut alors une vive agitation. Mathias Adendorff s'était saisi d'un petit revolver dans un tiroir de son bureau. Le Chasseur voulait terminer son œuvre. Tout le monde cria en même temps. Hugo Lucca bondit sur ses pieds. Max Engel se rua pour désarmer Adendorff. À la suite d'une grande confusion, celui-ci se trouva environné de trois hommes et de deux femmes qui s'agrippaient à lui. Ce fut miracle si le coup ne partit pas. Mirepoix comprit aussitôt où était sa chance. Pour un homme aussi corpulent, le député manifesta une étonnante agilité. Avec l'énergie du désespoir ou la peur que lui inspirait Mathias Adendorff, il bondit et se rua vers la porte. L'instant d'après il dévalait l'escalier et passait en trombe dans le grand hall. Il était parvenu au porche lorsque du Barrail et le détective se trouvaient encore dans la cour intérieure. Mirepoix s'élança dans la rue sans s'arrêter. On vit distinctement le conducteur d'un véhicule arrivant à pleine vitesse se lever pratiquement de son siège pour écraser son frein. Le député avait encore le temps de lui échapper s'il continuait sur sa lancée.

Ce fut alors qu'un visage, masqué par une voilette et surmonté d'un chapeau vert avec deux plumes, s'encadra à la portière d'un taxi stationné contre le trottoir opposé. Frappé de terreur, Mirepoix s'arrêta soudain, comme rattrapé par son destin. La voiture le heurta de plein fouet sans même qu'il se retourne.

Du Barrail et Max Engel arrivèrent lentement, suivis par Aniela et Hugo Lucca, bientôt rejoints par Mathias Adendorff, encore rempli d'une fureur glacée. Le corps de Mirepoix gisait à terre dans une posture grotesque, pantin désarticulé dont on aurait brutalement coupé les ficelles.

— Une mort bien douce, laissa tomber Adendorff entre ses lèvres serrées.

Et nul doute qu'il valut mieux pour Mirepoix la mort que se trouver face au père de Marie Adendorff. Celle-ci parvint à son tour sur le lieu du drame. Tout semblait figé sur le boulevard. Fiacres et automobiles s'étaient arrêtés et badauds ou passants immobilisés. Personne ne faisait un mouvement ou n'émettait un son quelconque. Marie traversa sans regarder, frôlant au passage les doigts de son père, et s'arrêta devant le corps de Mirepoix, près de du Barrail et du détective.

Elle le contempla un long moment, plus pensive que réjouie, mais on remarqua la tension qui habitait toute sa personne et raidissait son corps. Tout à coup, elle fit un pas en avant et leva légèrement le pied. Lorsqu'elle le reposa, le talon de son escarpin écrasa les parties génitales du loup étendu sur le sol et un long soupir de soulagement s'exhala de sa gorge.

Son père lui prit alors doucement le bras et la ramena chez lui. Aniela et Hugo s'écartèrent à son passage. Ils se tenaient par la main mais Mathias Adendorff passa devant eux sans un regard. Max Engel secoua la tête. De tous, c'était celui qui paraissait le plus détaché de la situation. En lui, tous les réflexes professionnels reprenaient le dessus.

— Eh bien ! du Barrail, voilà une fin comme vous les aimez ! dit-il en fixant le cadavre. Le méchant expie son crime ! Du Barrail ?

Étonné, Max Engel regarda tout autour de lui. Il vit du Barrail, comme hypnotisé, monter dans un taxi sans un regard en arrière et aperçut brièvement dans la voiture un chapeau vert, surmonté d'une plume de la même couleur.

— Du Barrail ! hurla-t-il.

L'automobile démarra. À travers la vitre, du Barrail le fixa un instant. Jamais de sa vie, Max Engel n'avait vu un regard aussi triste.

*

Du Barrail commanda deux cognacs. Ils se trouvaient à l'arrière-salle d'un café désert. Au-dessus d'eux, dans un cadre cerclé d'or, une femme aux courbes ondulantes cherchait à échapper à l'emprise végétale. Comme un chevalier qui se dépouille de son armure, la Dame en vert avait abandonné le corset et la ligne en S pour une silhouette droite avec une robe de coupe tombante, à la forme ample, dont les plis retombaient avec grâce dans un chatoiement universel de couleurs. Elle était désormais libre.

— Comment vous appelez-vous ? demanda-t-il doucement.

Elle eut un sourire désespéré.

— Appelez-moi Marie-Madeleine, cela me convient bien et cela vaut la Dame en vert.

— Marie-Madeleine, pourquoi m'avoir dit que j'étais responsable de la mort du docteur Gernereau ?

— Parce que vous l'êtes indirectement, vous allez comprendre pourquoi. Tout comme pour Mirepoix. C'est vous qui m'avez demandé de me tenir devant chez Mathias Adendorff en cas de besoin.

— Je n'étais pas sûr que vous le feriez. En fait, je n'étais certain de rien…

— Moi non plus !

La Dame en vert porta son verre à ses lèvres d'une main si tremblante qu'elle renversa une partie du contenu sur sa jupe. D'un trait, elle but le reste de cognac et toussa.

— C'était le destin, murmura du Barrail songeur, mais pourquoi Mirepoix s'est-il spécialement adressé à vous pour voler ces notes ?

— Je fréquente beaucoup de parlementaires. Il a tout naturellement pensé à moi. Lors de l'analyse de deux de ses patients, Marie Adendorff et Hugo Lucca, le docteur Gernereau eut l'intuition que Mirepoix et un complice avaient violé la fille de Mathias Adendorff enfant. Mathias Adendorff avait identifié et exécuté ensuite ce complice.

— Pourquoi Gernereau n'a-t-il pas essayé de faire chanter Mathias Adendorff ?

Elle secoua la tête avec grâce.

— Trop gros morceau. Le docteur Gernereau n'était pas assez fort pour cela et puis Mathias Adendorff avait déjà tué par le passé. Il n'a pas osé s'y frotter. Il a aussi très vite compris que Mirepoix mourait littéralement de peur à l'idée qu'Adendorff apprenne qu'il avait violé sa fille des années auparavant. Le choix de la victime du chantage s'imposait donc de lui-même.

— Mirepoix vous avait dit tout ça ? s'étonna du Barrail.

— Non.

Elle eut un reniflement dédaigneux.

— Trop prudent pour ça ! Mais j'ai pu faire parler le bon docteur Gernereau. Vous devinez comment…

Elle lissa d'un geste brusque sa robe mouillée.

— Savez-vous qui était le docteur Gernereau ? demanda-t-elle avec un pli amer au coin des lèvres.

— Un sale con.

La Dame en vert le regarda avec ahurissement. Dans la bouche d'un du Barrail, ce mot choquait extrêmement.

— Vous êtes décidément quelqu'un de très surprenant, docteur du Barrail…

Le psychanalyste eut un sourire pensif.

— Vous ignorez à quel point… Que s'est-il passé avec le docteur Gernereau ?

— Puis-je prendre une cigarette ?

Ce ne fut qu'une fois environnée de son halo de fumée habituel qu'ainsi masquée elle put parler.

— Pour avoir les notes de Gernereau, j'ai dû coucher avec lui. Il était fou de mon corps ou plutôt de ce que j'étais capable d'en faire. J'étais devenue pour lui une véritable obsession.

Elle plissa ses beaux yeux verts sous ses longs cils noirs.

— Il était étrange le docteur Gernereau. Je le fascinais mais il désirait que je l'humilie.

Elle releva la tête et le fixa dans les yeux.

— Aimeriez-vous cela, du Barrail ?

Le jeune homme lui rendit son regard.

— J'ai été trop souvent humilié lorsque j'étais enfant, dit-il doucement. Je n'y ai pris aucun plaisir et je ne voudrais reproduire cela sur personne.

Pendant quelques secondes, la Dame en vert le jaugea avec intensité. Ce qu'elle lut dans ses yeux dut lui plaire car elle serra sa main avec force.

— J'en suis certaine, mon ami, j'en suis certaine…

Sa main s'envola comme un oiseau.

— Vous vouliez la vérité et vous allez le regretter. Certaines vérités feraient rougir le diable!

Elle inspira une nouvelle bouffée comme pour se donner du courage.

— Le docteur Gernereau voulait jouer avec moi à des jeux dangereux…

— En quoi consistaient ces jeux?

— Il a d'abord voulu que je le chevauche en le giflant. Plus je le frappais, plus il en redemandait. Il a joui comme une bête. Je me croyais quitte et je lui ai demandé ses notes mais il n'a pas tenu sa promesse. Il n'en avait pas terminé, voyez-vous. Il voulait aller encore plus loin, repousser toutes les limites qu'il connaissait. Vous lui aviez raconté l'histoire d'un de vos patients dont la perversion s'exprimait en étranglant à demi sa partenaire pendant l'acte d'amour. Cela lui avait fait forte impression. Il ne pensait plus qu'à ça. Je devais lui passer une corde au cou et la serrer un peu… Un soir, nous avons commencé. Comme je ne serrais pas assez fort, il m'a dit que je n'avais qu'à penser à mon mari. Eh oui! il avait deviné cela aussi… J'ai donc serré la corde en pensant à ma brute épaisse de mari…

— Que s'est-il passé?

— J'ai oublié d'arrêter de serrer, répondit-elle froidement.

— Comment cela est-il possible?! s'exclama du Barrail.

— Pendant une minute, je n'ai plus vu son visage mais celui de mon mari et je n'arrivais plus à m'arrêter.

Elle chercha son verre et le trouva vide. Doucement, le psychanalyste poussa le sien dans sa direction.

— Merci.

Du Barrail se laissa aller contre le dos de son siège.

— Ainsi, quelque part, j'ai moi aussi joué un rôle dans sa mort…

Elle lui adressa un sourire penaud.

— Pardonnez-moi, je crois que j'essayais simplement de partager mon fardeau avec vous…

— Qu'avez-vous fait après ?

Elle reposa sèchement son verre sur la table.

— Je me suis enfuie dans la nuit, directement chez Mirepoix. Je lui ai tout raconté. *Et les notes ?* me demanda-t-il seulement. Et ce fut là sa seule réaction. Il me demanda de retourner les chercher mais j'en étais bien incapable. Il y alla dimanche matin et en revint fort en colère : les notes n'étaient plus là. Néanmoins, Mirepoix ne perdit pas son sang-froid. Il rhabilla le docteur Gernereau de manière à ce qu'on ne soupçonne pas une femme de l'avoir tué.

Du Barrail hocha la tête. Il comprenait maintenant pourquoi Aniela Adendorff avait vu le corps de Gernereau nu puisqu'elle était passée à l'aube, avant l'arrivée de Mirepoix dans la matinée, puis de la sienne l'après-midi.

— Il me chargea ensuite de récupérer les notes que Gernereau m'avait dit avoir envoyées à Freud. À Weimar, j'ai compris qu'il venait de vous les remettre.

— Bien sûr…

— Dans ma position, il m'était difficile de refuser.

Elle lui jeta un regard implorant.

— Allez-vous m'envoyer en prison?

Du Barrail réfléchit rapidement. Celui qui tue son prochain suicide son âme, mais qu'en était-il de la justice des hommes? Les liens tissés incidemment entre lui et la Dame en vert étaient aujourd'hui trop forts pour qu'il la condamne. Et puis, celui qui sauve une âme sauve le monde entier…

— Les juges vous enverraient tout droit à la guillotine sans chercher à comprendre, répondit-il calmement. Dieu ne veut pas la mort du pécheur.

— Vous devez me mépriser pour tout cela, pour ce que je suis…

— Non, j'ai au contraire tout de suite reconnu en vous une sœur d'infortune.

Elle lui pressa la main.

— Merci, vous êtes un ami précieux, cela est rare.

Il lui rendit son sourire. Un silence se fit, léger comme les ailes d'un papillon. Un instant, une extrême complicité lia ces deux êtres si proches et si différents en même temps.

— Du Barrail?

— Oui?

— Je ferais bien une analyse avec vous mais cela ne me paraît pas possible.

— Effectivement.

— Alors tant pis…

— Je vais vous envoyer à Jung, il saura quoi faire. Comme elle protestait, il l'apaisa d'un geste.

— Jung a été touché par le souffle des espaces infinis. Il vous comprendra comme je vous ai comprise.

— Du Barrail ?

— Oui ?

— Marie-Madeleine n'a plus exercé son ancien métier après avoir rencontré le Christ ?

Du Barrail s'immobilisa, un léger sourire aux lèvres.

— Non.

La Dame en vert le regarda. Elle avait ôté son chapeau et sa voilette et paraissait plus belle que jamais. Les yeux mi-clos, elle récita saint Paul :

— *Quand j'aurais le don de la prophétie et que je connaîtrais tous les mystères et toute la science, quand j'aurais la plénitude de la foi, une foi à transporter des montagnes, si je n'ai pas l'amour, je ne suis rien. Et quand je distribuerais tous mes biens aux pauvres, quand je livrerais mon corps aux flammes, si je n'ai pas l'amour, tout cela ne me servirait à rien.*

Elle sourit et ajouta :

— Vous voyez, j'ai déjà compris agapè.

Du Barrail la regarda, émerveillé.

— Jung avait raison, l'Inconscient collectif… Vous n'avez pas pris ce nom par hasard !

— Je ne suis pourtant pas croyante.

Du Barrail sourit étrangement.

— C'est vous qui le pensez mais après tout peu importe. C'est une femme qui a mis au monde le Christ, ce sont des femmes qui ont enduit d'huile le corps du Christ tandis que ses disciples le reniaient. Ce sont encore les femmes qui ont trouvé le tombeau du Christ vide. Ce sont elles qui en fait ne l'ont jamais quitté, au contraire des hommes. Alors, allez en paix, petite sœur. Malgré tout ce que vous avez fait, vous valez encore bien plus que beaucoup d'entre nous.

XIX

LES MÉTAMORPHOSES DE L'ÂME

Du Barrail étreignit le détective avec une familiarité qui ne lui était pas coutumière.

— Max! Comment vous remercier pour tout ce que vous avez fait pour moi?!

Max Engel sautilla sur place, légèrement gêné.

— Oui, comment? J'ai bien une idée… Finalement, nous formons une bonne équipe. Vous êtes psychanalyste, je suis détective… Soyez mon docteur Watson, je serai votre Sherlock Holmes…

Du Barrail rit.

— Rien que ça! Une autre fois, peut-être… La jeune femme qui vous a ouvert la porte et prépare votre café à la cuisine a d'autres projets en tête pour votre serviteur.

— Oui, et je sais son puissant père, Mathias Adendorff, tout à fait disposé à vous accorder sa main. Tenez, notre ami Jung arrive. Vous avez des choses à vous dire. Je file à la cuisine boire mon café. Je sens que votre amie y prépare aussi des gâteaux!

À son tour, Jung eut droit à une chaleureuse accolade.

— Marie est à la cuisine avec Max, murmura du Barrail. J'étais inquiet pour elle mais je pense qu'elle va mieux.

— Oui, répondit Jung en baissant le ton comme un conspirateur. Je m'en voulais de ne pas l'avoir retenue chez vous mais finalement la femme a son propre comportement. Lorsque celui-ci semble heurter l'homme qui l'intéresse, elle s'adapte pour ne pas le perdre. C'est pour ne pas vous perdre que Marie Adendorff a changé d'identité, adoptant la sensualité extrême de la Dame en vert qui semblait tant vous fasciner. Ne vous en jetez pas la pierre, cela lui a aussi permis de réaliser ce dont elle était jusqu'à présent incapable.

Remarquant la légère rougeur sur le visage de du Barrail, Jung se hâta de changer de sujet.

— Quant à vous, ami, vous vous êtes retrouvé vous-même. L'enfant et l'adulte ne font plus qu'un. Vous pourrez vous asseoir sur ma pierre sans vous demander si vous êtes la pierre ou celui qui est assis dessus ! Vous êtes un et indivisible !

Il recula d'un pas.

— Je vais écrire un livre. Il s'intitulera *Métamorphoses de l'âme et ses symboles*. L'apport de Freud est monumental mais réduire l'Inconscient à la sexualité est une erreur, ainsi que de tout rapporter à l'enfance. Le présent est aussi source de conflits. À côté du Conscient et de l'Inconscient individuel, il existe également un Inconscient collectif représenté par des symboles qu'on retrouve dans nos rêves mais aussi dans l'art comme dans la religion…

Jung s'assit avant d'asséner :

— Ce sont des archétypes et ils constituent l'Inconscient collectif, le patrimoine symbolique et mythique
de toute l'humanité…

Jung se releva. Comme Max Engel, il n'arrivait
jamais bien longtemps à rester en place.

— Ces archétypes sont complétés par des caractères
individuels. L'enfant émerge de l'Inconscient collectif
pour aller vers l'individualisation de sa personnalité
en traversant diverses phases.

Du Barrail approuva chaudement ces paroles. Max
Engel qui revenait, une tasse à la main, grommela en
secouant la tête.

— Notre ami est un sceptique, remarqua Jung en
soupirant, mais il a pourtant foi dans une doctrine
improbable. Hugo Lucca aussi avait foi en son roi, ce
roi qui devait assurer le salut de tous, ce roi qui s'est
perdu dans une autre voie…

— Est-ce que pour vous Freud n'est pas une espèce
de roi perdu? s'enquit du Barrail avec un zeste de
malice.

— Vous êtes un impertinent, docteur du Barrail,
un esprit frondeur et impertinent! Je ne vous connais-
sais pas comme cela. Qui pouvait se douter… Enfin,
prenez notre Dame en vert. Elle n'a pas pris son nom
par hasard : Marie-Madeleine, un nom qui va lui
permettre de retrouver sa voie puisque, depuis Jésus-
Christ, il y a dans toute pécheresse une repentante. Je
ne sais plus quel poète a dit : *Il n'y a pas de vérités, il n'y
a que des histoires.* Quant à Marie, son père n'avait pas

complètement écarté les loups. Tout cela, elle le sentait confusément. Sa seule façon de se protéger était donc de voir des loups dans tous les hommes lorsque ceux-ci voulaient la toucher. La lycanthropie... Voilà encore une belle image mythique. Virgile lui-même souligne déjà l'existence des loups-garous dans l'Antiquité.

— Oui, vous avez raison, renchérit du Barrail, nous avons à écouter et à comprendre.

Jung se frotta les yeux comme s'il sortait d'un long sommeil.

— Désormais, j'ai besoin de coucher tout ceci par écrit pour structurer ma pensée. Allons, je m'en vais. Mon taxi m'attend en bas.

Ils passèrent devant les soldats de plomb, cette fois sagement rangés pour une parade, nota Jung.

— Et Freud? demanda du Barrail en pensant tristement que la rupture était consommée.

— Freud?

Jung hésita.

— Je ne désespère pas d'obtenir de lui qu'il désexualise sa doctrine.

Son ton n'était pas très convaincu.

— Il y a toutefois un sujet sur lequel je serai toujours d'accord avec Freud : avant d'être des adultes, nous avons été des enfants et cela conditionne toute notre vie.

Ses sourcils se froncèrent et son visage s'assombrit.

— Quelque chose ne cessera jamais de me tourmenter. Si Dieu existe, pourquoi laisse-t-il souffrir les petits enfants?

Il y eut un silence pénible. Ce fut Max Engel qui le rompit.

— Vous ne me demandez pas ce que je retire de toute cette aventure mais je vais vous le dire quand même! En vous écoutant, j'en suis parvenu à la conclusion que l'acceptation de soi passe par l'acceptation d'un nous collectif, seul capable de tirer l'humanité de la pente fatale sur laquelle elle s'est engagée!

Les deux psychanalystes se retournèrent d'un bloc et le considérèrent avec effarement.

— Qu'est-ce que vous croyez, se gaussa le détective en pointant un doigt en direction de sa tête. Il y en a là-dedans!

Ils éclatèrent tous de rire et Jung tendit sa main au détective avec un large sourire.

— Adieu Max Engel, vous avez grandi. Je crois d'ailleurs savoir que votre véritable prénom n'est pas Max. Encore le poids de l'Inconscient collectif!

Il se tourna vers du Barrail.

— Au revoir mon ami. Un psychothérapeute doit non seulement comprendre les autres mais se comprendre lui-même, c'est aujourd'hui votre cas.

Un pli barra son front.

— Je ne sais pas encore où je vais mais ne dit-on pas que l'on ne va jamais aussi loin que lorsqu'on ignore où l'on va? Me soutiendrez-vous? Je risque d'être bien seul dans les années qui viennent…

Du Barrail acquiesça en souriant. Entre Jung, romantique optimiste, et Freud, réaliste pessimiste, du Barrail avait choisi son camp et sa filiation. Il ne voulait pas passer à côté du monde immense que Jung voulait découvrir.

Une petite forme vive se faufila soudain entre eux.

— Marie, s'exclama Jung, vous voilà! Comme vous êtes radieuse! Permettez-moi de vous embrasser…

La porte s'ouvrit. Il fit quelques pas et se retourna une dernière fois.

— Venez me voir en Suisse et surtout lisez, étudiez les symboles, la mythologie, l'histoire de l'humanité car…

Il eut un clin d'œil malicieux.

— Comme je l'ai déjà dit à Freud : en quoi peut croire celui qui ne croit pas aux fées?

XX

LE COMITÉ SECRET

Ernest Jones lui ouvrit la porte. Freud remarqua son regard exalté. Dans la pénombre de la pièce, il vit ses plus fidèles disciples debout, les yeux brillants. Il reconnut Karl Abraham, Hanns Sachs, Otto Rank et Sandor Ferenczi.

— Docteur, expliqua Jones d'un ton fiévreux, nous sommes tous réunis ici pour vous affirmer notre soutien. Après les défections d'Adler et de Steckel, nous redoutons celle de Jung.

Freud troublé leva la main en signe de protestation.

— Docteur, reprit rapidement Jones pour couper court à toute protestation, nous avons décidé de former un comité secret que nous appellerons Ring, l'anneau. Pourquoi l'anneau ? Parce que nous formerons un cercle, comme de modernes chevaliers de la Table ronde. Nous aussi nous nous sommes engagés dans la quête d'un Saint-Graal pour laquelle nous consacrerons notre vie. Ce comité secret s'engage à garder notre doctrine pure de toute mauvaise interprétation ou de déviation.

Surpris par cette résolution et une proclamation qui tenait autant du romantisme que de l'illuminisme, le maître réserva sa réponse. Après maintes réflexions, Freud séduit approuva la création du comité secret. Pour sceller cette union entre les gardiens du temple sacré de la psychanalyse, il donna à chacun de ses disciples un anneau d'or paré d'une pierre grecque de ses collections. Tout cela était un peu romanesque mais, après tout, Jung l'avait dit un jour : *Quiconque entre dans le pays des fées doit venir avec la bonne clé.*

BIBLIOGRAPHIE

BETTELHEIM Bruno, *Psychanalyse des contes de fées*, Robert Laffont, 1976.

DUROSELLE Jean-Baptiste, *La France de la Belle Époque*, Presses Fondation Sciences politiques, 1992.

FRANZ (von) Marie-Louise, *La Femme dans les contes de fées*, Albin Michel, 1993.

FREUD Sigmund, *De la psychanalyse*, Payot, 2001.
—, *Introduction à la psychanalyse*, Payot, 2001.
—, *Un souvenir d'enfance de Léonard de Vinci*, Gallimard, 1991.
—, *L'homme aux loups*, PUF, 1990.
—, *Contribution à l'histoire du mouvement psychanalytique*, Payot, 1966.

JONES Ernest, *La Vie et l'Œuvre de Sigmund Freud*, PUF, 2006.

Jung Carl Gustav, *"Ma vie" Souvenirs, rêves et pensées*, Gallimard, 1973. *Métamorphoses de l'âme et ses symboles*, Buchet-Chastel, 1972.

—, *Dialectique du Moi et de l'Inconscient*, Gallimard, 1964.

—, *Essai d'exploration de l'Inconscient*, Robert Laffont, 1964. *Psychologie et Pathologie des phénomènes dits occultes*, thèse de doctorat, 1902.

Lejeune Dominique, *La France de la Belle Époque*, Armand Colin, 2005.

Mabilleau Léopold, *La Science du bonheur*, conférence, 1909.

Marx Karl, *Le Capital*, PUF.

Winock Michel, *La Belle Époque*, Perrin, 2003.

TABLE

OUVRAGE RÉALISÉ
PAR L'ATELIER GRAPHIQUE ACTES SUD
REPRODUIT ET ACHEVÉ D'IMPRIMER
EN SEPTEMBRE 2017
PAR NORMANDIE ROTO IMPRESSION S.A.S.
À LONRAI
POUR LE COMPTE DES ÉDITIONS
ACTES SUD
LE MÉJAN
PLACE NINA-BERBEROVA
13200 ARLES

DÉPÔT LÉGAL
1re ÉDITION: AOÛT 2017

N° impr.: 1704249
(Imprimé en France)